RIPLEY
UNDER GROUND

地下雷普利

Patricia Highsmith——著
尤傳莉——譯

獻給我的波蘭人鄰居、法國的朋友

Agnèsand Georges Barylski

我想，我寧可為自己不信的事物而死，而非為我所知的真相而死……

有時我覺得藝術人生就是一段漫長而美好的自殺，而我並不為此感到遺憾。

——奧斯卡・王爾德私人書簡

1

電話鈴聲響起時，湯姆人在花園裡。他讓管家安奈特太太去接，自己繼續刮除石階兩側溼透的青苔。這個十月很多雨。

「湯姆先生！」安奈特太太的女高音傳來。「倫敦打來的！」

「來了。」湯姆喊道。他扔下小鏟子，爬上階梯。

樓下的電話在客廳裡。湯姆沒坐在那張黃色的緞面沙發上，因為他穿著牛仔褲。

「喂，湯姆。我是傑夫・康斯坦。你……」斷斷續續。

「可以講大聲一點嗎？訊號不太清楚。」

「這樣好點了沒？我聽你的聲音倒是很清楚。」

倫敦的電話訊號向來很清楚。「好一點了。」

「你收到我的信了嗎？」

「沒收到。」湯姆說。

「啊，我們有麻煩了。我想警告你。有個……」

爆擦音，一個嗡嗡聲，一個沉悶的喀嗒聲，然後全部消失。

「該死。」湯姆輕聲說。警告他？畫廊出了什麼事嗎？跟德瓦特有限公司有關？警告他？湯姆根本沒怎麼介入。他憑空想出了德瓦特有限公司這個主意，沒錯，也從中賺了一點錢，但——湯姆看了電話一眼，等著隨時又會響起來。或者他該打電話給傑夫？不，他不知道傑夫人在工作室還是畫廊。傑夫·康斯坦是攝影師。

湯姆走向通往後花園的落地窗。再去刮刮青苔吧，他心想。湯姆平常會隨興做些園藝工作，他喜歡每天花一小時在這上頭，推著小割草機去割草，把枯枝耙在一起燒掉，拔拔雜草。那是運動，而且他可以一邊做白日夢。結果他還沒拿起小鏟子，電話就又響了。

安奈特太太走進客廳，拿著雞毛撢子。她身材矮壯，年約六十，個性相當開朗。她一個英文字都不懂，而且似乎無法學會，連「早安」都不懂，這點正好讓湯姆很中意。

「我來接吧。」湯姆說，拿起了電話。

「喂，」傑夫的聲音說。「湯姆，不曉得你能不能趕過來。來倫敦，我……」

「你什麼？」又是訊號不良，不過沒那麼糟了。

「我說——我在信裡解釋了。現在我不方便解釋，不過事情很重要，湯姆。」

「有人犯了錯嗎？——是貝納德？」

「算是吧。有個從紐約來的人，大概明天會到。」

「誰？」

「我在信裡解釋了。你知道德瓦特的展覽要在星期二開幕，我會跟他拖到那個時候。艾德和我實在分不開身。」傑夫的口氣很焦慮。「你有空嗎，湯姆？」
「唔——有。」但湯姆不想去倫敦。
「設法瞞著赫絲思，別讓她知道你要來倫敦。」
「赫絲思人在希臘。」
「啊，那就好。」傑夫的聲音這才稍微放輕鬆點。
當天下午五點，傑夫的信寄到了，限時加掛號。

寄自：倫敦N.W.8查爾斯街一〇四號

親愛的湯姆：

德瓦特的新畫展將在十五日星期二開幕，是他兩年來的首次展出。貝納德會交出十九幅新油畫，另外還有一些借展的作品。接下來講壞消息。

有個叫湯瑪斯·莫奇森的美國人，是收藏家，不是畫商——他退休了，有大把銀子。他三年前跟我們買過一幅德瓦特的油畫。最近他在美國看到一件德瓦特稍早的作品，比較之後，現在他堅持原先跟我們買的那件是假畫。當然是假的，那是貝納德畫的。他寫信到巴克馬斯特畫廊來（給我），說他認為他那幅畫不是真跡，因為其中的技巧和顏色，都是德瓦特五、六年前那個時期的風格。我清楚感覺到莫奇森打算大鬧一場。這下子怎麼辦？湯姆，你一向點子很多。

你能不能來跟我們談談？所有的費用都由巴克馬斯特畫廊負擔？我們現在太需要加強信心了。我不認為貝納德的任何一件新作品畫得不好，但他現在心情很慌，我們甚至不希望他出現在展覽會場上，尤其是開幕酒會。

如果可以的話，拜託馬上趕來！

謹此致意　傑夫

附筆：莫奇森的信非常殷勤有禮，但如果他堅持要去墨西哥拜訪德瓦特以確認之類的，那怎麼辦？

最後這件事會有問題，湯姆心想，因為德瓦特根本不在人世了。根據巴克馬斯特畫廊和幾個德瓦特的忠誠友人對外的說法（湯姆編出來的），德瓦特跑到墨西哥的一個小村子定居，他不見任何人，沒有電話，而且也不准畫廊把他的地址告訴任何人。唔，如果莫奇森去了墨西哥，他會找得很辛苦，一輩子都找不到。

湯姆可以預見的是，莫奇森八成會帶著他那幅德瓦特來倫敦，他會跟其他畫商談，接著是跟新聞媒體談。這會引起各方猜疑，而德瓦特可能就會化為烏有。那幫人會把他拖下水嗎？（湯姆老是把巴克馬斯特畫廊的這些人，也就是號稱德瓦特老友的，想成「那幫人」，儘管他每次想到這個詞兒就討厭。）而且湯姆心想，貝納德可能會提到湯姆・雷普利，不是出於惡意，而是出於他那種愚蠢的誠實——簡直像基督似的。

湯姆一直保持自己的名聲清白無瑕，考慮到他所做過的事，能這麼清白簡直是太神奇了。如果法國報紙報導說，塞納河畔維勒佩斯的湯瑪斯・雷普利*，也就是皮里松製藥公司的百萬富豪老闆賈克・皮里松之女赫綠思・皮里松的丈夫，竟然憑空虛構出「德瓦特有限公司」這個詐財騙局，而且多年來都從中抽成（雖然只有一成），那就太丟人了。這種事非常不光彩。就連赫綠思——湯姆認為她的道德感幾乎不存在——恐怕都會有反應，而且她父親肯定會逼她離婚。

德瓦特有限公司現在很大了，要是倒掉的話，會有很多連帶的後果。以「德瓦特」為商標名的美術用品系列就會跟著完蛋，這部分本來頗有利可圖的，那幫人和湯姆也都從中抽取專利授權金。然後還有在義大利佩魯賈的德瓦特美術學校，主要的學生是一些有教養的老太太和來度假的美國女學生，但也還是一項收入來源。其實這個美術學校從授課和販賣「德瓦特」美術用品所賺的錢，還不如以租屋仲介商的身分賺得多——替那些富有的觀光客學生找頂貴的房子和附家具的公寓，從中賺取厚利。那所美術學校是由一對英國的同性戀者經營，他們完全沒參與這個德瓦特騙局。

湯姆無法決定要不要去倫敦。他能跟他們說什麼？而且湯姆不明白問題出在哪裡：難道一個

* 譯注：湯姆（Tom）是湯瑪斯（Thomas）的慣見暱稱。

畫家不可能在某幅畫中，又重拾早年技法嗎？

「今天晚上先生想吃小羊排還是冷火腿？」安奈特太太問湯姆。

「小羊排吧。謝謝。還有，妳的牙齒怎麼樣了？」這個早上安奈特太太去找她最信賴的那名村裡的牙醫，去看一顆害她疼得整夜睡不著的牙齒。

「現在不痛了。他人真好，葛尼耶大夫！他說那是膿腫，但他弄開了牙齒，神經掉出來了。」湯姆點點頭，不過他不懂神經怎麼會掉出來；大概是地心引力吧。有回他的牙醫費力鑽了半天，才抽掉他一顆牙的神經，那也是顆上牙。

「你接到倫敦捎來的好消息嗎？」

「沒有，唔——只是一個朋友打來問候。」

「有赫綠思夫人的消息嗎？」

「今天沒有。」

「啊，想像陽光！希臘！」安奈特太太說，同時擦著壁爐旁一個大橡木櫃子本來就很光亮的表面。「看！維勒佩斯都沒太陽。冬天來了。」

「是啊。」這陣子安奈特太太每天都說同樣的話。

按照預定計畫，赫綠思要快到聖誕節時才會回來。但另一方面，她也有可能忽然跑回家——跟朋友稍微拌了嘴，或只是不想待在船上那麼久。赫綠思很容易一時衝動的。

湯姆放了張披頭四的唱片好提振精神，然後在那個大大的起居室裡踱步，雙手插在口袋裡。

他喜歡這棟房子。這是一棟兩層樓高的方形灰岩大宅，樓上四個角落的圓形房間上方是角樓，讓整棟房子看起來像一座小城堡。花園很大，而且即使以美國的標準來看，這個地方也還是值一大筆錢。三年前赫綠思的父親把房子送給他們，當成結婚禮物。結婚之前，湯姆需要更多的錢，因為他已經逐漸習慣享受優裕的生活，而葛林里的錢不夠花，於是湯姆也很有興趣從德瓦特的事情裡頭抽成。現在他後悔了。他抽一成，本來錢很少的。就連他當初也沒料到，德瓦特會紅成這樣。

這個晚上就像大部分的夜晚一般，他安靜地獨自度過，不過思緒卻陷入困境。他吃飯時聽著輕柔的音樂，一邊讀著塞爾旺—舒海伯（Jean-Jacques Servan-Schreiber）的法文著作。有兩個字湯姆不認得。他打算睡前再去查他床頭的哈樂普法英字典。他很擅長記住生字，留待稍後再查。

雖然沒下雨，但晚餐後他還是穿上雨衣，走到四分之一哩外的一家酒吧咖啡店。有時他晚上會到這裡來，站在吧檯前喝咖啡。毫無例外，店主喬治一定會問起赫綠思夫人，然後為湯姆必須獨處那麼久而表示遺憾。今晚湯姆開心地說：

「啊，我不認為她會在那艘遊艇上再待兩個月。她會膩的。」

「真享受呀。」喬治喃喃道。他是個圓臉男子，挺著個大肚腩。

湯姆不太相信他真像表面上那麼溫和又好脾氣。他太太瑪麗是個高大而活潑的褐髮女人，嘴上總塗著鮮紅色唇膏，顯然很兇悍，卻被她狂野而歡快的笑彌補了過來。這是個勞動階級的酒吧，這是事實，湯姆也並不反對，但這裡並不是他最喜歡的酒吧。只不過剛好離他家最近而已。

至少喬治和瑪麗從來不會提到狄奇・葛林里。他或赫綠思在巴黎的幾個熟人曾提起狄奇，還有維勒佩斯唯一的旅館聖皮耶飯店的老闆也提過。那個老闆曾問他，「你就是那位雷普利先生，有個美國朋友叫葛林里的？」湯姆承認是。但那是三年前了，而且這樣的問題從來不會再深入，所以也不會讓湯姆緊張，但他還是寧可避開這個話題。報紙提到過狄奇的遺囑留給他頗大一筆錢，有些說是固定收入，這是事實。但至少沒有報紙暗示過那份遺囑是湯姆寫的。法國人老是對財務的細節念念不忘。

喝完咖啡後，湯姆走路回家，沿路跟一、兩個村民說「晚安」，偶爾踩到路邊堆積的溼樹葉，腳底滑一下。鄉下的路沒有人行道。他帶了一把手電筒，因為路燈太少了。他偶爾瞥見一些人家的溫馨畫面，在廚房內、在看電視、坐在鋪了油布的餐桌前。還碰到幾戶院子裡拴著的狗在吠叫。然後他打開他自己家十呎高的鐵柵門，走上嘎吱作響的碎石路。湯姆看到安奈特太太位於屋側的房間還亮著燈。她房間裡有自己的電視機。湯姆常常夜裡作畫，只是消遣而已，但今晚他沒那個心情。反之，他寫信給一個住漢堡的美國人朋友瑞夫斯・米諾，問起什麼時候需要他？瑞夫斯要偷放一捲微縮膠卷——或其他東西——在一位義大利人貝托洛齊伯爵的行李內。然後這位伯爵會來維勒佩斯拜訪湯姆一兩天，湯姆要暗中把東西從他的行李箱內（或其他地方，瑞夫斯會再告訴他）取出，然後寄給巴黎一個湯姆完全不認得的男子。湯姆常常幫忙做這些類似銷贓的勾當，有時候會經手珠寶贓物。由湯姆取出訪客的東西比較單純，要比安排一個人在巴黎做同樣的事情容易，免得帶了東西的人根本沒住進那旅館。湯姆跟貝托洛齊伯爵略有交情，是緣於最近去了米蘭一趟，當時瑞夫斯也在米蘭。湯姆曾跟這位伯爵討論繪畫。對湯姆來說，他很容易就能說服那些有點閒暇時間的人來維勒佩斯他家裡住一兩天，看看他的畫——除了德瓦特之外，他有一幅蘇丁（Chaim Soutine，湯姆特別喜歡他的作品）、一幅梵谷、兩幅馬格利特（René Magritte）的油畫，幾件考克多（Jean Cocteau）和畢卡索的素描，以及很多張名氣較小的畫家所畫的素描，但他覺得畫得一樣好，或甚至更好。維勒佩斯離巴黎很近，而且對他的客人來說，先享受一點法國鄉村生活再進城也不錯。事實上，湯姆常常開車去機場接訪客，維勒佩斯就在奧利機場南邊約四十哩。湯姆只失敗過一次，當時一位美國人訪客剛到湯姆家就病倒了，一定是因為他來之前吃的東西不乾淨，害湯姆沒法去取行李箱的東西，因為那個客人一直清醒躺在臥室的床上。那次要取的東西又是一個微縮膠卷，後來是瑞夫斯安排他在巴黎的人費了點事才拿到手。對於這些東西的價值，有的湯姆未必了解，但他閱讀間諜小說時，也不是總能明白價值何在。瑞夫斯只是個抽成的銷贓人罷了。湯姆向來開車到別的城鎮去寄這類東西，而且寄件人的姓名和地址都填假的。

這天晚上，湯姆睡不著，於是他下了床，穿上他的紫色羊毛睡袍下樓到廚房，那件睡袍又新又厚，上面印著一堆戰鬥蛙，還有很多流蘇，是赫綠思送他的生日禮物。他本來想喝耀星特級啤酒，但後來決定泡點茶。他幾乎從不喝茶，所以在某種意義上喝茶也很適合，因為他覺得這是個奇怪的夜晚。他在廚房裡躡手躡足，免得吵醒安奈特太太。湯姆泡出來的茶是暗紅色，他在茶壺裡放太多茶葉了。他端著托盤進入客廳，倒了一杯茶，穿著氈毛室內拖鞋無聲地四處走動。他心想，何不假扮德瓦特呢？老天，沒錯！這就是解答，完美的解答，也是唯一的解答。

德瓦特跟他年紀差不多，夠接近了——湯姆三十一歲，德瓦特如果活著，現在應該是三十五左右。藍灰色的眼珠，湯姆記得辛西雅（貝納德的女友）或是貝納德有回在他們熱情頌讚完美無瑕的德瓦特時提過。德瓦特生前有短短的絡腮鬍，這一點對湯姆將會大有幫助。

傑夫・康斯坦一定會喜歡這個主意。安排一個媒體專訪。湯姆得溫習一下自己可能得回答的問題，還有他得講的一些故事。德瓦特跟他一樣高嗎？唔，那些記者誰會曉得？德瓦特的頭髮顏色比較深，湯姆心想。但這點可以解決。湯姆又喝了些茶，繼續在客廳裡踱步。他應該意外出現，就連傑夫和艾德都沒想到——當然，貝納德也沒想到。反正他們會這樣告訴媒體的。

湯姆試著想像面對湯瑪斯・莫奇森先生。重點是要冷靜，有自信。如果德瓦特說一幅畫是他的，是出自他的手筆，莫奇森憑什麼說不是呢？

湯姆想得正熱頭，於是走到電話邊。剛過凌晨兩點，這個時間接線生大半都睡了，得花十分鐘才會有人接電話。於是湯姆耐心坐在黃色沙發一角。他想著要叫傑夫或誰準備一些好的化裝用品。湯姆真希望能託給一個女人負責這個事情，比方辛西雅，但辛西雅和貝納德兩、三年前分手了。辛西雅知道德瓦特的騙局，也知道貝納德偽造假畫，她不願意沾這個事情，據湯姆所記得的，她一毛錢都不肯拿。

「喂，請說。」一個不耐煩的女接線生說，好像湯姆逼她下床來幫自己一個忙。湯姆查了電話旁邊的地址簿，把傑夫工作室的號碼告訴了那個接線生。湯姆很幸運，五分鐘內電話就接通了。他又倒了第三杯深紅色的茶，拿得離電話更近。

「喂，傑夫。我是湯姆。事情怎麼樣了？」
「完全沒好轉。艾德在這裡。我們正想打電話給你。你會過來嗎？」
「會，我有個更好的主意。如果我扮演我們失蹤的朋友，總之扮演個幾小時，你覺得怎麼樣？」
傑夫花了一會兒搞懂。「啊，湯姆，太好了！你星期二可以趕來這裡嗎？」
「可以，沒問題。」
「能不能提早到星期一，就是後天？」
「恐怕沒辦法。不過星期二沒問題。現在仔細聽著，傑夫，有關化裝用品——一定要很好的。」
「別擔心！你先等一下！」他跟艾德談了一下，然後又回到線上。「艾德說他有一個來源，可以弄到化裝用品。」
「這件事先別對外宣布，」湯姆依然保持冷靜的語調，因為聽起來傑夫已經樂得跳起來了。
「還有一件事，如果這招行不通，如果我失敗了，我們一定要說這是一個玩笑，是你們的一個朋友——就是我——憑空想出來的。跟那個，你知道，一點關係都沒有。」湯姆指的是莫奇森關於偽造的指控，而傑夫立刻就明白了。
「艾德要跟你講話。」
「喂，湯姆，」艾德低沉的聲音說。「很高興你要過來。這個點子太棒了。另外你知道——貝納德那邊有一些他的衣服和東西。」

「這方面就交給你負責了，」湯姆忽然警覺起來。「衣服是最不重要的。麻煩的是臉。趕快去搞定，懂嗎？」

「你說得沒錯。上帝保佑你。」

他們掛斷電話。然後湯姆跌坐回沙發上放鬆，幾乎平躺。不，他不能太早去倫敦。他要最後一刻才上台，帶著衝勁和氣勢。太多簡報和排練可能會弄巧成拙。

湯姆拿著那杯冷掉的茶站起來。如果他能成功的話，那就太愉快又太好玩了，他心想，凝視著火爐上方的那幅德瓦特作品。這是一幅粉紅色調的椅中男子畫像，男子有好幾個輪廓，於是看起來就像透過某種變形的眼鏡看著這幅畫像。有些人說德瓦特的作品害他們看得眼睛難受。但站在三、四碼之外的距離看，就不會了。這幅不是德瓦特的真跡，不過是貝納德‧塔夫茲早期的偽造仿作。房間對面掛著一幅德瓦特的真跡，《紅色椅子》。兩個小女孩並肩坐著，看起來嚇壞了，好像第一天上學，或是在教堂裡聽到什麼可怕的事。《紅色椅子》作於八年或九年前。不論那兩個小女孩坐在哪兒，反正在她們身後，整個地方陷入一片火海。黃色和紅色火焰跳躍著，幾筆白色讓那些火焰顯得朦朧，因而觀者一開始不會留意到那片火。但等到注意時，就會造成極度不安的效果。兩幅畫湯姆都很愛。到了現在，他看著兩幅畫時，幾乎都忘了哪一幅是偽作、哪一幅是真跡了。

湯姆回想起早年「德瓦特有限公司」還未成形的日子。湯姆在倫敦認識傑夫‧康斯坦和貝納德・塔夫茲的時候，德瓦特剛在希臘淹死——大概是自殺的。湯姆自己也才剛從希臘回來；當時狄奇・葛林里也才死沒多久。德瓦特的屍體從沒找到過，不過有幾個村裡的漁夫說看到他有天早上去游泳，卻從沒見到他回來。德瓦特的朋友們——那回湯姆也見到了辛西雅・葛瑞諾——非常心慌又悲痛，湯姆從沒見過一個人死了能造成這麼嚴重的影響，連家人都不可能。傑夫、艾德、辛西雅、貝納德都很茫然。他們像在做夢般熱情地談著德瓦特，不光是身為一個藝術家，而是身為一個朋友，還有一個人。他住在北倫敦的伊斯林頓，生活得很簡單，有時吃得很糟，但他對別人向來大方。他附近的小朋友很崇拜他，常常當他作畫的模特兒，並不期待任何酬勞，但德瓦特總是會掏出錢來，有時可能是他僅有的幾分錢，給那些小孩。就在德瓦特到希臘之前，他又碰到了一個打擊。他接了一個政府委託案，為北英格蘭一個城鎮的郵局畫一幅壁畫。草稿審查過關了，但完工後卻被拒收：因為畫中有人裸體，或者太過裸露，而德瓦特拒絕更改。(「他的堅持沒錯，一點也沒錯！」德瓦特忠誠的朋友們如此向湯姆保證。)但這讓德瓦特原先預期的一千鎊收入化為烏有。這似乎是一連串打擊中的最後一擊——德瓦特的朋友們不明白他有多麼沮喪，因此非常自責。湯姆模糊記得中間還有個女人，也是造成德瓦特沮喪的原因，但這個女人對他來說，似乎不如工作上的打擊來得大。德瓦特的朋友都是專業人士，大部分都是自由接案，平常也很忙，德瓦特生前最後一段時間找過他們——不是為了要借錢，而是要他們陪他幾夜——他們都說沒空見他。在朋友不知情的狀況下，德瓦特賣掉他工作室裡面的家具，到了希臘，在那邊寫了一封很沮喪的長信給貝納德。(湯姆從沒看過那封信。)接下來就是他失蹤或死亡的消息。

包括辛西雅在內，德瓦特的朋友們第一個反應，就是收集他所有的油畫和素描，想要賣掉。他們希望讓他的名聲不死，希望全世界認識並欣賞他的作品。德瓦特沒有親人，而且據湯姆記得，他小時候是棄嬰，連自己的父母是誰都不曉得。他悲劇性的死亡傳奇成為他的助力，而非阻礙；通常一般畫廊對年輕早死又沒名氣的畫家作品沒興趣，但有個自由撰稿的記者艾德・班伯瑞利用他的管道和才華，撰寫有關德瓦特的文章，在報紙、畫報、藝術雜誌上發表，傑夫・康斯坦則拍攝了德瓦特畫作的照片當配圖。德瓦特死後幾個月，他們找到了一家巴克馬斯特畫廊，而且是在繁華的龐德街上，這家畫廊願意代理德瓦特的作品，很快地，德瓦特的油畫就賣到了六百鎊或八百鎊。

接下來就碰到不可避免的狀況。油畫全都賣完了，或者幾乎賣完了，此時湯姆住在倫敦（他在西敏區伊頓廣場附近的一戶公寓住了兩年），有天晚上在索斯伯里酒館遇到了傑夫、艾德和貝納德。當時他們又陷入憂愁，因為德瓦特的油畫快賣完了，當時湯姆就說，「你們做得很好，就這麼結束太可惜了。難道不能讓貝納德模仿德瓦特的風格，畫出幾幅畫來嗎？」湯姆本來是開玩笑，或者半開玩笑的。他跟這三個人根本不熟，只知道貝納德是畫家。但傑夫跟艾德・班伯瑞都是務實的人（一點也不像貝納德），當時傑夫便轉向貝納德說，「這個我也想過。你覺得呢，貝納德？」湯姆忘了貝納德到底是怎麼回答的，只記得貝納德低下頭，好像光是想到要偽造他的偶像德瓦特的作品，就很羞愧或很害怕。幾個月後，湯姆在倫敦一條街道上碰到了艾德・班伯瑞，艾德很開心地說貝納德畫出兩幅很出色的「德瓦特」，他們已經當成真跡，在巴克馬斯特畫廊賣掉了其中一幅。

更後來，就在湯姆剛娶了赫綠思，又搬離了倫敦之後，湯姆、赫綠思、傑夫都參加了同一個派對，那是一個很大的雞尾酒會，就是大到你根本見不到主人的那種，然後傑夫示意湯姆來到一個角落。

傑夫說，「晚一點可以找個地方碰面嗎？這是我的地址，」然後遞給湯姆一張名片。「你方便今天晚上十一點左右過來嗎？」

於是湯姆單獨去傑夫那兒，這點很簡單，因為赫綠思當時還不太會講英文，光是參加那個派對就受夠了，只想回旅館。赫綠思很喜歡倫敦——喜歡英國的毛衣和流行服飾匯集的卡奈比街，喜歡那些賣怪玩意兒的商店，裡頭有英國國旗的垃圾桶和一些英文標語，比方「滾蛋」之類的，湯姆常得幫她翻譯這類標語，但那天她說她努力想講英文忙了一個小時，已經搞得頭痛了。

「我們的問題是，」傑夫那天晚上說，「我們不能繼續假裝我們又在哪裡發現了一幅德瓦特。貝納德做得不錯，不過——你想我們可以冒險說我們在某個地方發現了一大批德瓦特的畫作，比方他待過一陣子的愛爾蘭，然後我們把那些畫賣掉，從此罷手嗎？貝納德不太想繼續下去。他覺得自己背叛了德瓦特——就某種意義來說。」

湯姆想了一會兒，然後說，「如果德瓦特還活著不行嗎？就說他隱居在哪裡，把畫作寄來倫敦呢？不過這得貝納德繼續畫下去才行。」

「嗯。這個嘛——可以啊。或許希臘吧。好棒的點子，湯姆！這樣就可以永遠繼續下去了。」

「墨西哥怎麼樣？我想會比希臘安全。我們就說德瓦特住在某個小村子。他不肯告訴任何人村名——只除了或許你和艾德和辛西雅——」

「沒有辛西雅了，她——唔，貝納德現在跟她不常見面了，所以我們也一樣。這事情她最好不要知道得太多。」

湯姆記得，當天晚上傑夫就打電話給艾德，告訴他這個點子。

「這只是個點子，」湯姆當時說，「不曉得是不是行得通。」

但結果行得通。對外的說法是，德瓦特的畫作開始從墨西哥運過來，而艾德・班伯瑞和傑夫・康斯坦也充分利用德瓦特「復活」的戲劇化故事，刊登在更多雜誌文章裡，配上德瓦特和他的（其實是貝納德的）最新畫作的照片，但沒有德瓦特本人在墨西哥的照片，因為他不接受任何採訪或攝影。那些油畫是從墨西哥的維拉克魯茲寄來，就連傑夫或艾德都不知道他所居住那個村子的村名。德瓦特或許在心理上對這種隱遁感到厭煩。據某些藝評家說，他的畫作病態又沮喪。但他的作品價格已經躍居英格蘭在世藝術家最高之林，甚或在歐陸或美國亦然。艾德・班伯瑞寫信給法國的湯姆，說這個忠誠的小團體（現在只剩三個人了，就是貝納德、傑夫，和艾德）是德瓦特畫作進帳的唯一受惠者，他們願意把利潤分一成給他。湯姆接受了，主要是因為他覺得自己接受的話，比較像是一個封口的保證。但貝納德・塔夫茲畫得太好了。

傑夫和艾德買下了巴克馬斯特畫廊。湯姆不確定貝納德是否佔了股份。有幾幅德瓦特的畫作成為這家畫廊的永久收藏品，當然，畫廊裡也陳列了其他藝術家的畫作。主要負責經營畫廊的是傑夫，他雇了一名助手，算是畫廊的經理。不過買下巴克馬斯特畫廊之後，就有個叫喬治・強諾波洛（或是類似名字）的藝術用品製造商來找傑夫和艾德，他想開一條以「德瓦特」為名的商品線，從橡皮擦到油畫套裝顏料，無所不包，而且開出百分之一的權利金。艾德和傑夫決定幫德瓦特答應（想必德瓦特也會贊成）。於是一個叫「德瓦特有限公司」的企業就此成立。

湯姆在清晨四點回憶這一切，儘管身上穿著豪華的睡袍，他仍不禁微微顫抖。安奈特太太很節儉，夜裡老是把中央暖氣調低。他兩手捧著冷掉的甜紅茶，視而不見地瞪著一張赫綠思的照片——長長的金髮垂在纖瘦的臉兩旁，這張愉悅而毫無意義的面容，此刻對湯姆的意義卻不光是一張臉——他想到貝納德在一個封閉的、連在他公寓內都還要額外上鎖的房間裡，祕密地偽造德瓦特的畫作。貝納德的住處很破舊，跟以前一樣。他畫出這些每幅價值數千鎊之傑作的至聖所，湯姆從沒見過。如果一個人畫的偽作比自己的畫作更多，那麼偽作不是應該變得更自然、更真實，甚至比他自己的畫更算是真跡嗎？到最後，他難道不會變得不必刻意仿造，而成為自己的第二天性？

最後湯姆蜷縮在黃色沙發上，脫掉拖鞋，雙腳收到睡袍底下，睡著了。沒睡多久，安奈特太太就跑來，然後驚訝得發出尖叫，或是刺耳的喘息聲，吵醒了他。

「我一定是讀書讀到一半睡著了。」湯姆微笑著說，坐起身來。

安奈特太太趕忙離開客廳去替他沖咖啡。

2

湯姆訂了星期二中午飛倫敦的機票。這樣到了倫敦後，他就只剩兩小時化裝並聽取簡報，而且時間短得還來不及開始緊張。湯姆開車到梅朗鎮，到他的銀行去提領一些法郎現金。

此時是十一點四十分，而銀行十二點休息。湯姆在領現金櫃台排第三個，但很不幸，有個女人正在這個窗口提領公司發薪或類似狀況所需的大筆現金，她舉起一袋袋硬幣，同時兩腳夾住放在地上的幾個袋子。在櫃台的格柵後頭，一名銀行職員沾溼了大拇指，正在盡快清點一疊疊鈔票，同時將總數分別記在兩張紙上。不曉得要搞多久，湯姆納悶著，時鐘已經緩緩逼近十二點。湯姆帶著興味看到前頭的人離開隊伍。現在有三個男人和一個女人擠近格柵，像是被迷住的蛇般，目光呆滯瞪著那些現金，彷彿那是他們繼承自某個親戚的畢生積蓄。湯姆放棄了，離開銀行。沒有現金他也勉強應付得過去，他心想，其實他提領法郎也只是為了要送給那些可能來他家住的英國朋友，或讓他們換錢而已。

星期二早上，湯姆正在收拾行李，安奈特太太來敲他臥室的門。「我要去慕尼黑，」湯姆開心地說。「要去聽音樂會。」

「啊，慕尼黑！巴伐利亞！你一定要帶厚衣服。」安奈特太太已經很習慣他一時興起就出門旅行。「要去多久，湯姆先生？」

「兩天，或許三天。別擔心有事連絡不到我。我會打電話回來的。」

然後湯姆想到有個東西可能用得上，他的飾釦盒裡應該有枚墨西哥戒指。沒錯，就在裡頭，放在一堆袖釦和鈕釦間，那是枚沉重的銀戒指，造型是兩條盤繞的蛇。湯姆不喜歡這枚戒指，也不記得是怎麼得來的了，但至少這是墨西哥貨。湯姆朝戒指吹吹氣，在自己的褲腿上擦了擦，然後放進口袋。

郵差十點半送信來，總共有三封，一封是電話帳單，信封裡很厚一疊，因為每通長途電話都有一張帳單；還有一封赫祿思寄來的信；以及一封美國寄來的航空信，上頭的筆跡湯姆不認得。他把信封翻過來，很驚訝看到寄件人是克里斯．葛林里，地址是舊金山的。誰是克里斯？他先打開赫祿思的信。

親愛的：

我現在很開心、很平靜。吃得非常好。我們把魚抓上船。柴波致上愛。（柴波是她那位皮膚黝黑的希臘主人，湯姆真想叫他把他的愛拿去見鬼吧。）我比較會騎腳踏車了。我們也去乾燥的陸地上玩了很多次。柴波拍了照片。麗影狀況如何？我想念你。你開心嗎？很多邀約嗎？（意思是去邀人還是被邀？）你還畫畫嗎？我都沒收到爸爸的信。

幫我吻安奈特太太。擁抱你。

一九——年十月十一日

接下來是法文寫的。她要他寄一件紅色泳裝過去，放在她浴室櫃子的一個小抽屜裡。她要他寄航空的。遊艇上有個溫水游泳池。湯姆立刻上樓，安奈特太太還在整理他的房間，於是湯姆交代她幫忙寄泳裝，給了她一張一百法郎的鈔票，因為她可能會被航空郵費的價錢嚇住，改而冒險寄海運。

然後湯姆下樓，匆忙打開葛林里的那封信，因為他幾分鐘之內就得離開去奧利機場了。

親愛的雷普利先生：

我是狄奇的堂弟，下星期會到歐洲，大概會先到倫敦，不過我還沒決定是不是要先去巴黎。總之，我希望能跟你碰面。我叔叔赫伯特給了我你的地址，他說你住得離巴黎不遠。我沒拿到你的電話號碼，不過我可以去查。

在此先跟你自我介紹一下。我二十歲，就讀史丹佛大學。之前我在陸軍服役一年，於是學業中斷。我打算回史丹佛讀工程學的學位，不過想先花一年到歐洲各地看看，放鬆一下。現在很多人都這樣。整個社會的壓力讓人受不了，我指的是在美國，不過或許你在歐洲待太久了，不會明白我的意思。

叔叔跟我談過你很多事。他說你是狄奇的好友。我十一歲時見過狄奇，當時他二十一歲。我記得他是個金髮高個子。他曾到加州我們家拜訪。

不知您十月底、十一月初是否在維勒佩斯，麻煩請告訴我。衷心期盼與您相見。

誠摯的 克里斯・葛林里

一九──年十月十二日

湯姆心想，他要婉拒掉這回事。不必跟葛林里家族的人更進一步來往。赫伯特・葛林里難得寫信給他，湯姆總是會回信，寫得非常禮貌而殷勤。

「安奈特太太，家裡的爐火要保持興旺啊*。」湯姆離開時說。

「你說什麼？」

他盡力把那句話翻成法文。

「再見了，湯姆先生！一路順風！」安奈特太太站在前門朝他揮手。

車庫裡有兩輛汽車，湯姆開走了紅色的愛快羅密歐。到了奧利機場，他把車停在室內停車場，說要停兩天或三天。他在航廈買了一瓶威士忌，好帶著出關。其實他的行李箱裡已經有一大

* 譯注：家中的爐火要保持興旺（keep the home fires burning），典出一次大戰時的愛國流行歌曲，原指戰亂時期男子出征，家中妻女仍要保持國家或家庭穩定。

瓶法國產的保樂茴香酒（到倫敦的旅客每個人只能帶一瓶酒），但因為湯姆發現，如果他通過檢查的綠走道時擺明拿著一瓶酒，檢查員就絕對不會要他打開行李箱。上飛機後，他買了沒有濾嘴的高盧牌香菸，在倫敦一向很受歡迎的。

英格蘭下著小雨。巴士沿著路的左邊緩緩前行，沿路那些住宅的宅名向來讓湯姆覺得很好玩，不過此時在昏暗的天色中，他實在很難看清楚：暫歇、難以置信、密德佛苑、灰褐漫遊，這些宅名就掛在小小的招牌上。還有叫爐邊、坐下、老天的宅名。然後是一排擁擠的維多利亞式屋宅，被改裝成為小旅館，多利安式門柱間的霓虹燈亮出誇張的名字：曼徹斯特紋章、艾弗烈國王、赤郡王朝。湯姆知道在這些狹窄大廳的體面外觀背後，某些當今最厲害的兇手會在這裡躲上一、兩夜，他們看起來也同樣體面。英格蘭就是英格蘭，上帝保佑！

接下來吸引湯姆注意的，是馬路左邊一根燈柱上的海報。粗黑手寫字「德瓦特」微微向後傾斜，那是德瓦特的簽名。複製的那張彩色圖片在昏暗的光線下成了深紫和黑色，有點像是平台型大鋼琴掀開的蓋子。毫無疑問，那是一件貝納德．塔夫茲最新的偽作。前面幾碼處又有一張同樣的海報。在全倫敦如此「張揚」，真正來到卻是如此安靜，感覺上好奇怪，湯姆想著，在西肯辛頓總站走下巴士，沒人注意到他。

湯姆在巴士總站打電話到傑夫．康斯坦的工作室。艾德．班伯瑞接了電話。

「叫輛計程車直接過來吧！」艾德說，口氣開心極了。

傑夫的工作室在聖約翰森林區。二樓（在英國叫一樓）的左邊。這棟小小的建築物精巧而恰到好處，不會太奢華，也不會太寒酸。

艾德猛地打開門。「老天，湯姆，真高興看到你！」

他們緊緊握了手。艾德比湯姆高，一頭直直的金髮老是垂下來蓋住耳朵，於是他就不斷撥到旁邊。他年紀大約三十五歲。

「傑夫人呢？」湯姆從紅色網袋裡掏出高盧牌香菸和威士忌，然後是行李箱裡那瓶偷渡的保樂茴香酒。「我請客。」

「啊，太好了！傑夫在畫廊。聽我說，湯姆，你會做這件事吧？——因為我東西都已經準備好，而且現在時間不多了。」

「我會試試看。」湯姆說。

「貝納德也會來。他會來幫忙做簡報。」艾德忙亂地看了一眼手錶。

湯姆已經脫掉大衣和外套。「德瓦特不能遲到一下嗎？開幕是在五點對吧？」

「啊，當然。反正六點再到就行了，不過我想試試那些化裝用品。傑夫要我提醒你，你比德瓦特矮一點而已——而且就算我寫過他的身高，誰會記得那些數字啊？另外，德瓦特的眼珠是藍灰色的。不過你的也一樣。」艾德大笑。「要不要喝點茶？」

「不用，謝了。」湯姆看著沙發上那套深藍色的西裝。看起來太寬，而且沒燙過。一雙很可怕的黑色鞋子放在沙發旁的地板上。「你去喝杯酒吧？」湯姆建議艾德，因為艾德緊張得像隻貓似的。一如往常，他人的緊張會讓湯姆感覺格外冷靜。

門鈴響了。

艾德開門讓貝納德・塔夫茲進來。

湯姆伸出一隻手。「貝納德，你好嗎？」

「還好，謝謝。」貝納德說，一副悲慘的口氣。貝納德很瘦，橄欖色皮膚，直直的黑髮，一對溫和的深色眼珠。

湯姆覺得暫時最好不要跟貝納德多攀談，必要時再開口就行了。

艾德走進傑夫那個很小但很現代化的浴室裡，端了一盆水出來，湯姆讓他用暫時性的染髮劑把自己的頭髮染得黑一點。貝納德開始說話，但是想半天才講一句，然後艾德又一直催他。

「他走路有點駝背，」貝納德說。「他的聲音——他在公開場合有點害羞。他聲音沒什麼抑揚頓挫，我覺得。比方這樣，我來示範看看。」貝納德單調地說。「偶爾他會笑一下。」

「我們不都是這樣嗎！」湯姆說，自己也緊張地笑了。現在湯姆坐在一張直背椅上，艾德幫他梳著頭髮。湯姆的右邊有一片東西，看起來像理髮店裡的小掃把，不過艾德拿起來甩了甩，結果是一片假絡腮鬍，黏在一張很細的肉色薄紗上。「老天，我希望燈光不會太亮，」湯姆喃喃道。

「我們會注意的。」艾德說。

趁著艾德在忙著處理一片唇上的假鬍髭時，湯姆拔下了兩枚戒指，一枚是結婚戒指，另一枚是狄奇・葛林里的戒指，然後放進口袋裡。他要貝納德幫他把長褲左邊口袋裡的那枚戒指拿來，貝納德照辦了。貝納德細瘦的手指冰冷而顫抖。湯姆想問他辛西雅的近況，這才想到他們已經分手了。湯姆還記得，他們原先打算要結婚的。艾德用剪刀剪短了湯姆的頭髮，讓他額前多出一叢蓬亂的頭髮。

「另外德瓦特——」貝納德停下來，因為他嗓子啞了。

「喔，閉嘴啦，貝納德！」艾德說，歇斯底里地笑了起來。

貝納德也笑了。「抱歉。真的，我很抱歉。」他的聲音充滿懺悔，好像是真心的。

艾德替湯姆黏上絡腮鬍，上面沾了膠水。

艾德說，「湯姆，你在這裡走一走。習慣一下。到了畫廊——你不必走進人群中，我們決定不要那樣。有一道後門，傑夫會開門讓我們進去。我們會邀媒體進辦公室，你知道，只有房間另一頭有盞落地燈。我們已經搬走一盞小燈，也拆掉了天花板的燈泡，所以那些燈都不會亮。」

沾了膠水的絡腮鬍在湯姆臉上感覺涼涼的。他到傑夫工作室裡的廁所照鏡子，覺得自己看起來有點像作家勞倫斯（D. H. Lawrence）。他嘴唇周圍都被鬍子包圍了。湯姆不喜歡那種感覺。鏡子底下的小架子上立著三張德瓦特的快照——德瓦特穿著男式長袖襯衫坐在一張涼椅上讀書，德瓦特跟一個湯姆不認得的男子站在一起，還有一張是德瓦特面對著鏡頭。三張照片裡，德瓦特都戴著眼鏡。

「眼鏡。」艾德說，好像看透了湯姆的心思。

湯姆接過艾德遞過來的圓框眼鏡，戴上了。這樣好多了。湯姆微笑，笑得很淺，免得毀掉還沒乾的鬍子。那副眼鏡顯然是平光的。湯姆有點駝背走進工作室，努力扮出他希望像是德瓦特的聲音，「現在告訴我關於這個叫莫奇森的——」

「低沉點！」貝納德說，瘦巴巴的手拼命揮動。

「這個叫莫奇森的人。」湯姆說。

貝納德說，「莫－莫奇森，根據傑夫的說法，他認為——德瓦特重拾一種以前的老技巧。你知道，就是在《時鐘》那幅油畫裡的。老實告訴你，我不明白他究竟指的是什麼。」貝納德迅速搖搖頭，掏出一條手帕來擤鼻子。「我才剛看了傑夫拍的《時鐘》的照片。我已經三年沒看過了，你知道。沒看到原作。」貝納德講得很小聲，好像牆壁有可能偷聽似的。

「莫奇森是專家嗎？」湯姆問，心想什麼叫專家？

「不是，他只是個美國商人，」艾德說。「他收藏藝術作品，非常迷。」

不只如此而已，湯姆心想，否則他們不會全都這麼心煩意亂。「有什麼特定的狀況，是我該有心理準備的嗎？」

「不必，」艾德說。「他會出什麼招嗎，貝納德？」

貝納德幾乎倒抽一口氣，然後又試著想大笑，一時之間他看起來就像幾年前，比較年輕，很天真。湯姆發現，貝納德比他上回見到時要瘦，那是三、四年前了。

「但願我知道，」貝納德說。「你只要——一口咬定那幅畫，《時鐘》，是德瓦特的。」

「相信我吧，」湯姆說。他四處走來走去，練習著駝背，採取一種慢吞吞的節奏，他希望這樣沒錯。

「不過，」貝納德繼續說道，「如果莫奇森想繼續他原來的話題，不管是哪一幅——《椅中男子》你已經有了，湯姆——」

那幅偽作。「他絕對沒見過，」湯姆說。「我自己很喜歡那幅。」

「《浴缸》，」貝納德補充。「這次展覽有。」

「你擔心那幅嗎？」湯姆問。

「採用的是同樣的技法，」貝納德說。「或許。」

「所以你知道莫奇森指的是什麼技法了？如果你擔心的話，為什麼不把《浴缸》撤出這次的展覽呢？」

艾德說，「那件作品已經列入展覽清單了。我們擔心如果撤下，莫奇森可能會想看，會想知道是誰買走的，還有一切細節。」

這樣談下去也不會有結果，因為他們或莫奇森在這幾幅畫中所指的技法到底是什麼，湯姆就是問不出來。

「反正你絕對不會碰上莫奇森，所以別擔心了。」艾德對貝納德說。

「你見過他嗎？」湯姆問艾德。

「沒有，只有傑夫見過。今天上午。」

「他是什麼樣的人？」

「傑夫說五十歲左右，大塊頭美國人那型的。很有禮貌，不過很固執。那條長褲不是有條皮帶嗎？」

湯姆繫緊了長褲上的腰帶。他嗅嗅外套的袖子，上頭有一股淡淡的防蠹丸氣味，在滿屋子的香菸煙霧中大概不會被發現。而且反正德瓦特過去幾年可能都在穿墨西哥服裝，他的歐洲衣服有可能都收著沒穿。艾德打開了一盞很亮的投射燈，湯姆在一面穿衣鏡前打量自己，然後忽然間笑彎了腰。湯姆轉身說，「對不起，我只是想到，考慮到德瓦特這些年賺的錢那麼多，他當然一定會守著他的老技法不放。」

「沒關係，他是隱士。」艾德說。

電話響了。艾德去接，湯姆聽見他在跟對方保證，肯定是傑夫，說湯姆已經到了，而且準備好要出發了。

湯姆不覺得完全準備好要走了。他緊張得冒汗。他對著貝納德，努力想講得開心點，「辛西雅還好嗎？最近有沒有碰到她？」

「我們分手了。所以不常見面了。」貝納德看了湯姆一眼，然後目光又轉回去看地板。

「如果她發現德瓦特回到倫敦待幾天，她會怎麼說？」湯姆問。

「我想她什麼都不會說，」貝納德沒精打采地回答。「她不會——不會把事情搞砸的，我很確定。」

艾德講完電話。「辛西雅什麼都不會說出去的，湯姆。她就是那個調調。你還記得她的，對吧，湯姆？」

「是啊，有點印象。」湯姆說。

「如果她到現在都沒說出去，她以後就不會說出去的。」艾德說。他講話的態度好像是在說，「她沒那麼不講江湖道義，也不是大嘴巴。」

「她真的很了不起，」貝納德做夢似的對著一片空無說。然後他忽然站起來衝進浴室，或許因為他忽然想上廁所，不過也可能是要去嘔吐。

「湯姆，別擔心辛西雅，」艾德輕聲說。「我們跟她住在這裡，你知道。我的意思是，都住倫敦。她已經封口三年了。唔，你知道——就是自從她跟貝納德分手後。或者是他跟她分手的。」

「她過得幸福嗎？另外有對象了嗎？」

「喔，我想她有個男朋友。」

貝納德回來了。

湯姆喝了杯蘇格蘭威士忌。貝納德喝了杯保樂茴香酒，艾德什麼都沒喝。他說他不敢喝，因為他已經吃了鎮靜劑。到了五點，湯姆已經從簡介和提醒中得知了幾件事：將近六年前有人最後一次真正見到德瓦特的那個希臘小城。萬一有人問起，湯姆要說他是用假名搭乘一艘開往維拉克魯茲的希臘油輪，在船上擔任運油工人和油漆工。

他們借用了貝納德的大衣，看起來比湯姆的或傑夫衣櫃裡的那幾件都要舊。然後湯姆和艾德出發，貝納德則留在傑夫的工作室，等著稍後大家回來會合。

「老天，他真是沮喪到極點了，」到了外頭的人行道，湯姆說。他彎腰駝背走著。「他這樣還能撐多久？」

「看今天不準。他會好起來的。每回有展覽他就會這樣。」

湯姆猜想，貝納德是吃苦耐勞的老馬。艾德和傑夫賺進了大把錢，吃得好、過得好。貝納德只是負責製造出那些假畫，讓這一切成為可能。

湯姆趕忙往後一閃，躲過一輛計程車，他沒想到車子會從馬路左邊駛過。

艾德微笑。「好極了，繼續保持下去。」

他們來到一個計程車招呼站，上了一輛車。

「還有畫廊裡的這個——總管還是經理的，」湯姆說，「他叫什麼名字？」

「雷納‧賀瓦德，」艾德說。「他大概二十六歲。怪得不得了。很適合國王路的精品店，不過他人還不錯。傑夫和我讓他進入這一幫。沒辦法。這樣也比較安全，因為他不能敲詐，他跟我們簽了個合約要管理那個地方。我們給的薪水很高，他很滿意。他還幫我們找了不少好買家。」艾德望著湯姆微笑。「別忘了講話要帶點工人階級的腔調。我記得你這方面很擅長的。」

3

艾德‧班伯瑞帶著他來到一棟建築背面的一扇暗紅色門前，按了電鈴。湯姆聽到鑰匙轉動的聲音，然後門打開了，傑夫站在那兒，對著他們滿臉笑容。

「湯姆！太好了！」傑夫低聲說。

他們經過一條短短的甬道，然後進入一個舒適的辦公室，裡面有一張辦公桌和一架打字機，一些書，從地板到天花板的乳白色掛毯。靠牆放著一些油畫和素描集錦。

「我真沒法告訴你，你看起來有多麼像——德瓦特！」傑夫一拍湯姆的肩膀。「希望這一拍不會害你的鬍子掉下來。」

「風再大都不會掉的。」艾德插嘴。

傑夫‧康斯坦胖了些，滿面紅光——也可能是他用日照燈晒出來的。他的襯衫袖口裝飾著方形的金袖釦，藍黑條紋的西裝看起來是全新的。湯姆注意到有一塊遮禿髮片蓋住了傑夫頭頂的禿頭處，湯姆知道那裡現在頭髮一定很少了。通往畫廊展場的門關著，門後傳來一陣喧譁，很大一部分是出自一個女人，她大笑的聲音彷彿一隻鼠海豚飛過洶湧的海面，湯姆心想，不過他現在沒有寫詩的心情。

「六點了，」傑夫宣布，抬起手腕看錶，袖釦金光閃閃。「我現在應該私下去跟幾個記者說德瓦特來了。這裡是英格蘭，不會有——」

「哈-哈！不會有什麼？」艾德插嘴道。

「——不會有蜂擁而上的場面，」傑夫堅定地說。「我會控制好的。」

「你就乖乖坐在這裡，或者站著，看你喜歡哪個。」艾德說，指著那張斜放的辦公桌，後頭有張椅子。

「那個叫莫奇森的傢伙也來了嗎？」湯姆用德瓦特的口吻問道。

傑夫臉上僵著的笑容更大了，不過有點心神不寧。「啊，沒錯。你應該會見到他，當然了。不過要先見過記者才行。」傑夫很緊張不安，急著要離開，他臉上的表情好像要再說些什麼，不過還是沒說就出去了。鑰匙在鎖裡轉動。

「這裡有水嗎？」湯姆問。

艾德帶他來到一個小浴室，門口原先被一個可以拉開的書架擋住了。湯姆匆匆喝了口水，走出浴室時，兩名男記者跟著傑夫進來，他們一臉的驚訝和好奇。一個五十來歲，另一個二十來歲，不過兩人的表情很像。

「德瓦特，請容我介紹《電訊報》的蓋德納先生，」傑夫說。「還有這位是——」

「柏金斯，」那名比較年輕的男子說。「《週日報》……」

雙方還沒來得及打招呼，門上就響起了叩門聲。湯姆朝著辦公桌駝背而立，駝得簡直就像害了風溼似的。房裡僅有的一盞燈就放在通往展覽室的那扇門邊，離他至少有十呎。但湯姆注意到柏金斯先生帶著附了閃光燈的照相機。

又有四男一女進來。在眼前的情況下，湯姆最害怕的莫過於女人的眼睛了。傑夫介紹說她是愛麗諾什麼的，曼徹斯特什麼報的記者。

然後問題開始滿天飛，儘管傑夫建議每個記者輪流發問。但是沒用，每個記者都想搶先問自己的問題。

「你打算要無限期住在墨西哥嗎，德瓦特先生？」

「德瓦特先生，很意外在這裡見到你。是什麼讓你決定來倫敦的？」

「別喊我德瓦特先生，」湯姆暴躁地說。「叫德瓦特就好了。」

「你喜歡最近完成的這批畫作嗎？你認為這是你最好的作品嗎？」

「德瓦特——你在墨西哥是一個人住嗎？」愛麗諾問。

「是的。」

「能不能告訴我們你所居住那個村子的村名？」

又有三名男子進來，湯姆注意到傑夫逼著其中一個人待在外頭。

「我不會告訴你們我住的村名，」湯姆緩緩說。「這樣對那邊的居民不公平。」

「德瓦特，啊——」

「德瓦特，某些評論家說——」

有個人用拳頭捶著門。

傑夫也捶回去，喊道，「暫時不准再進來了，拜託！」

現在那扇門發出推開的聲音，傑夫一邊肩膀頂著。門沒打開，湯姆看到了，然後冷靜的雙眼回到向他發問的那個人。

「某些評論家說——」

「——說你的作品很像畢卡索立體派時期，當時他作品中開始出現分裂的臉和形體。」

「我沒有什麼時期，」湯姆說。「畢卡索有不同的時期。這就是為什麼你永遠說不準畢卡索——就算你想也不可能。你不可能說『我喜歡畢卡索』，因為你不會想到任何一個時期。畢卡索很愛玩。這也沒關係。但他這麼玩，就毀掉了一個原先可能是真誠而完整的人格。畢卡索的人格是什麼？」

記者們開心地低頭猛記。

「這次展覽中，你最喜歡的作品是哪一幅？你覺得你最偏愛的是哪件？」

「我沒有——不，我沒法說這次展覽中我有哪件特別偏愛的作品。謝謝你。」德瓦特抽菸嗎？管他去死。湯姆伸手去拿傑夫的「卡拉文A」牌香菸，在兩個記者擁上來要替他點菸前，自己先拿起桌上的打火機點著了。湯姆身子往後稍退了一下，免得鬍子被火燒到。「我最喜歡的作品或許是早期的——《紅色椅子》、《墜落的女人》，或許吧。不過已經賣掉了。」湯姆忽然憑空想到《墜落的女人》這件作品名，的確是有這幅畫。

「這件作品在哪裡？我沒見過這幅作品，不過我聽過名稱。」湯姆像個隱士般，害羞的雙眼看著傑夫辦公桌上那塊皮革鑲邊的吸墨墊。「我忘了。《墜落的女人》，我想是賣給一個美國人了吧。」

那個記者又追問：「你對你的銷售成績滿意嗎，德瓦特？」

（誰不會滿意？）

「墨西哥帶給你靈感嗎？我注意到這回展覽中沒有任何一幅畫是墨西哥背景的。」

（這有點棘手，但湯姆解決掉了。他的畫作向來是源自想像。）

「你能不能至少描述一下你在墨西哥住的房子，德瓦特？」愛麗諾問。

（這個湯姆辦得到。一棟平房，有四個房間。前面有一棵芭蕉樹。每天早晨十點有個女孩來幫他打掃，中午出門幫他採買一些東西，帶回來剛出爐的薄玉米捲餅，他配著紅色的菜豆當午餐。沒錯，肉比較少，但是有一些山羊。那個女孩的名字？璜娜。）

「村裡的人也喊你德瓦特嗎？」

「以前是，不過我可以告訴你，他們發音很不一樣。現在他們喊我菲力頗。除了菲力頗先生，我不需要另一個名字了。」

「他們不曉得你是德瓦特？」

湯姆又笑了一下。「我想他們對《泰晤士報》或《藝術評論》之類的興趣不大。」

「你想念倫敦嗎？你覺得倫敦看起來怎麼樣？」

「你這次回來是一時興起嗎？」年輕的柏金斯問道。

「是的。只是一時興起。」湯姆露出那種疲倦而帶有哲思的笑容，那是一個多年來獨自凝視著墨西哥群山的人會有的笑。

「你匿名去過歐洲嗎？我們知道你喜歡隱姓埋名——」

「德瓦特，如果你明天能撥出十分鐘，那就感激不盡了。能不能請教你住在——」

「很抱歉，我還沒決定要住在哪裡。」湯姆說。

傑夫溫和催著記者們該離開了，相機開始打起閃光燈。湯姆低頭看著，然後應記者要求抬頭讓他們拍了一、兩張。傑夫迎進來一名穿著白色外套、端著飲料托盤的侍者。托盤一下就空了。湯姆舉起一隻手，擺出害羞而禮貌的道別手勢。「謝謝各位。」

「別再問了，拜託。」傑夫在門邊說。

「可是我——」

「啊，莫奇森先生。請進，請進。」傑夫說。他轉向湯姆。「德瓦特，這位是莫奇森先生。從美國來的。」

莫奇森先生塊頭很大，一張愉快的臉。「你好嗎，德瓦特先生？」他微笑著說。「能在倫敦見到你，真是意想不到的好運啊！」

兩個人握了手。

「你好嗎？」湯姆說。

「這位是艾德・班伯瑞，」傑夫說。「這位是莫奇森先生。」

艾德和莫奇森也彼此問候了一下。

「我有一幅您的畫作——《時鐘》。事實上，我這回還帶來了。」此時莫奇森滿面笑容，著迷而尊敬地凝視著湯姆，湯姆希望他因為親眼見到他而驚喜得眼花了。

「啊，是的。」湯姆說。

傑夫又靜靜鎖上門。「要不要坐下，莫奇森先生？」

「好，謝謝。」莫奇森在一張直背椅上坐下。

傑夫開始默默收拾著書架邊緣和辦公桌上的空杯子。

「唔，我就直截了當說了吧，德瓦特先生，我——我對你在《時鐘》這件作品中的某種技巧改變很有興趣。當然了，你知道我講的是哪件作品吧？」莫奇森問。

這個問題是隨口不經心問起，還是特別有針對性？湯姆納悶著。「當然了。」湯姆說。

「你能不能描述一下這幅作品？」

此時湯姆還站著。一股輕微的寒意掠過他身上。湯姆露出微笑。「我從來無法描述我的作品。如果裡頭根本沒有鐘，我也不會驚訝。莫奇森先生，我的作品名稱未必是我取的，你知道嗎？怎麼會有人替那幅畫取名為《週日正午》，我是完全不明白的。」（之前湯姆匆匆瀏覽了一下這次展出的二十八件德瓦特作品清單，可能是傑夫或某個人很考慮周到地打開，放在辦公桌的吸墨紙上。）「是你取的嗎，傑夫？」

傑夫笑了。「不，我想是艾德取的。莫奇森先生，要不要喝杯酒？我去吧檯幫你拿一杯。」

「不用了，謝謝，我很好。」然後莫奇森先生對著湯姆說。「畫中有一個藍黑色的時鐘——你記得嗎？」他微笑，好像自己在問一個很單純的謎語。

「我想有個小女孩——背對著觀者，可以這麼說吧？」

「嗯，沒錯，」莫奇森說。「不過你不畫小男孩的，不是嗎？」

湯姆低聲笑起來。很放心自己猜對了。「我想我是比較喜歡小女孩吧。」

莫奇森點了一根切斯菲德牌香菸。他的眼珠是褐色的，一頭淺褐色的鬈髮，強壯的下巴稍嫌多肉，就像他身上其他部分一樣。「我希望你看看我那幅畫。我有理由的。請等我一分鐘，我寄放在衣帽間了。」

傑夫開了門讓他出去，然後又鎖上。

傑夫和湯姆面面相覷。艾德靠著一牆書沉默站著。湯姆低聲說：「真的，兩位，如果那幅油畫一直就放在衣帽間，你們就不能派個人去偷走或把它給燒了嗎？」

「哈－哈！」艾德緊張地笑了。

傑夫扯著嘴角勉強笑了，不過他保持沉著，彷彿莫奇森還在房裡。

「好吧，咱們聽聽看他的說法吧。」湯姆以德瓦特緩慢而自信的語調說。他想炫耀自己應對得遊刃有餘，但是沒成功。

莫奇森回到房內，手臂底下夾著一幅用褐色紙包起來的畫。那是一幅中等尺寸的德瓦特，或許兩呎乘三呎。「這幅畫我花了一萬元買的，」他說，露出微笑。「你或許會以為，我留在衣帽間真是太大意了，不過我是傾向於相信別人的。」他在一把小刀的輔助下拆開包裝紙。「你認得這幅畫嗎？」他問湯姆。

湯姆對著那幅畫微笑。「當然認得。」

「還記得自己畫過嗎？」

「這是我的畫。」湯姆說。

「引起我興趣的，是這幅畫裡面的紫色。那塊紫。這是純鈷紫——你大概可以看得比我更清楚。」一時之間，莫奇森先生的笑幾乎帶著歉意。「這幅畫是至少三年前畫的，因為我是在三年前買的。但如果我沒搞錯，你五年或六年前就放棄用鈷紫，改用鎘紅混合群青的紫色*。詳細日期我沒法確定。」

湯姆沒作聲。莫奇森擁有的這幅畫中，那個鐘用了黑色和紫色。筆觸和顏色都類似湯姆家裡的那幅《椅中男子》（貝納德畫的）。湯姆不太明白莫奇森攻擊的是什麼樣的紫色。畫中一名穿著粉紅和蘋果綠洋裝的小女孩拿著那個鐘，或者比較像是她一手放在鐘上頭，因為那個大鐘是擺在一張桌子上。「老實告訴你，我忘了，」湯姆說。「也許我那兒的確是用了純鈷紫。」

「還有外頭那幅叫《浴缸》的畫也是用了純鈷紫，」莫奇森說，對著展覽室點了個頭。「但是

* 譯注：歐洲許多畫家習慣從繪畫材料店購買色粉，自行調製顏料。上述鈷紫、鎘紅、群青都是單獨的色粉種類。

其他都沒有用。我覺得很好奇。通常一個畫家放棄了一種顏料之後，就不會回頭去用了。以我的意見，用鎘紅和群青混合出來的紫色要有趣得多。那是你新選擇的紫色。」

湯姆並不憂慮。他應該要表現得憂慮些嗎？他只是輕輕聳聳肩。

傑夫進了那間小浴室，在裡頭忙著整理玻璃杯和菸灰缸。

「這幅《時鐘》，你是幾年前畫的？」莫奇森問。

「恐怕我沒法告訴你，」湯姆坦白地說。他明白莫奇森的意思了，至少時間這方面他明白，然後他補充，「有可能是四、五年前。這是一幅舊作了。」

「當初可不是當成舊作賣給我的。還有《浴缸》，標示的年代是去年，上頭用的也是純鈷紫。」

純鈷紫只用來畫陰影，可以說並不是《時鐘》的主要顏色。莫奇森的眼睛很尖。湯姆覺得《紅色椅子》——比較早的德瓦特真跡——也有同樣的純鈷紫，他很好奇上面是否標示了作畫年代？如果他可以說《紅色椅子》是三年前的作品，並設法證明，就可以打發掉莫奇森了。湯姆心想，這個稍後再跟傑夫和艾德確認吧。

「你確定你畫了《時鐘》嗎？」莫奇森問。

「我知道那是我的畫，」湯姆說。「畫的時候我可能在希臘，甚至是愛爾蘭，因為我不記得日期了，而畫廊標示的年代可能不見得是我畫的時間。」

「我不認為《時鐘》是你的作品。」莫奇森說，帶著美國人那種友善卻堅定的態度。

「老天，為什麼不是？」湯姆的友善程度也不輸莫奇森。

「我敢惹這種麻煩，真是膽子太大了，我知道。不過我在費城的一個美術館看過幾件你的早期作品。如果容我這麼說，德瓦特先生，你——」

「喊我德瓦特就行了，我比較喜歡這樣。」

「德瓦特。你的作品這麼多，我想你可能忘了一幅畫——應該說不記得。沒錯，《時鐘》是你的風格，主題也是你很典型的——」

傑夫和艾德一樣都專注聽著，趁著這個空檔，傑夫說，「但畢竟這幅畫是跟其他德瓦特的作品一起從墨西哥運來的。他每次都會同時寄兩、三幅畫的。」

「沒錯。《時鐘》背後有作畫年代。是三年前，就像德瓦特的簽名一樣，用黑色的顏料寫的。」莫奇森說，把他那幅畫翻面，讓大家看那個簽名。「我在美國找人分析過這個簽名和年代，我對這件事就是仔細到這個地步。」莫奇森微笑著說。

「我不太明白問題出在哪裡，」湯姆說。「如果我自己在這幅畫上寫了三年前的時間，那麼就是我在墨西哥畫的。」

莫奇森望著傑夫。「康斯坦先生，你說你收到《時鐘》時，同時運到的或許還有兩幅畫？」

「沒錯。現在我想起來了——我想另外兩幅被倫敦的收藏家買走了，現在借展給我們——《橙色穀倉》和——你記得另外一幅嗎，艾德？」

「我想大概是《鳥之幽靈》。不是嗎？」

從傑夫點頭的表情，湯姆看得出那是實話，不然就是傑夫的演技太厲害了。

「就是那幅沒錯。」傑夫說。

「那兩幅沒有這種技法。裡頭有紫色，但都是兩種顏料混合而成的。你們談的那兩幅是真跡——無論如何，都是比較後來的真跡。」

莫奇森其實沒完全說對，那兩幅也是假的。湯姆搔著自己的絡腮鬍，不過下手很輕。他保持一種沉默、有點頑皮的神態。

莫奇森的目光從傑夫回到湯姆身上。「你可能覺得我很自以為是，但如果能容我多說兩句，德瓦特，我想有人偽造你的畫。我願意冒更大的險，以我的性命打賭，《時鐘》不是你的作品。」

「但是莫奇森先生，」傑夫說，「我們只需要——」

「給我看一張某年某個編號畫作的收據嗎？從墨西哥運來的畫作，連作品名稱都沒有？如果德瓦特根本沒給作品取名呢？」

「巴克馬斯特畫廊是德瓦特唯一授權代理的畫商。你那幅畫是直接跟我們買的。」

「這點我知道，」莫奇森說。「我也不是在指控你們，或指控德瓦特先生。我的意思是說，我不認為這件作品是德瓦特的真跡。我沒法告訴你們是怎麼回事。」莫奇森輪流看著他們三個人，有點對自己的一時激動感到難為情，但還是堅信自己講的是對的。「我的推論是，像德瓦特作品中這麼微妙但卻這麼重要的淺紫色，一個畫家一旦改用了別種顏色，就絕對不會回頭去用他以前用過的某種顏色或任何顏色組合。你同意嗎，德瓦特？」

湯姆嘆了口氣，食指摸著自己的小鬍子。「我說不上來。看起來我不像你這麼擅長理論。」

中間有一段暫時的沉默。

「好吧，莫奇森先生，你希望我們怎麼處理《時鐘》？把錢給你？」傑夫問。「我們很樂於退款，因為——剛剛德瓦特才證實這幅作品是真跡，而且坦白說，現在這幅畫的價錢已經不止一萬元了。」

湯姆希望莫奇森能接受，但他不是那種人。

莫奇森慢條斯理地把雙手插進長褲口袋，望著傑夫。「謝謝，但我更有興趣的是我的理論——我的意見，而不是錢。既然我都來了倫敦，這裡的油畫鑑定水準和全世界任何地方一樣好，說不定還是最好的，我打算把《時鐘》拿給一位專家看，而且拿來跟幾件沒有爭議的德瓦特真跡比較。」

「非常好。」湯姆和氣地說。

「很謝謝你跟我見面，德瓦特。幸會了。」莫奇森伸出一手。

湯姆緊緊握住。「幸會，莫奇森先生。」

艾德幫著莫奇森把他的畫包好，還提供了繩子，因為莫奇森原來捆畫的繩子已經割斷了。

「我可以透過畫廊跟你聯繫嗎？」莫奇森對湯姆說。「比方明天？」

「啊，可以，」湯姆說。「他們會知道我在哪裡。」

等到莫奇森離開辦公室，傑夫和艾德嘆了口大氣。

「好吧——這事情有多嚴重？」湯姆問。

傑夫對畫的事情比較懂。他先開口，有點吃力。「我想，如果他把一個專家扯進來，那就嚴重了。看起來他會這麼做。他有關紫色的說法可能有點道理。有人會覺得是線索，往下有可能挖出更糟糕的。」

湯姆說，「傑夫，我們先回你的工作室吧？你能不能再把我從後門變走——就像灰姑娘？」

「好，不過我想跟雷納說一聲。」傑夫咧嘴笑了。「我帶他來見你。」他走出去了。

展覽室傳來的嘈雜嗡響現在比較小聲了。湯姆看著臉色有點蒼白的艾德。我可以消失，但你們不行。——湯姆心想。他挺起雙肩，手指比出一個V字形。「打起精神吧，班伯瑞。我們會度過這一關的。」

「或者他們會識破我們。」艾德回答，比出一個比較粗魯的手勢。

傑夫帶著雷納回來，那是一個整潔的小個子年輕人，穿著一套愛德華時代流行的長西裝，上頭有很多鈕釦和天鵝絨鑲邊。雷納看到湯姆打扮成德瓦特的模樣，立刻爆笑出來，傑夫噓聲示意他安靜。

「真是了不起！了不起啊！」雷納說，看著湯姆的眼光帶著一種真心的欽佩。「我看過很多照片，你知道！自從我去年那回把兩腳綁在後面模仿羅特列克*以來，還沒見過模仿得這麼好的！」雷納瞪著湯姆。「你是誰？」

「這個，」傑夫說，「你不必知道。我們只要說——」

「只要說，」艾德說，「德瓦特剛剛接受了一場精彩的記者採訪，這樣就夠了。」

「而且明天德瓦特就不在了。他會回到墨西哥，」傑夫壓低聲音說。「現在回去忙你的吧，雷納。」

「再會。」湯姆舉起一隻手。

「向您致敬，」雷納鞠躬說。他退向門，然後補充道，「外頭人幾乎走光了，酒也差不多喝光了。」然後迅速走出去。

湯姆就沒那麼高興了。他很想趕緊擺脫這一身偽裝。這個狀況是個麻煩，而且他還沒解決掉。

回到傑夫的工作室，他們發現貝納德・塔夫茲已經離開了。艾德和傑夫似乎很驚訝。湯姆有點不安，因為貝納德應該要知道事情的進展才對。

「當然，你們可以連絡到貝納德吧。」湯姆說。

「啊，那當然。」艾德說，他在廚房裡泡茶。「貝納德老是待在家裡。他那邊有電話。」

湯姆心想，即使電話也不方便講太久，會不安全。

「莫奇森先生大概會想再跟你見面，」傑夫說。「還會帶著那個專家。所以你得消失。你明天就會離開，回墨西哥——對外的正式說法是這樣。或許甚至今晚就走。」傑夫喝了口保樂茴香酒。他看起來比較有信心了，或許是因為剛剛的記者採訪，甚至加上莫奇森的會面都進行得相當

* 譯注：印象派畫家羅特列克（Henride Toulouse-Lautrec, 1864-1901）少年時期即發育停滯，身高僅有約一五〇公分。

順利，湯姆心想。

「墨西哥個頭啦，」艾德說，端著他那杯茶走進來。「德瓦特會到英格蘭各地拜訪朋友，連我們都不知道他在哪兒。先等個幾天。然後他才會回墨西哥。搭什麼交通工具？誰曉得。」

湯姆脫掉身上那件破舊的外套。「《紅色椅子》有創作年代嗎？」

「有，」傑夫說。「是六年前的作品。」

「應該是有些印刷品提到過吧？」湯姆問。「我在想要重新更正年代——好解決這個紫色的問題。」

艾德和傑夫面面相覷，然後艾德趕緊說，「不行，有太多圖錄刊登過了。」

「還有個辦法，讓貝納德再畫幾幅——至少兩幅——用上純鈷紫的顏料。這樣就算是證明他兩種紫色都在用。」不過湯姆說的時候，自己都覺得很沒勁，而且他明白原因何在。湯姆覺得，他們可能無法再繼續指望貝納德了。湯姆的目光從傑夫和艾德身上轉開。他們一副不太相信的樣子。他試著站起來，挺直身子，感覺到德瓦特的偽裝外表給了他信心。「我跟你們提過我的蜜月嗎？」湯姆用德瓦特那種沒有抑揚頓挫的聲音問。

「沒有，快告訴我們吧。」傑夫說，已經咧嘴微笑，準備要大笑一場了。

湯姆扮出德瓦特那種駝背的姿勢。「那種氣氛，真是——太壓抑了。當時在西班牙。我們訂了一個套房，你知道，我和赫絲思住在裡面，樓下陽台有隻鸚鵡唱著歌劇《卡門》——唱得爛死了。每一次我們一那個，唔，那隻鸚鵡就唱起來：『啊－哈－哈－哈－哈－哈－哈－哈——！

啊—哈—哈—哈—哈—哈—哈—哈—哈—哈——！』大家都探出窗子吼著西班牙語，『閉上你的髒嘴！誰教那隻臭鳥唱《卡門》的？宰了牠！拿去煮湯！』笑成那樣真的沒辦法做愛。你們試過嗎？唔，據說笑是人類和動物之間的唯一差別。而做愛當然沒有這種區別性。艾德，能不能幫我把這些鬍子給弄掉？」

艾德正在大笑，傑夫則拋開壓力，放鬆地倒在沙發上——湯姆知道這只是暫時的。

「來廁所弄吧。」艾德打開了洗手台熱水的水龍頭。

湯姆換回他自己的長褲和襯衫。趁莫奇森還沒跟他那位專家談之前，如果能設法引誘莫奇森到他家，或許可以做點事情解決這個狀況——至於做什麼事，湯姆還不曉得。「莫奇森在倫敦住哪裡？」

「飯店，」傑夫說。「他沒說是哪家。」

「能不能打電話去幾家飯店查一下，看能不能找到他？」

傑夫還沒拿起聽筒，電話就響了。湯姆聽到傑夫跟對方說德瓦特已經搭了北上的火車，傑夫不知道他要去哪裡。「他很孤僻，」傑夫說。「另一個記者，想做個專訪。」掛掉電話後，傑夫這麼說。他打開一本電話簿。「我先試多徹斯特飯店，他看起來就像是住那種豪華飯店的人。」

「或者衛斯柏禮飯店。」艾德說。

他們小心翼翼用了好多水，才把絡腮鬍拆下來。然後把暫時性的染髮劑沖掉。最後湯姆聽到傑夫開心地說，「不，謝了，我稍後再打來。」

然後傑夫說，「他住在曼德維爾飯店，就在威格摩街旁邊。」

湯姆穿上自己那件在威尼斯買的粉紅色襯衫。然後打電話去曼德維爾飯店，用湯瑪斯‧雷普利的名字訂了個房間。他會在晚上八點左右到達，他說。

「你打算做什麼？」艾德問。

湯姆微笑，「我還不知道。」他說，這是實話。

4

曼德維爾飯店相當闊氣，但絕對不像多徹斯特那麼奢華。湯姆在八點十五分抵達，登記入住，寫了他在塞納河畔維勒佩斯的地址。他想過要給個假名和一個英格蘭鄉下的地址，因為他跟莫奇森先生見面可能會惹出不小的麻煩，因而必須趕緊消失；不過相對地，他可能也有機會邀莫奇森到法國，這麼一來，湯姆可能就得用上他的真名。湯姆請一位大廳服務生幫他把行李拿到房間，然後自己走到酒吧看一下，希望莫奇森先生可能會在那兒。莫奇森先生不在裡頭，不過湯姆決定點一杯淡啤酒等等看。

他喝著淡啤酒，閱讀一份《標準晚報》，等了十分鐘，沒等到莫奇森先生。這附近餐廳很多，湯姆知道，但他實在很難跑到莫奇森的桌邊，自稱白天在德瓦特的展覽見過他，就因此跟他交上朋友。或者他可以說，他還看到莫奇森進了後頭的房間去見德瓦特？沒錯。湯姆正打算要冒險出去探索當地的餐廳，剛好看見莫奇森走進酒吧，對著跟在後面的人打手勢。

讓湯姆想不到、甚至驚駭的是，他看到後面那個人是貝納德·塔夫茲。湯姆迅速溜出酒吧另一頭的那扇門，門外就是人行道。貝納德沒看到他，湯姆很確定。他東張西望想找個電話亭，或者找別家飯店可以讓他打電話的，結果沒找到，於是他從大門回到曼德維爾飯店，取了鑰匙回到他的房間，四一一號房。

回到房間，湯姆打到傑夫的工作室。響了三聲，四聲，五聲，然後傑夫接了，湯姆鬆了口氣。

「喂，湯姆！我才要跟艾德走下樓梯，就聽到了電話響。怎麼了？」

「你會不會剛好知道貝納德現在人在哪兒？」

「啊，我們今天晚上不吵他了。他心情很煩。」

「他正在曼德維爾飯店的酒吧跟莫奇森喝酒。」

「什麼？」

「我現在人在飯店房間裡。現在不管你做什麼，傑夫——你在聽嗎？」

「是—沒錯。」

「別跟貝納德說我看到他了。別跟貝納德說我住曼德維爾。而且不要緊張。不曉得，我們就先假設貝納德不會洩漏機密吧。」

「啊，老天，」傑夫哀嘆道。「不—不。貝納德不會洩密的。我不認為他會。」

「你今天晚些會在家嗎？」

「會的，大概——啊，總之十二點以前會到家。」

「到時候我會再想辦法打給你。不過如果我沒打也別擔心。不要打給我，因為——我房裡可能會有別人。」說到這裡湯姆忽然笑出聲。

傑夫也笑了，不過有點虛弱。「好吧，湯姆。」

湯姆掛斷了。

他很希望今晚能見到莫奇森。莫奇森跟貝納德會一起吃晚餐嗎？他真不想等到他們結束。湯姆把西裝掛起來，然後把兩件襯衫放進抽屜裡。他到浴室裡，在臉上又拍了點水，然後看看鏡子，好確定臉上的膠水都洗掉了。

他實在坐不住，於是離開房間，大衣搭在手臂上。他打算去散步，或許到蘇荷區，找個地方吃飯。到了樓下大廳，他隔著玻璃門望向飯店的酒吧。

運氣不錯。這會兒莫奇森一個人坐著，正在簽帳單，酒吧通往街上的門才剛關起來，搞不好貝納德剛離開。不過湯姆還是在大廳裡四處看了一圈，免得萬一貝納德只是去上洗手間，可能還會回來。湯姆沒看到貝納德，他等到莫奇森站起來要離開，自己這才走進酒吧。湯姆擺出沮喪且若有所思的表情，事實上他的心情也的確是如此。他看了莫奇森兩次，好像正在想著哪裡見過，其中一次莫奇森和他目光交會。

然後湯姆走向他。「打擾一下。我想我今天在德瓦特的畫展上見過你。」湯姆講話帶著美國中西部的口音，r音發得特別重。

「怎麼了，沒錯，我是在那兒。」莫奇森說。

「我覺得你看起來像美國人。我也是。你喜歡德瓦特嗎？」湯姆盡可能裝得天真而坦率，但也不要有那種愚蠢相。

「是啊，我是美國人。」

「我有兩張他的油畫，」湯姆驕傲地說。「今天展出的那些，我可能會買其中一幅——如果還沒賣光的話。我還沒決定。《浴缸》。」

「哦？我也有一張他的畫。」莫奇森以同等坦白的語氣說。

「是嗎？畫名叫什麼？」

「你要不要坐下談？」莫奇森站著，但指著他對面的椅子。「要不要喝杯酒？」

「謝了。喝一杯也好。」

莫奇森坐下。「我的那幅叫《時鐘》。能碰到同樣擁有德瓦特作品的人，真是太好了——你還擁有兩張！」

一名侍者過來。

「麻煩給我蘇格蘭威士忌。你呢？」他問湯姆。

「琴酒加通寧水，」湯姆說。他補充道，「我住在曼德維爾飯店，這兩杯酒就記在我帳上吧。」

「這個我們稍後再來爭吧。告訴我你那兩幅是什麼樣的畫。」

「《紅色椅子》，」湯姆說，「還有——」

「真的？那是傑作啊！《紅色椅子》。你住在倫敦嗎？」

「不。我住法國。」

「喔，」莫奇森的口氣有點失望。「那另一幅呢？」

「《椅中男子》。」

「我不曉得那幅。」莫奇森說。

他們針對德瓦特古怪的個性聊了幾分鐘，然後湯姆說他看到莫奇森進入畫廊後頭的房間，他聽說德瓦特就在裡面。

「他們只讓媒體的人進去，不過我還是想辦法混進去了。」莫奇森告訴湯姆。「你知道，我這回來倫敦有個相當特殊的理由，今天下午我在畫廊裡，一聽說德瓦特就在裡頭，當然不會放過這個機會。」

「是嗎？你的理由是什麼？」湯姆問。

莫奇森解釋了。他解釋自己為什麼覺得有人在偽造德瓦特的畫，湯姆專注聽著。問題在於，過去大約五年來，德瓦特使用的紫色都是群青加鎘紅所混合出來的（那就是在他死前了，湯姆這才明白，這個技法是德瓦特本人開始用的，而不是貝納德），但在《時鐘》和《浴缸》中，又回到他早期所使用的鈷紫。莫奇森自己也畫畫，他告訴湯姆，只是嗜好而已。

「我不是專家，相信我，但我讀過幾乎每一本有關畫家和繪畫的書。不必是專家或用顯微鏡，就可以看出一種純色和混合色的不同，不過我的意思是，你絕對不會看到一個畫家回頭去用一個他刻意或無意間捨棄不用的顏色。我說無意間，是因為畫家選擇一個或更多新顏色，通常是無意間做出的決定。德瓦特並不是在每幅畫中都使用淺紫色，不見得。但我的結論是，我的《時鐘》還有其他幾件作品，順帶說一聲，包括你有興趣的《浴缸》，都不是德瓦特的真跡。」

「有趣，真有趣。因為我想我那幅《椅中男子》就有點符合你的說法。《椅中男子》大概是四年前的作品了。我很希望讓你看看。唔，那你打算怎麼處理你的《時鐘》？」

莫奇森點了根他的切斯菲德牌香菸。「我的故事還沒說完。剛剛我才跟一個英國人喝過酒，他叫貝納德•塔夫茲，也是個畫家，他好像對德瓦特的作品有同樣的懷疑。」

湯姆眉頭深深皺起來。「真的？如果有人偽造德瓦特的作品，那就很嚴重了。那人說了些什麼？」

「我感覺他知道的事情沒全說出來。我不太相信他也涉入。他不像那種會騙人的類型，看起來也不像有錢人。不過他似乎了解倫敦的藝術圈。他只是警告我，『別再買德瓦特的作品了，莫奇森先生。』你想這是什麼意思？」

「嗯。可是他的目的是什麼？」

「我就是不知道啊。我從他那裡什麼都問不出來。可是他大費周章跑來這裡看我，說他打電話到倫敦其他八家飯店過，然後才找到我。我問他怎麼知道我的名字，他說，『喔，閒話傳得很快。』很奇怪，因為我唯一談過話的，就是巴克馬斯特畫廊的人。你不覺得很怪嗎？我明天約了一個泰德畫廊*的人碰面，但就連他都不曉得我是要找他談一幅德瓦特的畫。」莫奇森喝了點他的蘇格蘭威士忌，然後說，「那些畫是從墨西哥運來的——我明天去見泰德畫廊的瑞摩爾先生，除了把《時鐘》拿給他看之外，你知道我還打算做什麼嗎？我要問問，我或他有沒有權要求巴克馬斯特畫廊拿出收據或帳冊，就是有關那些墨西哥運來德瓦特畫作的證據。我有興趣的不是畫名，德瓦特先生也告訴過我，他不見得每幅畫都取了名字，我要查的是畫的數量。這些畫作運來英國時，當然會經過海關或什麼單位，如果某些畫沒有登記，那就有問題了。如果德瓦特本人也被蒙在鼓裡，而少數幾幅他的畫作——唔，比方有人說是四、五年前完成的——其實是在倫敦這裡畫出來的，那不是很令人吃驚嗎？」

是啊，湯姆心想。的確很令人吃驚。「但你說過，你跟德瓦特談過。談到了你買的這幅畫嗎？」

「我還拿給他看呢！他說那是他的畫，但在我看來，他並不是百分之百確定。他沒說，『老天在上，那是我畫的！』他只是看了兩分鐘說，『當然了，這是我畫的。』或許我太冒昧了，但我跟德瓦特說，我覺得他有可能忘了自己幾年前畫過的一、兩幅作品，沒取名的。」

湯姆皺著眉頭，似乎很懷疑，事實也的確如此。湯姆認為，即使畫家沒給作品取名，也會記得自己畫過，或許素描之類的就比較不會記得。但他沒打斷莫奇森。

「還有一件事，我不太喜歡巴克馬斯特畫廊的那些人。傑夫・康斯坦。還有那個記者艾德・班伯瑞，他顯然跟康斯坦很熟。他們是德瓦特的老朋友，這點我明白。我在紐約長島的家裡訂了《聆聽者》周刊和《藝術評論》雜誌，另外也訂了《週日泰晤士報》。我常常看到班伯瑞寫的文章，通常都是吹捧德瓦特的宣傳報導，或是有關他的專文評論。你知道我想到什麼嗎？」

＊ 譯注：泰德畫廊（Tate Gallery），位於倫敦的國立美術館，專門收藏並展出現代與當代藝術作品。

「什麼？」湯姆問。

「想到——只是或許，德瓦特畫得不夠多，於是康斯坦和班伯瑞就容忍少數幾幅偽作，好賣出更多德瓦特的作品。我還不敢說德瓦特也知情。但如果德瓦特健忘到連自己畫了幾幅畫都不知道，那不是很好笑嗎？」莫奇森大笑起來。

的確是很好笑，湯姆心想，但還不到爆笑的程度。他想跟莫奇森說，實情才更好笑呢。湯姆露出微笑。「所以你明天要把你的畫帶去給那個專家看了？」

「我們現在就上樓去我房間看吧！」

湯姆想搶付帳，但莫奇森堅持要簽他的帳。

湯姆跟著他走進電梯。莫奇森把他的畫放在衣櫃角落裡，依然是當天下午艾德包起來的樣子。湯姆充滿興趣看著那幅畫。

「真是一幅好畫。」湯姆說。

「啊，這點沒有人能否認！」

「你知道嗎？」湯姆把畫撐在寫字檯上，將所有燈打開，站在房間另一頭觀賞。「這幅畫的確跟我的《椅中男子》有點類似。你何不去我家看看我的畫？我家離巴黎很近。如果你覺得我的畫也可能是偽造的，我就讓你帶回倫敦來給專家看。」

「嗯，」莫奇森說，思索著。「那倒是可以。」

「如果你受騙了，那我想我也一樣。」如果說要幫莫奇森出機票錢，對他只會是羞辱，湯姆心想，於是沒提。「我家很大，而且現在家裡除了管家之外，只有我一個人。」
「好吧，我去。」莫奇森說，他一直沒坐下。
「我打算明天下午離開。」
「好，那我就把泰德畫廊的約往後延。」
「我不是收藏家，不過我還有很多其他油畫。」湯姆坐在最大的一張椅子上。「也希望你能看看。一幅蘇丁，兩幅馬格利特。」
「真的？」莫奇森的雙眼開始矇矓了起來。「你家離巴黎有多遠？」
十分鐘後，湯姆下了一層樓，回到自己的房間。莫奇森提議過兩人一起吃晚飯，但湯姆覺得最好說他約了人十點在貝爾格維亞區碰面，所以時間不太夠。莫奇森託湯姆幫他一起訂明天下午到巴黎的機票，莫奇森要來回票。湯姆拿起電話，訂了明天的兩個機位，星期三下午兩點，飛往巴黎奧利機場。湯姆自己有回程機票。他把班機資訊留給一樓櫃台，請他們轉告莫奇森。然後湯姆點了一個三明治和一小瓶波爾多梅多克地區的葡萄酒。吃過之後，他小睡到十一點，然後請接線生替他接漢堡的瑞夫斯・米諾。花了快半個小時才接通。
瑞夫斯不在，一個德國口音的男子說。
湯姆決定冒個險，因為他受不了瑞夫斯了，他說，「我是湯姆・雷普利。瑞夫斯有留話給我嗎？」
「是的，他留話說星期三。伯爵明天會到達米蘭。你明天可以到米蘭嗎？」

「不行，我明天沒辦法去米蘭。很抱歉。」不管這個接電話的男子是誰，湯姆都不想告訴他，說他已經邀了伯爵下次來法國時住他家。瑞夫斯不能指望他隨時就丟下一切——湯姆已經這樣幫過他兩回了——飛到漢堡或羅馬（儘管湯姆很喜歡短程旅行），假裝偶然到這些城市，然後邀請「宿主」（湯姆心目中老是這麼想那些帶著貨物的人）到他維勒佩斯的家裡住。「我想不會太麻煩的，」湯姆說。「你能不能告訴我伯爵在米蘭的地址？」

「輝煌飯店。」那名男子匆匆說。

「麻煩你告訴瑞夫斯，我會再跟他連絡，大概明天吧。他會在哪兒？」

「明天上午在米蘭的輝煌飯店。他搭今天晚上的火車到米蘭了。他不喜歡搭飛機，你知道。」

其實湯姆並不知道。真奇怪，像瑞夫斯這種人居然不喜歡搭飛機。「我會再打給他。另外我現在不在慕尼黑，我在巴黎。」

「巴黎？」那人驚訝地說。「我知道瑞夫斯打過電話到慕尼黑的四季飯店找你。」

湯姆禮貌地表示遺憾，然後掛了電話。

手錶上的指針已經接近十二點。湯姆思索著該跟傑夫·康斯坦說些什麼。另外又該怎麼處理貝納德。湯姆想妥了一篇勸人安心的說詞，而且他明天下午離開之前，還有時間去看貝納德，不過湯姆怕如果太努力想勸貝納德，反倒會讓他更沮喪、更消極。如果貝納德已經跟莫奇森說，「別再買任何德瓦特的畫了，」那個意思似乎就是貝納德不會再仿造任何德瓦特作品了，這麼一來，當然對生意將會非常不利。另一個更糟的狀況是，貝納德好像快崩潰了，很可能會跑去找警方或一、兩個買了德瓦特假畫的人坦白。

現在貝納德真正的心理狀態到底怎麼樣？另外他到底打算做什麼？

湯姆決定不要再去跟貝納德多說什麼。貝納德知道當初就是湯姆建議由他偽造的。湯姆去沖了個澡，開始唱起一首義大利民謠：

爸爸不贊成
媽媽不同意
我們在一起
想要談愛情……

曼德維爾飯店的牆壁給人一種隔音的感覺——也或許是幻覺。湯姆已經好久沒唱過這首歌了。他很高興憑空忽然想到這首歌，因為這是一首歡欣的歌，湯姆覺得這樣會帶來好運。

他穿上了睡衣褲，然後打電話到傑夫的工作室。

傑夫立刻接了電話。「喂。怎麼了？」

「晚上我跟M先生談過了，談得很投機。他明天會跟我去法國。這樣就會耽擱一些事情，你知道。」

「那麼——你的意思是，會設法說服他之類的。」

「對，諸如此類的。」

「要我去飯店找你嗎，湯姆？你大概很累，沒辦法過來這裡。或者你可以過來？」

「不了，不過也沒必要。你過來的話，說不定會碰到M先生，那就不好了。」

「是啊。」

「你有貝納德的消息嗎？」湯姆問。

「沒有。」

「麻煩告訴他——」湯姆思索著該怎麼講比較好。「就說你——不要說我——剛好知道M先生有事，要等幾天才會進行他那幅畫的相關事情。我主要是擔心貝納德會爆發。這方面你會去處理吧？」

「為什麼你不直接跟貝納德談呢？」

「因為那樣不好。」湯姆不太高興地說。有些人就是一點心理學都不懂！

「湯姆，你今天太了不起了，」傑夫說。「謝謝。」

湯姆微笑，傑夫那種狂喜的口吻讓他很開心。「貝納德那邊你處理一下。我離開前會再打給你。」

「我明天上午都會待在工作室的。」

然後他們互道晚安。

莫奇森想查閱他們畫廊裡的收據，找出從墨西哥運來畫作的紀錄，如果他把這事情告訴傑夫，湯姆心想，傑夫一定會很恐慌。他明天上午一定要警告傑夫這件事，去找路邊的電話亭，或是郵局裡的公用電話。湯姆擔心飯店的接線生會偷聽。當然了，他希望能勸莫奇森放棄他的理論，但如果辦不到，那麼讓巴克馬斯特畫廊準備一些看似真實的資料也不壞。

5

次日早晨，湯姆在床上吃早餐——在英格蘭多付個幾英鎊，就可以享受這種特權——然後打電話給安奈特太太。現在才八點，但湯姆知道她肯定一個小時前就起床了，邊哼歌邊進行她的例行工作，調熱暖氣（廚房有個小暖氣錶），泡她精緻的藥草茶，因為早上喝咖啡會害她心悸，然後調整各個窗台上放的盆栽，好晒到最多太陽。她會很高興接到他從倫敦打來的電話。

「喂！——喂！」接線生大聲說。

「喂？」一頭霧水。

「喂！」

線上一口氣出現了三個法國接線生，外加曼德維爾飯店的總機。

最後，終於連絡上安奈特太太了。「今天早上這裡天氣很好。出太陽了！」安奈特太太說。

湯姆微笑。他太需要一個歡樂的聲音了。「安奈特太太……是的，我很好，謝謝妳。妳的牙齒怎麼樣了？……很好！我打電話是要跟妳說，我今天下午大約四點會到家，一位美國紳士會跟我一起回去。」

「啊！」安奈特太太說，非常開心。

「這位客人會住一夜，或許兩夜，誰曉得？妳能不能把客房準備好？裡面放點鮮花？晚餐或許準備嫩牛肉片，配上妳拿手的貝阿恩醬汁？」

安奈特太太聽起來興奮異常，因為湯姆要帶客人回家，她就有事情做了。

然後湯姆打電話給莫奇森先生，兩人講好中午在飯店大廳碰面，再一起搭計程車到希斯洛機場。

湯姆出門，打算走到柏克利廣場的一家男子服飾用品店，他幾乎每次來倫敦，都會去那家店買一套睡衣褲，成為一種小小的慣例。而且這可能也是他這次倫敦行最後一次搭地下鐵的機會了。地下鐵是倫敦生活魅力的一部分，同時湯姆很欣賞地下鐵的塗鴉。太陽在一片濛霧中徒勞地掙扎，不過沒下雨。湯姆鑽進龐德街地鐵站，此時已經過了趕上班的尖峰時間，旁邊幾個一起進入地鐵站的或許是遲到的。湯姆欣賞倫敦塗鴉者的，是他們居然能在移動的電扶梯沿路的牆壁上充滿了內衣海報，全都是穿著緊身束腹和內褲的女郎，身上被塗鴉者亂加了一大堆男性與女性的生理特徵，有時還會寫上整句話：**我喜歡當陰陽人！**他們是怎麼辦到的？在電扶梯上一面朝反方向走，一面在牆上寫下這些字？**黑人滾蛋！**是最普遍的，隨處可見；另一個變體是**黑人馬上滾蛋！**到了底下的地鐵月台，湯姆看到一張電影海報，是由義大利的札菲瑞利導演的《羅密歐與茱麗葉》，裡頭羅密歐裸身仰躺，茱麗葉伏在他身上，嘴裡的對話框寫著很嚇人的提議。羅密歐嘴裡拉出的那個圓形對話框裡寫著：「好啊，有何不可？」

十點半時，湯姆買好了睡衣。他買了一套黃色的。本來是想買紫色的，因為他現在的睡衣沒有這個顏色，但這兩天他聽到太多紫色了。然後湯姆搭計程車到卡奈比街。他幫自己買了一件仿緞面窄長褲，因為他不喜歡喇叭形褲管。替赫綠思買的則是一件黑色羊毛料低腰喇叭褲，腰圍二十六吋的。湯姆試穿長褲的那個試衣間小得不得了，穿好了根本沒法退後看看鏡子裡面的褲子長度是否剛好，不過安奈特太太很喜歡替他和赫綠思修改衣服上的這些小地方。此外，兩個一直不停說「好極了」的義大利人每隔幾秒就要拉開門簾，想進來試他們的衣服。湯姆付錢時，兩個希臘人剛到，大聲討論起折算成希臘幣的價錢。這個店大約六呎乘十二呎大，難怪只有一名店員，因為沒有空間容納第二個了。

買來的東西裝在簇新的大紙袋裡，湯姆走向一個路邊的電話亭，打給傑夫・康斯坦。

「我跟貝納德談過了，」傑夫說，「他一定是被莫奇森嚇死了，因為貝納德告訴我他跟莫奇森談過。貝納德說他告訴莫奇森不要再買任何畫了。真夠糟糕了，不是嗎？」

「啊，」湯姆說。「還有什麼？」

「這個嘛——我設法想告訴貝納德，所有能說的、該說的，他全都說了。我很難跟你解釋，因為你不了解貝納德，但他對德瓦特的天才和種種都有種罪惡感。我設法說服貝納德，說他告訴莫奇森那些，就已經很對得起自己的良心了。一切就到此為止，不是很好嗎？」

「那貝納德怎麼說？」

「他沮喪得不得了，實在聽不出他講了什麼。這回展覽的畫幾乎賣光了，你知道，只有一張沒賣掉。你想想看！而貝納德因此很有罪惡感！」傑夫笑起來。「《浴缸》，莫奇森也挑剔了這幅。」

「如果他暫時不想再畫，別逼他。」

「我也是這個態度。你講得太對了，湯姆。不過我想大概只要兩星期，他就會完全復原，又會再畫了。都是展覽帶來的壓力，還有看到你扮德瓦特的關係。他很崇拜德瓦特，比大部分人對耶穌基督還要尊敬。」

不必他說，湯姆也知道。「還有一件小事，傑夫。莫奇森可能會想看看畫廊裡有關德瓦特畫作的帳冊，就是從墨西哥運來的紀錄。你有這類紀錄嗎？」

「沒有從墨西哥來的。」

「能不能假造一些？免得萬一我沒法說服他放棄整件事？」

「我會試試看，湯姆。」傑夫的口氣有點慌。

湯姆很不耐煩。「去仿造一些，弄舊一點。就算不管M先生好了，手上有些帳冊紀錄可以證實那個，不也是很好嗎？」湯姆沒把話講完整。有些人就是不懂得經營企業，即使是像德瓦特有限公司這麼成功的企業。

「好吧，湯姆。」

湯姆繞到伯靈頓市場街，在一家珠寶店買了個黃金胸針——一隻小小的蹲踞猴子——準備送給赫絲思，用美國旅行支票付了帳。赫絲思的生日是下個月。然後他朝他的飯店走回去，經過牛津街，街上跟平常一樣擠滿了購物人潮，女人們提著鼓脹的袋子和盒子，手裡還牽著小孩。一個老頭胸前和背後都掛著廣告板，宣傳一家證件照的照相館，服務迅速又便宜。那老頭穿著一件舊大衣，頭戴一頂鬆垮的帽子，嘴唇啣著一根熄滅的、髒兮兮的香菸。為自己的希臘諸島遊輪之旅辦護照，湯姆心想，但這個老人哪裡都去不了。湯姆抽掉那老頭嘴裡的菸蒂，塞進一根高盧牌香菸。

「抽根菸吧，」湯姆說。「火在這裡，」湯姆迅速用火柴幫他點了菸。

「謝啦。」那名滿臉鬍子的老頭說。

湯姆把剩下那一整包高盧牌香菸，然後是火柴，全都塞進那件大衣的破爛口袋裡，然後快步離開，低著頭，希望沒人看到他。

回到飯店房間裡，湯姆打到莫奇森房間，然後兩人帶著行李在樓下碰面。

「今天上午我去替我太太買了點東西。」莫奇森在計程車上說，他似乎心情很好。

「是嗎？我也是，在卡奈比街買了一條褲子。」

「對哈麗葉來說，最好的禮物就是馬莎百貨的毛衣，還有利柏提百貨的圍巾。有時候買點毛線也行。她平常也織毛線，想到羊毛來自古老的英格蘭就很高興，你懂吧？」

「你取消上午的約會了？」

「對。改約到星期五上午，到那個人家裡。」

到了機場，他們吃了一頓很豐盛的午餐，還點了一瓶紅葡萄酒。莫奇森堅持要付帳。午餐時莫奇森跟湯姆談起自己的兒子是個發明家，在加州的一家化學廠工作。他的兒子和兒媳婦剛生了第一個小孩。莫奇森把女嬰的照片拿給湯姆看，嘲笑自己是個溺愛的祖父，不過這畢竟是他第一個孫輩，照外祖母的名字，取名叫凱倫。莫奇森問起湯姆怎麼會住在法國，湯姆說因為他三年前娶了法國老婆。莫奇森倒不至於冒昧問湯姆是靠什麼謀生的，不過他倒是問他平常怎麼打發時間。

「我閱讀歷史書，」湯姆漫不經心地說，「學習德文。更不必說我的法文還得加強。另外做點園藝工作，我在維勒佩斯的花園相當大。另外我也畫畫，」他補充，「只是消遣而已。」

他們下午三點到達奧利機場，湯姆搭了機場的小巴士去室內停車場取車，然後開到計程車站附近接莫奇森和兩人的行李。今天是個陽光普照的好天氣，而且不像英格蘭那麼冷。湯姆開到楓丹白露鎮，經過楓丹白露宮，好讓莫奇森看一下。莫奇森說他已經有十五年沒看過了。他們大約四點半抵達維勒佩斯。

「我們大部分雜貨都是在這裡買的。」湯姆說，指著村中主街左側的一家商店。

「好漂亮。好純樸，」莫奇森說。等他們到了湯姆的房子，莫奇森驚呼：「這房子太棒了，真是太美了！」

「你真該夏天來看看。」湯姆謙虛地說。

安奈特太太聽到了車子聲，出來迎接他們，同時幫忙拿行李，但莫奇森不肯讓女人提重物，只讓她拿了裝香菸和烈酒的小提袋。

「一切都還好吧，安奈特太太？」湯姆問。

「都很好。就連廁所，水管工也來修好了。」

有個廁所會漏水，湯姆想起來。

湯姆和安奈特太太帶著莫奇森到樓上的客房，有個相鄰的浴室。那其實是赫綠思的浴室，她的房間就在浴室的另一側。湯姆解釋說自己的太太現在跟朋友去希臘了。他把莫奇森留在房間裡梳洗、整理行李，然後說他會在樓下的客廳。莫奇森已經充滿興趣盯著牆上的幾幅畫了。

湯姆下樓，要安奈特太太泡點茶。他拿了一瓶英格蘭的「湖上薄霧」花露水給她，是他在希斯洛機場買的。

「啊，湯姆先生，您真是太體貼了！」

湯姆微笑。安奈特太太的感謝老是讓他覺得好愉快。「今天晚上吃嫩牛肉片吧？」

「啊，沒錯！甜點是巧克力慕絲。」

湯姆走進客廳。裡面擺出了鮮花，安奈特太太調熱了暖氣。客廳裡有壁爐，湯姆也喜歡點上爐火，但他覺得點了火就得隨時看著，或者是因為他太喜歡看、沒法移開視線，所以他決定先不要點火。他凝視著壁爐上方的《椅中男子》，滿意地踮了踮腳——滿意這幅畫的熟悉感和出色品質。貝納德很行。只是在時期特點上頭犯了兩個錯。反正這種時期根本也不重要。照道理講，《紅色椅子》這幅德瓦特真跡應該掛在客廳裡最重要的位置，也就是壁爐上方。只有他才會把假畫掛在那個地方，他猜想。赫綠思不曉得《椅中男子》是假畫，事實上，她根本對偽造德瓦特作品的勾當毫不知情。她對繪畫不是特別有興趣。如果她有什麼酷愛的事物，那就是旅行、品嚐異國食物，還有買衣服。她房裡兩個衣櫃裝的東西簡直像個世界服裝博物館，只缺假人模特兒了。她有突尼西亞買的背心，墨西哥的穗邊無袖外套，希臘的鬆垮長軍褲讓她看起來十分迷人，還有她在倫敦買來的中國刺繡外套。

然後湯姆忽然想起貝托洛齊伯爵，於是走向電話。他不太願意讓莫奇森聽到伯爵的名字，但另一方面，湯姆並不想做任何傷害伯爵的事情，或許保持坦然的態度只會有好處。湯姆先問了米蘭那邊的電話號碼，然後告訴法國接線生。她告訴湯姆可能要等半個小時才能接通。

莫奇森先生下樓來。他已經換了衣服，穿著灰色法蘭絨長褲和一件綠黑交雜的粗毛呢外套。「鄉村生活！」他說，滿面笑容。「啊！」他已經看到房間另一頭的《紅色椅子》，於是走過去細看。「這是傑作，這是如假包換的真跡！」

那是當然，湯姆心想，心中湧上一陣激動的自豪之感，因而覺得自己有點蠢。「是的，我很喜歡這幅畫。」

「我想我聽說過這件作品。記得在哪裡看過這幅畫名。真是恭喜你了，湯姆。」

「還有那幅，就是《椅中男子》。」湯姆說，朝壁爐點了個頭。

「啊，」莫奇森的口吻變得不一樣了。他走近些，湯姆看著他高壯的身影因為專心而變得更緊繃。「這件作品多久了？」

「大約四年了。」湯姆照實說。

「抱歉問個不禮貌的問題，這幅花了多少錢買的？」

「四千英鎊。在貶值之前，大約是一萬一千兩百美元。」湯姆說，把英鎊乘以二點八。

「很高興看到這幅畫，」莫奇森點著頭說。「你知道，同樣的紫色又出現了。這裡很小一塊，不過你看。」他指著椅子的下端。由於畫掛得很高，壁爐又相當寬，莫奇森的手指離畫布好幾吋，但湯姆知道他想指出的那一道紫色。「純鈷紫。」莫奇森走到房間另一頭，再度看著《紅色椅子》，在距離十吋之處凝視著。「這是比較早的作品。也是純鈷紫。」

「你真的認為《椅中男子》是假畫？」

「是的，我是這麼認為。就像我的《時鐘》。這幅的品質不一樣，比《紅色椅子》差。品質是沒法用顯微鏡衡量的，但我從這件作品中看得出來。而且——我也看得出裡面的純鈷紫。」

「那麼，」湯姆一副鎮定的語氣說，「或許這表示德瓦特會交替使用純鈷紫和你提到過的那種混合顏料。」

莫奇森皺眉搖搖頭。「我不這麼想。」

安奈特太太用餐車推著茶進來。餐車的一個輪子發出輕微的吱嘎聲。「茶來了，湯姆先生。」

安奈特太太烤了一些褐色邊緣的甜酥薄餅乾，透出一股帶著玫瑰香的溫暖香草氣味。湯姆倒了茶。

莫奇森坐在沙發上。他可能沒看到安奈特太太進來又離開。他盯著《椅中男子》好像昏頭或是入迷了。然後他眨眨眼睛望著湯姆，微笑，又恢復一臉和善的表情。「我想，你不相信我吧。這是你的權利。」

「我不知道該說什麼。我看不出品質有什麼不同，或許是我太遲鈍了。如果就像你說過的，你會找個專家替你看，那麼我會接受專家的說法。另外順便說一聲，《椅中男子》這幅你可以帶去倫敦，如果你想要的話。」

「我當然想。我會寫個收據給你，甚至幫這幅畫買保險。」莫奇森低聲笑了。

「這幅畫已經投保了，別擔心。」

兩人喝著茶，莫奇森問起赫綠思，問她現在的狀況。他們有小孩嗎？沒有。赫綠思二十五歲。不，湯姆不認為法國女人特別難搞，但他們對於自己應該如何被對待自有想法。這個話題沒什麼好多說的，因為每個女人都希望自己被某種特定的方式對待，而儘管湯姆很了解赫綠思這類女人，他也實在無法用言語表達出來。

電話鈴響起，湯姆說，「失陪一下，我想我要去樓上我房間接。」他衝上樓梯。畢竟，莫奇森可能會以為是赫綠思打來的，所以湯姆想私下跟她講話。

「喂？」湯姆說。「愛德華多！你好嗎？真幸運能找到你……就是聽人說的嘛。一個共同的朋友今天從巴黎打電話來，跟我說你在米蘭……現在你可以來我家玩了吧？你可是答應過我的喔。」

貝托洛齊伯爵是個享樂主義者，也向來樂於暫時擺脫繁忙的進出口生意，他對於改變巴黎行的計畫稍微表示一點猶豫後，就熱心地答應去湯姆家。「可是今天晚上不行。明天吧，可以嗎？」

這對湯姆來說有點太快了，他還不確定莫奇森會製造出什麼問題。「是的，就算星期五也——」

「星期四，」伯爵堅定地說，沒聽懂湯姆希望晚一點的暗示。

「好吧。我會去奧利機場接你。幾點呢？」

「我的班機是——稍等一下。」伯爵去查，好一會兒才回到電話上。「五點十五分到巴黎。義大利航空三〇六號班機。」

湯姆寫下來。「我會去接你。真高興你能來，愛德華多！」

然後湯姆回到樓下找湯瑪斯・莫奇森。此時他們已經彼此互稱湯姆了，不過莫奇森說他太太都喊他湯米。莫奇森說他是一家管線鋪設公司的水利工程師，總公司在紐約，他是董事之一。他們到湯姆家後院附近散步，院子外頭就是一片原始林。湯姆相當喜歡莫奇森。一定有辦法說服他、改變他的心意，湯姆心想。他應該怎麼做？

晚餐時，正當莫奇森說著他們工廠裡一個全新的發明，任何東西只要能裝在湯罐頭大小的容器內，就可以整批以管線運輸——湯姆則在考慮自己是否該費事要求傑夫和艾德，去找個墨西哥的運輸公司，弄些專用的信紙來，把德瓦特的畫作清單列上去？這事情多快能辦妥？艾德是記者，不擅長這類事務性的工作，然後要那個畫廊經理雷納和傑夫把那些信紙放在地上踩踩，好讓那些信紙看起來像五、六年前的？晚餐很棒，莫奇森也用他頗為通順的法語，讚美安奈特太太的巧克力慕絲，甚至連布里乳酪都誇獎。

「我們要在客廳喝咖啡，」湯姆告訴安奈特太太。「另外麻煩送白蘭地來好嗎？」

安奈特太太已經點上了壁爐的火。湯姆和莫奇森坐在大大的黃色沙發上。

「這事情真好玩，」湯姆開口，「我喜歡《椅中男子》的程度和《紅色椅子》一樣。如果《椅中男子》是假畫，那就好玩了，不是嗎？」湯姆還是用中西部口音講話。「你看得出來，我把這幅畫掛在整棟房子最重要的位置。」

「唔，你原先不曉得那是假畫啊！」莫奇森笑了一下。「要是能知道是誰偽造的，一定會很有趣，非常有趣。」

湯姆兩腿往前伸，吞吐著雪茄。「你知道真正好玩的狀況會是怎樣嗎？」湯姆開口，打出他最後一張牌，也是他的最佳王牌，「那就是，現在巴克馬斯特畫廊展出的德瓦特作品，你昨天看到的那些，全都是另一個畫家偽造的。換句話說，有另一個畫家跟德瓦特一樣好。」

莫奇森微笑。「那德瓦特在做什麼？坐享其成？哪有這麼荒謬的事情？德瓦特這個人跟我想得差不多。內向，而且是那種老派的人。」

「你想過收藏假畫嗎？我知道義大利有個人就專門收藏這種。一開始只是當成嗜好，現在他把這些畫用相當高的價格賣給其他收藏家。」

「啊，我聽說過。沒錯。但如果是假畫，我希望買的時候就講清楚。」

湯姆感覺自己被逼到一個狹窄而不舒服的點。他又試了一次。「我喜歡做白日夢——想像這類荒唐的事情。就某種意義來說，既然偽造的畫家畫出這麼好的作品，那又何必打擾他呢？我還是打算好好留著那幅《椅中男子》。」

莫奇森可能沒聽到湯姆的評論。「而且你知道，」莫奇森說，還是盯著湯姆正在談的那幅畫，「不光是那個淺紫色，而是整幅畫的靈魂。都是你的好菜加好酒弄得我飄飄然，否則我是不可能這麼說的。」

他們之前喝掉了一瓶醇美的瑪歌紅酒，是湯姆酒窖裡面最好的。

「你認為巴克馬斯特畫廊那些人可能是騙子嗎？」莫奇森問。「一定是。他們為什麼要忍受一個作偽的畫家？把假畫混在真畫裡面賣？」

湯姆明白，莫奇森認為這回展出的其他德瓦特新作，除了《浴缸》之外，全都是真跡。「那也得這些畫真的是偽作——你的《時鐘》和其他那些。我想我還是沒法相信。」

莫奇森好脾氣地笑著。「那是因為你喜歡你的《椅中男子》。如果你這幅是四年前畫出來的，我那幅是至少三年前，那這些假畫就已經進行好幾年了。或許倫敦還有更多假畫是這次沒有在畫廊裡展出的。坦白說，我也懷疑德瓦特。我想他八成是跟巴克馬斯特畫廊的人合謀，想賺更多錢。還有另一件事——德瓦特到現在已經好幾年沒有素描作品了。這點很奇怪。」

「真的嗎？」湯姆一副很意外的口吻。其實這點他知道，也知道莫奇森的意思是什麼。

「素描會展現藝術家的個性，」莫奇森說。「這點我本來就明白，然後我又在不曉得哪裡讀到過——只是證實我原來的看法。」他笑了。「只因為我製造水管，大家就不相信我很敏感！但素描就像畫家的簽名，是一種非常複雜的簽名。可以說，偽造簽名或油畫，要比偽造素描容易。」

「我從沒這麼想過，」湯姆說，然後雪茄尾端在菸灰缸裡轉了一下。「你說你星期六要去跟泰德畫廊那個人談？」

「沒錯，你大概也知道，泰德畫廊有兩幅德瓦特的老作品。要是瑞摩爾先生證實我想得沒錯，那我就會去找巴克馬斯特畫廊的人談，而且不會事先警告他們。」

湯姆的心裡開始做痛苦的跳躍。星期六就是後天。瑞摩爾可能會想把《時鐘》和《椅中男子》，拿來跟泰德畫廊收藏的、還有現在展出的那些德瓦特作品比較。貝納德・塔夫茲的畫經得起這個考驗嗎？如果經不起呢？他又幫莫奇森倒了些白蘭地，自己只倒一點點，其實他根本不想喝。他雙臂在胸前交疊。「你知道，如果真有偽造的事情，我不認為我會去告他們，或是做任何事情。」

「哈！我的態度比較一板一眼。或許太守舊了吧。如果德瓦特真的參與其中呢？」

「我聽說，德瓦特像個聖人。」

「那是傳說。他比較年輕、比較窮的時候，可能比較像個聖人。他現在過著隱居生活。他在倫敦的朋友把他捧出名了，如此而已。一個窮人如果忽然變得有錢，就可能發生很多狀況的。」

這個晚上湯姆沒有進一步收穫。莫奇森想早點就寢，因為他很累。

「明天早上再來查班機。在倫敦就該先訂好的，我真是太蠢了。」

「啊，希望你不是一早要走。」湯姆說。

「我早上會訂機位。下午再離開，希望你不會不方便。」

湯姆看著莫奇森上樓回房，確定他什麼都不缺了。

他想過要打電話給傑夫或艾德。但他有什麼新消息呢？他試圖說服莫奇森別去找泰德畫廊那個人，卻毫無進展？何況湯姆不希望傑夫的電話號碼在他的帳單上出現太多次。

6

早晨一起床，湯姆就抱定樂觀的態度。在床上喝過安奈特太太送來的香醇黑咖啡，讓他完全醒來之後，他穿上舒服的舊衣服，下樓去看莫奇森醒了沒。這時是八點四十五分。

「那位先生在他的房間吃早餐。」安奈特太太說。

安奈特太太替他整理臥室時，湯姆就去浴室刮鬍子。「我想莫奇森先生今天下午會離開。」他回答安奈特太太有關晚餐菜色的問題。「不過今天是星期四。妳想可以跟魚販買兩條新鮮的比目魚——」湯姆一時說不出話來，腦子想著怎麼講成法文「——來做午餐嗎？」有個魚販每星期會開著廂型車來村子裡兩次。村裡沒有魚店，因為維勒佩斯太小了。

安奈特太太聽了很振奮。「水果商今天有很好的葡萄，」她說。「你不會相信……」

「那就買一點吧。」湯姆根本無心聽她說。

上午十一點，湯姆和莫奇森走進湯姆家後方的樹林。湯姆處在一種怪異的心情，或是心理狀態之下。他忽然衝動地想表示友善、誠實，或者不曉得是什麼，於是帶莫奇森到樓上他畫畫的房間，讓他看自己的作品。湯姆主要畫風景和肖像。他很努力想簡化，把馬諦斯當成典範，但他覺得不太成功。一幅赫綠思的肖像，可能是湯姆的第十二幅，畫得不差，莫奇森也加以讚美。老天，湯姆心想——我願意毫無保留揭露我的靈魂，把我以前寫給赫絲思的情詩拿給他看，脫掉我的衣服舞劍，只求他能以我的觀點看事情！——但是沒有用。

莫奇森飛倫敦的班機是四點，還可以在家好好吃頓午餐，因為狀況正常的話，從他家開車到奧利機場只要一小時。趁莫奇森換鞋子要去散步時，湯姆把《椅中男子》包上三層厚厚的瓦楞紙，捆上繩子，外頭包上褐色紙，再用繩子捆好。莫奇森已經告訴湯姆，這幅畫他會隨身帶上飛機。另外莫奇森也說，他已經請曼德維爾飯店晚上替他留一個房間。

「不過別忘了，」湯姆說，「有關《椅中男子》，我可不會去向誰追究。」

「這不表示你否認這是假畫，」莫奇森微笑著說。「你不打算堅持這是真跡嗎？」

「不了，」湯姆說。「一句話。我會尊重專家的意見。」

湯姆覺得，開放的樹林並不適合談一個範圍極其精確、精確到像針尖的話題，或者這個針尖會擴大成一片龐大的烏雲？跟莫奇森在樹林裡談話，湯姆無論如何都高興不起來。湯姆要安奈特太太提早準備午餐，因為莫奇森先生要離開，於是他們在十二點四十五分開始用餐。

湯姆決心談話不能離題，因為他不希望放棄所有希望。湯姆提到荷蘭畫家米格倫（Han van Meegeren），莫奇森很熟悉他的藝術歷程。米格倫偽造大師維梅爾的作品，最後也成就了自己的某些價值。米格倫會偽造，一開始可能是出於自衛，或是冒險，但在美學觀點上，米格倫所創造出「新的」維梅爾作品，無疑也為買畫的人帶來了愉悅。

「我不明白你為什麼完全不管事情的真相，」莫奇森說。「畫家的風格就是他的真相，他的誠實。如果一個人有權抄襲他人，那麼同樣的道理，仿造別人的簽名也可以了？這不就等於盜取別人的名聲、別人的銀行存款？這個名聲是別人的才華所建立起來的啊。」

他們叉著盤子裡最後的幾片奶油比目魚和馬鈴薯。比目魚做得非常好，佐餐的白葡萄酒也還是很棒。換了其他狀況，這頓午餐都會讓人十分滿意，甚至是感覺幸福，會讓一對愛人因此上床——或許在喝過咖啡之後——然後做愛，然後睡覺。今天這頓美妙的午餐，在湯姆身上浪費了。

「我是替自己說話，」湯姆說。「向來如此。我不打算影響你。而且我很確定影響不了你。但你可以代我幫那位——那是誰來著？康斯坦先生，沒錯，你可以代我向他說，我很喜歡這幅偽作，而且我很樂意留著。」

「我會告訴他的。但你難道不想想未來嗎？如果有個人還繼續在製造假畫——」

甜點是檸檬蛋奶酥。湯姆掙扎著。他相信自己的觀點，為什麼就不能化為言語，好好說服莫奇森相信呢？莫奇森沒有藝術家的才氣。否則他就不會講這些話。莫奇森不懂得欣賞貝納德。莫奇森扯什麼真相和簽名，還可能扯到警察，他的所作所為，比起貝納德在畫室的成就，誰的表現才是無可否認的好畫家？米格倫是怎麼說來著（或者是湯姆自己在筆記本裡面寫的）？「一個藝術家的作品是出自天生自然，不必費力。有某種力量引導他的手。一個偽造者奮鬥製作，如果他成功了，那就是真跡的成就。」湯姆明白，這是他自己改編過的意思。但該死，那個自鳴得意的莫奇森，擺出一副「吾比汝聖潔」的姿態！至少貝納德有才華，勝過莫奇森，他也不過懂得修水管、鋪設水管系統，還大談特談什麼可運輸物件的包裝，反正他自己說過，這點子還不是一個加拿大的年輕工程師想出來的。

餐後喝咖啡。白蘭地也擺在旁邊，不過兩個人都沒碰酒。

湯瑪斯・莫奇森肉呼呼的臉上有點紅潤——但看在湯姆眼中，那張臉就跟石頭無異。莫奇森的雙眼明亮，相當聰敏，而且正看著他。

現在一點半，他們在半個小時內就得出發前往奧利機場了。湯姆心想，等到伯爵離開後，他應該盡快趕到倫敦嗎？但去倫敦又有什麼用？該死的伯爵，湯姆心想。德瓦特有限公司比伯爵帶著的那些廢物或小玩意兒要重要。湯姆這才想到，瑞夫斯還沒告訴他東西放在伯爵所攜帶行李箱中的哪裡，或者是手提包或其他什麼裡頭。湯姆認為瑞夫斯今天晚上會打電話來。湯姆覺得好難受，過去十分鐘他都坐在椅子上蠕動不安，他必須動起來，馬上就動。

「我希望你從我的酒窖挑一瓶葡萄酒帶走，」湯姆說。「要不要下去看一下？」

莫奇森的笑容變大了。「真是太好了！謝謝，湯姆。」

要去酒窖，可以從屋外過去，走下幾級石階，就是綠色的酒窖門；或者可以走一樓的備用廁所，就在訪客進門掛大衣的那條小甬道旁邊，廁所裡也有一道門通往酒窖。室內的這道樓梯是湯姆和赫綠思加的，免得天氣不好時還要到屋外去。

「我要把這瓶葡萄酒帶回美國。自己一個人在倫敦喝掉太可惜了。」莫奇森說。

湯姆打開酒窖的燈。這個酒窖又大又灰，而且冷得像個冰箱，或者對照起有中央暖氣的屋內，顯得很像冰箱。裡面有五、六個立著的大酒桶，不見得全是滿的，各面牆上還有許多放著葡萄酒瓶的格架。一個角落裡有儲放暖氣燃料的大槽，另一個大槽則是裝熱水的。

「紅酒在這裡，」湯姆說，指著一牆葡萄酒架，超過一半都放著灰塵滿布的暗色酒瓶。

莫奇森讚賞地吹了聲口哨。

如果非要做什麼的話，湯姆心想，一定得在這裡做了。然而他的計畫不夠周全，他根本什麼計畫都沒有。繼續移動，他告訴自己，但他唯一做的就只是緩緩地踱步，抬頭望著那些酒瓶，碰一、兩個封著紅色錫箔的酒瓶頸部。他拉出一瓶。「瑪歌。你喜歡的。」

「太好了，」莫奇森說。「真是謝謝你，湯姆。我會告訴家人這瓶酒就來自這個酒窖。」莫奇森恭敬地接過那瓶酒。

湯姆說。「有關去跟倫敦那位專家談的事情，還有關於偽造的事情，你真的不可能改變心意——就看在運動家精神的份上？」

莫奇森短促一笑。「湯姆，不行。運動家精神！我真搞不懂，為什麼你想保護他們，除非是——」

莫奇森有個想法，而湯姆知道那個想法是什麼，就是湯姆・雷普利也參與這個偽造的集團，從中獲取利潤或好處。「沒錯，我也是其中一份子，」湯姆很快地說。「你知道，前兩天在你飯店跟你講過話的那個年輕人，我認識他。我知道他的一切。他就是偽造假畫的人。」

「什麼？那個——那個——」

「沒錯，那個緊張的傢伙。貝納德。他認識德瓦特。一開始其實是很有理想的，你知道——」

「你的意思是，德瓦特知道這件事？」

「德瓦特死了。他們找了個人去模仿他的。」湯姆脫口而出，感覺自己再也沒有什麼可以損失的了，或許還能爭取到什麼。莫奇森要爭取他活命的機會，但湯姆無法告訴他，不能直說，時候還不到。

「所以德瓦特死了——這是多久前的事情？」

「五年或六年前吧。他其實已經死在希臘了。」

「那麼所有的畫——」

「貝納德・塔夫茲——你見過他是什麼樣的人。如果你掀出他偽造亡友畫作的事情，他會自殺的。他叫你不要再買畫。這樣還不夠嗎？原先畫廊要求貝納德畫兩張德瓦特風格的油畫，你知道——」湯姆知道其實是自己建議的，但這不重要。湯姆也知道自己是在做無望的辯解，不光是因為莫奇森很固執，也因為湯姆自己的論據發生了分裂，這個分裂他太熟悉了。他看出自己分裂成是與非兩邊。但兩邊的他都同樣誠心正意：湯姆所辯解的，是要拯救貝納德，拯救那些偽作，甚至拯救德瓦特。莫奇森永遠不會懂。「貝納德想退出，我知道。我想你不會願意冒險逼一個人因為羞愧而自殺，只為了要證明一個論點，對不對？」

「他一開始就該想到羞愧的問題！」莫奇森看著湯姆的手，他的臉，又回到他的手。「假扮德瓦特的就是你吧？沒錯，我留意過德瓦特的手。」莫奇森苦笑。「大家還以為我不會留意到小事！

「你的觀察力很敏銳。」湯姆很快地說。他忽然覺得很憤怒。

「老天，我昨天應該提的。我昨天想到過。你的雙手。你手上總不能黏上假鬍子掩飾，對吧？」

湯姆說，「別管我的手了，可以嗎？他們做出什麼傷天害理的事了嗎？貝納德的畫很好，這點你不能否認。」

「要我不說是絕對休想！不！就算你或任何人給我一大筆錢要我封口都不行！」莫奇森的臉更紅了，鬆垂的下頜顫抖著。他用力把那瓶紅酒頓在地板上，但沒有破。

他拒絕那瓶酒是一種小小的羞辱，或者湯姆是這麼覺得，這個羞辱非常小，卻是雪上加霜，而且讓人氣惱。湯姆幾乎立刻就拿起那個瓶子，然後揮向莫奇森，擊中了他的頭部側邊。這回瓶子破了，葡萄酒潑灑出來，瓶底掉到地上。莫奇森朝葡萄酒架踉蹌後退，撞得整個酒架都在抖動，但沒有任何東西落下，只除了莫奇森，他重重地坐下，撞到好幾個葡萄酒瓶頂端，但沒有酒瓶掉下來。湯姆抓住手邊能找到的第一樣東西——剛好是一個空煤斗——揮向莫奇森的頭部。湯姆又敲了第二下。煤斗的底部很沉。莫奇森流血了，往側邊倒在石頭地板上，身體微微抽搐著。他沒有移動。

那些血怎麼辦？湯姆轉著圈圈，想找塊抹布，甚至報紙都行。他走向那個燃料槽，槽底下有一大塊破布，因為放太久又沾了太多塵土而發硬。他拿著抹布回來擦地，擦了一下就發現無濟於事，於是放棄了，又轉著圈看。把他放在一個大桶下，湯姆心想。他抓住莫奇森的腳踝，然後又忽然放下，去碰觸莫奇森的脖子。好像沒有脈搏了。湯姆深吸一口氣，雙手探入莫奇森的手臂下。他又拉又扯，把那具沉重的身軀拖向那個大酒桶。酒桶後面的角落很暗。莫奇森的雙腳有一小部分伸出來。湯姆把莫奇森的膝蓋彎起，免得腳露出來。但因為那個大酒桶放在架子上，離地有大約十六吋，因此只要站在酒窖中央，看向那個角落，多少還是看得到莫奇森。如果稍微彎腰，就能看見莫奇森整個身子了。湯姆心想，這裡絕對找不到一條舊毯子、一塊油布或報紙，總之是可以蓋住東西的玩意兒！都是因為安奈特太太，她太愛乾淨了！

湯姆把那塊沾了血的破布一踢，飛到莫奇森腳邊。他又踢向地上的兩片酒瓶碎片——現在葡萄酒都和血混在一起了——然後迅速撿起酒瓶頸，敲向天花板懸垂下來一根電線上的燈泡。燈泡破了，掉到地板上發出叮噹聲。

湯姆輕喘了一口氣，試圖讓自己的呼吸恢復正常，然後在黑暗中走向石階，爬上去。他關上酒窖門。備用廁所裡有個洗手台，他匆匆洗了個手。流出來的水碰到血而變成粉紅色，湯姆本來以為是莫奇森的血，後來發現血流個不停，原來他大拇指根部有個口子。但並不嚴重，本來有可能更糟的，所以他認為自己很幸運。他從牆上扯下捲筒衛生紙，包住自己的大拇指。

安奈特太太正在廚房裡面忙，這又是另一個小小的幸運。如果她出來，湯姆心想，他就會說莫奇森先生已經上車了——免得萬一安奈特太太問他人在哪裡。出發的時間到了。

湯姆跑上樓到莫奇森的房間。莫奇森的行李幾乎全收好了，只剩他的大衣和廁所裡的盥洗用品還沒收。湯姆把盥洗用具放進莫奇森行李箱的一個袋子，關上箱子。然後他提著行李箱和那件大衣下樓，出了前門。他把東西放在那輛愛快羅密歐上，又衝上樓拿莫奇森的《時鐘》，還包得好好的。莫奇森太有把握了，根本沒費事拆開《時鐘》，好跟《椅中男子》比較。驕兵必敗，湯姆心想。他把莫奇森房間裡那幅包好的《椅中男子》拿進自己房間，塞在他衣櫃裡的後側角落裡，然後拿著《時鐘》下樓。他從備用廁所外頭的一個衣鉤上拿了自己的雨衣，出門上了車，出發駛向奧利機場。

莫奇森的護照和機票大概都在外套口袋裡，湯姆心想。他稍後會去處理，最好是燒掉，趁安奈特太太早上照例必出門去閒逛買菜的時候。湯姆也忽然想到他還沒告訴安奈特太太有關伯爵要來的事情，決定晚些找個地方打電話給她，但不能從奧利機場打，他心想，因為他不想在機場逗留。

時間正好，彷彿莫奇森真的要去趕飛機。

湯姆開到出境大門口。這裡有一些計程車和私家汽車，但是不能停太久，只能暫停一下接送人和行李。湯姆停下車，把莫奇森的行李拿下車，放在人行道上，再把《時鐘》靠著行李箱，然後大衣放在最上頭。湯姆開車離去。剛剛他注意到人行道上還有其他幾堆行李。他開向楓丹白露鎮的方向，然後停在一家路邊的酒吧咖啡店，奧利機場和南方高速公路起點之間，沿途有很多這種中型的酒吧咖啡店。

他點了一杯啤酒，又要求換一枚硬幣打電話。結果店裡打電話不用投幣，於是湯姆拿起吧檯上靠近收銀機的電話，撥了家裡的號碼。

「喂，是我，」湯姆說。「莫奇森臨走時很趕，所以要我跟妳說再見，還要我幫他謝妳。」

「啊，我明白。」

「另外呢——今天晚上還有另一個客人會來，一位貝托洛齊伯爵，義大利人。我會從奧利機場接他回來，六點前會到家。現在或許妳可以去買些——小牛肝？」

「肉店今天的羊腿很漂亮！」

不知怎地，湯姆現在不想吃任何有骨頭的東西。「如果不麻煩的話，我想最好還是小牛肝吧。」

「那佐餐的配酒要瑪歌？還是布根地的梅索？」

「配酒由我自己來挑吧。」

湯姆付了帳——他說他打到桑斯鎮，比他住的村子還遠——然後回到車上。他以從容悠閒的速度開向奧利機場，經過入境區和離境區，然後注意到莫奇森的東西還在原來的地方。大衣會是第一個不見的，湯姆心想，會被某些有進取心的年輕人偷走。如果莫奇森的護照在他的大衣口袋裡，小偷可能會加以利用。湯姆微笑了一下，開進一個只停一小時的短期停車場。

湯姆緩緩走進一道自動開關的玻璃門，在報攤買了一份《新蘇黎士報》，然後查了一下愛德華多的飛機抵達的時間。結果準時到達，他還有幾分鐘要消磨。湯姆走到擁擠的酒吧——那裡向來擠滿了人——最後總算擠進去，設法點了一杯咖啡。喝完之後，他買了一張票上樓到出境處接人的地方。

伯爵頭戴一頂灰色的洪堡帽。他留著細長的黑色小鬍子，挺著大肚腩，即使在沒扣上的大衣底下都還是很突出。伯爵露出笑容，那是真正隨興義大利人的微笑，然後他揮手招呼。伯爵遞出他的護照接受檢查。

然後他們握手，同時匆匆擁抱了一下，接著湯姆幫著他拿行李箱和袋子。伯爵還帶了一個公事包。這回伯爵運的是什麼？放在哪裡？剛剛檢查的法國官員甚至沒要求他打開行李箱，就比劃著放行了。

「麻煩你在這裡等一下，我去開車過來，」到了外頭的人行道上，湯姆說。「停車場離這邊只有幾碼而已。」湯姆急步離開，五分鐘之內就開車回來了。

他得駛經離境大門，發現莫奇森的行李箱和那幅畫還在原地，但大衣已經不見了。一出局，還剩兩個要解決。

開車回家的路上，他們稍微聊了一下義大利和法國的政局時事，不是很深入，伯爵問起赫綠思。湯姆跟伯爵不很熟，這回應該是他們第二次見面，但在米蘭時，他們聊過繪畫，伯爵對這方面也非常熱愛。

「現在倫敦有個德瓦特的展覽。我希望下星期能去。你對德瓦特去倫敦有什麼想法？我好震驚！多年來第一次有他的照片出現！」

湯姆沒費事去買倫敦的報紙。「的確是個大驚喜。據說他沒變太多。」湯姆不打算提起他才剛去過倫敦，也去看過展覽了。

「真期待看看你家裡的畫。那幅叫什麼來著？就是有兩個小女孩的？」

「《紅色椅子》，」湯姆說，很驚訝伯爵居然還記得。他微笑，方向盤握得更緊了。儘管酒窖裡有具屍體，儘管這一天糟糕透頂，過了飽受煎熬的一下午，但湯姆現在就要開開心心地回到家——回到所謂的犯罪現場。湯姆不覺得那是一樁罪。或者他到了明天就會有反應、甚至是今晚？他希望不會。

「義大利那些咖啡店，現在煮的濃縮咖啡糟透了。」伯爵以鄭重的男中音說。「我相信大概是因為一些黑手黨介入的關係。」他悶悶不樂地對著窗外沉思了一會兒，然後又繼續說，「還有義大利的髮型師，老天！我開始覺得我不太了解自己的國家了！現在維內多街那家我最喜歡的理髮店，裡頭的年輕人會問我要用哪種洗髮精。我說，『拜託，幫我洗頭就是了——哪來那麼多花樣！』『可是先生，你的頭髮是油性還是乾性的？我們有三種洗髮精。你有頭皮屑嗎？』『沒有！』我說。『現在沒有人的頭髮是正常的嗎？或者普通洗髮精不存在了嗎？』」

伯爵就像莫奇森一樣，讚美了結實而對稱的麗影。花園裡雖然夏天的玫瑰幾乎一點不剩，但仍然展露出漂亮的長方形草坪，周圍環繞著令人望而生畏的粗大松樹。這是他的家，而且並不卑微。安奈特太太又來到門口，而且就像昨天湯瑪斯・莫奇森來到時那樣歡迎他們，幫著提行李。湯姆再一次帶著客人到客房去，裡頭安奈特太太已經收拾好了。現在喝下午茶太晚，於是湯姆跟客人說要找他可以去樓下，晚飯會在八點準備好。

然後湯姆回自己房裡拆開《椅中男子》，拿到樓下掛在原來的地方。安奈特太太很可能會注意到畫不見了幾個小時，但如果她問起，湯姆打算說莫奇森拿到湯姆的房間去，好在不同的燈光下欣賞。

湯姆把客廳落地窗前沉重的紅窗簾拉開，望著後花園。墨綠色的陰影已經隨著夜幕降臨而變成黑色。湯姆忽然想到自己正站在地窖中莫奇森屍體的正上方，於是往旁邊挪動了一下。他今天晚上一定得下去，盡力清除掉那些葡萄酒和血跡，儘管一定是很晚的時候了。安奈特太太可能會有理由下去地窖：她向來很留心注意燃料的庫存量。接下來，要怎麼把屍體搬到屋外？工具小屋裡有一輛獨輪手推車。他可以用推車載著莫奇森——上頭蓋著油布，工具小屋裡也有的——到屋後的樹林裡，然後埋在那邊嗎？這樣太簡陋了，而且離這棟房子近得讓人不舒服，但可能是最好的解決方式。

伯爵精神奕奕地下樓來，儘管塊頭很大卻頗為靈活。他的個子相當高。

「啊－哈！啊－哈！」跟莫奇森一樣，伯爵也被掛在客廳另一頭那幅《紅色椅子》所吸引。但伯爵又立刻轉身，看向壁爐，似乎對《椅中男子》更為印象深刻。「太好了！太美妙了！」他盯著兩幅畫瞧。「你沒讓我失望，這兩幅畫真是太令人愉快了。你的整棟房子也是。我指的是我房間裡的那些素描。」

安奈特太太推著飲料推車進來，上頭還有冰桶和幾個玻璃杯。

伯爵看到一瓶義大利的甜味苦艾酒 Punte Mes，說他要喝這個。

「倫敦那家畫廊這次的展覽，沒跟你借作品嗎？」

莫奇森二十四小時前也問過同樣的問題，但只問起《椅中男子》，而且會問是因為他很好奇畫廊對一幅他們必定知道是偽作的態度。湯姆覺得頭有點暈眩，好像就快昏倒了。他原先朝飲料推車彎腰，這會兒站直身子。「他們來問過。但是很麻煩，你知道，運輸和保險什麼的。我兩年前把《紅色椅子》借出去展覽過。」

「我可能會買一幅德瓦特，」伯爵思索著說。「不過也要我買得起。以他的價錢，我大概只能買得起小幅的。」

湯姆給自己倒了杯蘇格蘭威士忌加冰塊。

電話鈴響了。

「失陪一下。」湯姆說，然後去接電話。

愛德華多四處走動著，看著牆壁上的其他物件。

電話是瑞夫斯・米諾打來的。他問伯爵到了沒，然後問湯姆旁邊是否有人。

「是啊，沒錯。」

「東西放在——」

「我聽不清楚。」

「牙膏裡。」瑞夫斯大聲說。

「喔。」湯姆幾乎是哀嘆，出於疲倦、輕蔑，甚至是覺得無聊。這是什麼小孩把戲嗎？或者是什麼爛電影裡的情節？「很好。那地址呢？跟上次一樣？」湯姆有個巴黎的地址，其實有三、四個，之前他曾把瑞夫斯的東西寄過去。

「對。就是上次那個。一切都沒問題吧？」

「是的，我想是。謝謝。」湯姆愉快地說。他本來可能會建議瑞夫斯和伯爵說兩句話，只是表示友善而已，但如果伯爵不知道瑞夫斯打過電話來，大概會比較好。湯姆覺得自己的精神很差，一開始就不順利。「謝謝你打來。」

「如果一切都順利，就不必再打給我了。」瑞夫斯說，然後掛斷了。

「我先失陪一下，愛德華多。」湯姆說，然後跑上樓。

他進了伯爵的房間。一個行李箱開著，放在客人和安奈特太太平常放行李的一個古董木箱上，但湯姆先去浴室找。伯爵還沒把他的盥洗用具拿出來。於是湯姆又去找行李箱，找到一個不透明的塑膠拉鍊袋。他打開來，結果裡面裝的是菸草。另外一個塑膠袋裝的是刮鬍用具、牙刷和牙膏，他把牙膏拿出來。管子尾端有點粗糙，但是封住了。瑞夫斯的人大概有某種夾鉗，可以把金屬軟管再封回去。湯姆小心翼翼地擠著牙膏管，在靠近尾端的地方感覺到一個硬塊。他厭惡地搖搖頭，把牙膏放進口袋，再將塑膠盥洗包歸回原位。然後他回到自己房間，把那管牙膏放在左上方抽屜的後面，這個抽屜放著一個袖釦盒和一大堆漿好的衣領。

然後湯姆下樓和伯爵會合。

晚餐時，他們談到德瓦特出乎意料的歸國，還有伯爵在報紙上看到的德瓦特訪問。

「他住在墨西哥，不是嗎？」湯姆問。

「沒錯。他不肯講是在哪裡，就像作家特拉文*一樣，你知道。哈！哈！」

伯爵讚美晚餐很美味，吃得很開心。他有那種歐洲人的本事：滿嘴食物還能照樣講話，換了美國人這麼做一定會很狼狽。

晚餐後，伯爵看到湯姆的留聲機，就表示想聽些音樂，又選了德布西的歌劇《佩利亞與梅麗桑》。伯爵想聽第三幕——是女高音和深沉的男聲二重唱，有點熱鬧。聽音樂的時候，伯爵還有辦法邊跟著哼歌邊講話。

湯姆設法拋開音樂，認真聽伯爵講話，但他老覺得很難不管音樂。他沒有心情聽《佩利亞與梅麗桑》。此時他需要的音樂是孟德爾頌《仲夏夜之夢》裡那首美妙至極的序曲，此刻當另外一齣歌劇演奏出沉重的劇情之時，孟德爾頌的序曲在湯姆的腦際縈迴——緊張不安、有喜劇風味，充滿創意。他眼前迫切需要的，就是充滿創意。

他們淺酌著白蘭地。湯姆建議他們次日上午可以開車出去，到盧萬河畔的莫黑鎮吃晚餐。愛德華多說過他想搭下午的火車到巴黎。但首先他想先看湯姆所有的藝術珍寶，於是湯姆帶著他逛遍全宅。連赫綠思的房間也去了，裡面有一件女畫家羅蘭珊（Marie Laurencin）的作品。

然後他們互道晚安，愛德華多拿著兩本湯姆的藝術書籍回房就寢。

湯姆回到自己房間，從抽屜裡拿出那管牙膏，試著想用指甲摳開尾端，但是沒成功。他走進作畫的房間，從工作台上拿了一把鉗子。回到臥室，他剪開牙膏管，拿出一個黑色的圓柱體。當然，是微縮膠卷。湯姆很好奇拿去沖水不曉得會不會毀掉，然後決定算了，只用一張面紙擦了擦。聞起來一股薄荷味。他找了個信封寫上地址：

尚－馬克・卡尼耶先生收
巴黎第九區提松路十六號

然後他把那個膠卷放進兩張白色寫字紙裡，一起塞進信封。湯姆暗自發誓要退出這個愚蠢的行當，因為實在是太自貶身價了。他可以用不得罪人的方式告訴瑞夫斯。瑞夫斯有個奇怪的念頭，認為一個東西轉手的次數愈多，就會愈安全。瑞夫斯的防衛心理很強。但當然，每次經手的人他都要付錢，即使只是付一點點。或者有些人接下工作，只是免費幫瑞夫斯？

湯姆換上睡衣褲，外頭穿上睡袍，探頭看看走廊，很高興看到愛德華多的房門底下沒有透出亮光來。他靜靜下樓來到廚房。廚房和安奈特太太的臥室隔著兩道門，中間要經過一個僕人進出的小走道，才能進入廚房。所以她不太可能聽到他或看到廚房的燈光。湯姆拿了一條耐用的灰色

＊ 譯注：特拉文（B. Traven, 1890-1969）生於德國，晚年取得墨西哥公民權。著名的隱士作家，生前真實身分與生平成謎。最著名作品是曾被大導演約翰・休斯頓改編為同名電影的《碧血金沙》（*The Treasure of the Sierra Madre*），由亨佛萊・鮑嘉主演。

抹布和一罐漂白清潔劑，從櫥子裡拿了一個燈泡放在口袋。他往下走進酒窖。微微發著抖。這時他明白，他需要一把手電筒和一張可以站上去的凳子，於是又折回廚房，拿了一張餐桌旁的木凳，又從走廊的桌子抽屜裡取出一把手電筒。

他腋下夾著手電筒，把破掉的燈泡拆下來，裝上新的。酒窖亮了起來。莫奇森的鞋子還是看得到。然後湯姆才驚駭地明白，莫奇森的兩條腿因為屍僵而伸直了。或者他不可能還活著吧？湯姆逼著自己確定，否則他今天晚上是別想睡得著了。湯姆用指背觸摸莫奇森的手。這樣就夠了。莫奇森的手冰冷而僵硬。湯姆拿起那塊蓋住莫奇森鞋子的抹布。

酒窖一角的洗滌槽有冷水。湯姆弄溼抹布，開始幹活兒。抹布上原來的顏色被他洗掉了，但他看不出地板上有多少改善，看起來還是顏色很深，不過也可能是因為地板弄溼了。好吧，萬一安奈特太太問起，他可以說自己摔破了一瓶葡萄酒。湯姆撿起殘餘的破燈泡碎片和酒瓶碎片，在水槽裡把抹布仔細沖乾淨，又將水槽出水口的玻璃碎片一一撿起來，放進睡袍口袋。他又用那塊抹布擦地板。然後他上樓進廚房，在比較明亮的燈光下確認抹布上的紅色都洗掉了，或者幾乎完全看不出來。他把那塊抹布搭在水槽底下的排水管上。

但那具死透的屍體。湯姆嘆了口氣，考慮要先鎖上酒窖，等明天他送走愛德華多後再回來。但如果安奈特太太想進來酒窖的話，不是會覺得很奇怪嗎？而且她自己有鑰匙，另外也有通往戶外那道門上另一把鎖的鑰匙。為了謹慎起見，湯姆拿了一瓶玫瑰紅葡萄酒和一瓶瑪歌紅酒，放在廚房的餐桌上。有時候家裡有傭人還真是件煩人的事情。

湯姆去睡覺時，覺得比昨天晚上還累，他想過要把莫奇森裝進一個大圓桶裡。但他猜想，這樣可能會把酒桶外頭的箍環弄歪，事後就得找個桶匠重新裝好。而且如果把莫奇森裝進去，裡面就得裝些液體，不然他就會在空的桶子裡撞來撞去。何況他一個人怎麼搬得動莫奇森外加桶子的重量？不可能。

湯姆想到白天放在奧利機場的莫奇森行李箱和《時鐘》。現在一定被人拿走了。莫奇森或許會有本通訊錄，放在他行李箱裡的某個舊封套裡。到了明天，莫奇森可能會被宣稱「失蹤」。或者是後天。泰德畫廊那個人等著明天上午跟莫奇森碰面。湯姆不知道莫奇森是否告訴過任何人他要去湯姆・雷普利家。湯姆希望沒有。

7

星期五天氣晴朗而涼快，不過還不到可以稱之為涼爽的地步。湯姆和愛德華多在起居室靠落地窗的地方吃早餐，陽光照進窗內。伯爵穿著睡衣褲和睡袍，他說如果屋裡有女士的話，他就不會這麼穿，但他希望湯姆不介意。

剛過十點，伯爵上樓去換衣服，然後提著行李箱下樓，準備要出發開車去吃午餐。「不知道能不能借點牙膏，」愛德華多說。「我想我的牙膏掉在米蘭的旅館了。我真是太蠢了。」

湯姆早就料到伯爵會有這個要求，也很高興他終於提出了。湯姆去廚房找安奈特太太。湯姆猜想，因為伯爵的盥洗用具已經裝在行李中提下樓了，所以最好帶伯爵到備用的盥洗室去。安奈特太太拿了牙膏來給他。

今天的郵件送來了，湯姆告退去看一下有什麼信。結果有一張赫綠思寄來的明信片，沒說什麼重要的事。另一封信是克里斯・葛林里寄來的。湯姆拆開來，上頭說：

親愛的雷普利先生：

我才剛發現我可以搭一架包機到巴黎，所以我會提早到。希望你此時在家。我會跟一個朋友吉拉德・海曼一起搭飛機，他跟我同齡，但我保證我不會帶他去找你，因為這樣可能會很麻煩，雖然他人很好。我會在十月十九日星期六抵達巴黎，到了會打電話給你。飛機在法國時間晚上七點到，當然，屆時我會先找一家巴黎的旅館過夜。

同時，在此向您問候。

您誠摯的，克里斯・葛林里

一九——年十月十五日

星期六就是明天了。至少克里斯不打算明天來這裡。老天，湯姆心想，他現在唯一需要的，就是為貝納德打起精神來。湯姆想過要求安奈特太太接下來兩天不要接電話，但這麼一來似乎很奇怪，而且也會打擾到安奈特太太，她每天至少會接到一通她朋友打來的電話，通常都是村裡的另一個管家伊芳太太。

「有什麼壞消息嗎？」愛德華多問。

「喔，不，完全不是。」湯姆回答。他得把莫奇森的屍體弄走。最好是今天夜裡。而且當然，他可以拖延克里斯，告訴他說他至少得忙到星期二。湯姆想像著明天法國警察會走進來找莫奇森，沒花幾秒鐘就在最理所當然的地方——酒窖——找到了。

湯姆走進廚房跟安奈特太太說再見。她正在擦一個大大的銀湯碗，還有一大堆湯匙，上頭全都裝飾著赫綠思家族的縮寫 P. F. P.。「我會到附近跑一圈。伯爵先生要離開了。要不要我買什麼東西回來？」

「如果能找到些很新鮮的荷蘭芹，湯姆先生——」

「我會記得的。荷蘭芹。我想，我應該五點前會回來。今天晚上只有我一個人，弄簡單點就行了。」

「要我幫忙提行李嗎？」安奈特太太站起來。「我今天真是心不在焉。」

湯姆向她保證不必了，但她還是出來跟伯爵道別，伯爵向她鞠躬，用法文恭維她的廚藝。

他們開車到內穆爾，看了鎮上的市集廣場和噴泉，然後往北沿著盧萬河開到莫黑鎮，湯姆現在已經把鎮上那些單行道摸得很熟了。這個鎮上橫跨盧萬河的兩端有壯觀的灰色石塔，以前原來是城門的。伯爵看得好癡迷。

「不像義大利的建築那麼髒。」他評論道。

在緩慢的午餐中，湯姆盡力不要露出緊張之色，他不斷望著窗外河岸上的垂柳，真恨不得自己的內心也能達到那些柳枝的從容節奏，隨著微風左右搖曳。伯爵說了一個很長的故事，說他女兒再嫁給一名貴族青年，有一陣子他波隆那的家族跟他斷絕關係，因為他娶了一個結過婚的女人。湯姆幾乎沒仔細聽這個故事，因為他一直在想如何處理莫奇森的屍體。他應該冒險把他扔到哪條河裡嗎？他有辦法把沉重的莫奇森舉起來丟過橋欄杆嗎？還要外加在屍體上綁些石頭的重量？雖然莫奇森很重，但如果只是把他拖到河岸推下去，能確保莫奇森沉得夠深嗎？現在開始下起小雨了，湯姆心想，這麼一來，泥土會更鬆軟易掘。屋後的樹林可能還是最好的地點。

到了梅朗車站，到巴黎的火車只剩十分鐘就要開了。伯爵和湯姆親切道別後，湯姆開車到最接近的菸舖雜貨店，買了超額的郵票貼在信封上，寄給瑞夫斯在巴黎的那個人，免得因為缺個五生丁郵資，而被某個小氣的郵局職員攔下來。

湯姆幫安奈特太太買了荷蘭芹。法文是persil。德文是petersilie。義大利文是prezzemolo。然後湯姆開車回家。太陽正要落下。湯姆想著，夜裡如果安奈特太太往她面對後院的浴室窗子往外看，可會注意到樹林裡有手電筒或任何燈光。不曉得她會不會上樓到他房間去（結果發現他不在），想跟他說她看見樹林裡面有燈光。據湯姆所知，那個樹林從來沒人去過，不論是去野餐或採蘑菇的人都不會進去的。但總之，湯姆打算深入樹林裡遠些的地方，或許安奈特太太不會發現到燈光。

到家後，湯姆忍不住立刻換上牛仔褲，到工具小屋拿出那個獨輪手推車。他把手推車推到通往後陽台的石階下頭。然後，因為光線還夠，他就急步穿過草坪回到工具小屋。如果安奈特太太注意到什麼，他就打算說他想在樹林裡做些堆肥。

安奈特太太浴室的燈亮著，窗戶是毛玻璃，湯姆猜想她在洗澡，平常這個時間如果廚房不忙，安奈特太太就會去洗澡的。湯姆從工具小屋拿出一把四齒釘耙，帶進樹林裡。他尋找一個適當的地點，希望能先開始挖個洞，這樣他心情就會稍微振奮一點，因為他明天清早前一定得完成這份工作。他找了個地點，周圍是幾棵樹幹較細的樹，希望底下的泥土裡不會有太多粗大的根。在黯淡的光線中，湯姆相信這是最佳地點，儘管這裡離樹林邊緣、他的後院草坪只有大約八十碼。湯姆起勁地挖掘著，困擾他整天的緊張情緒也因而發洩掉一些。

接下來是垃圾，他心想，然後停住，喘著氣，仰天吸著氣笑出聲來。去挖出垃圾桶裡的馬鈴薯皮和蘋果核，全都跟莫奇森埋在一起？然後撒上一大把麵粉以加速腐爛？廚房裡有一袋麵粉。

現在天色已經很暗了。

湯姆拿著釘耙回到工具小屋，放回原位，然後看到安奈特太太浴室的燈還亮著——現在才七點——於是湯姆就下去酒窖。現在他比較有勇氣碰莫奇森的屍體了，然後他立刻伸手到莫奇森外套內裡的口袋。湯姆很好奇莫奇森的機票和護照在哪裡。結果只找到一個皮夾，裡頭掉出兩張名片。湯姆把名片放回去，猶豫了一下，又把皮夾塞回那個口袋裡。西裝側邊口袋裡有個鑰匙圈，上頭有一把鑰匙，湯姆也沒拿。另外一側的口袋壓在莫奇森身體底下，比較難去掏，因為莫奇森此時已經僵硬得像一具雕像，而且似乎也跟石雕一樣重。結果左側的西裝口袋沒有東西。至於褲子口袋裡，則只有一些法郎和英鎊硬幣，湯姆沒拿。湯姆也沒去動莫奇森手指上的兩枚戒指。如果有人在湯姆的土地上發現莫奇森，那麼他的身分就毋庸置疑，因為安奈特太太見過他。湯姆離開酒窖前，在樓梯頂端關了燈。

然後湯姆洗了個澡，剛洗完就聽到電話鈴響。湯姆衝過去接，希望、期待那是傑夫，或許會有好消息——但是能有什麼好消息呢？

「喂，湯姆！我是賈克琳。你好嗎？」

是他的一位鄰居賈克琳•貝特林，她和她先生凡森住在幾公里外的一個鎮上。她邀湯姆星期四過去吃晚飯。她還請了住梅朗的一對中年英國夫婦克雷格過去，湯姆也認得的。

「妳知道，親愛的，真是不湊巧。我家裡剛好有客人要來。一個美國來的年輕人。」

「帶他一起來吧，我們也很歡迎的。」

湯姆想推掉，卻沒法完全拒絕。於是就說他過兩天會再回電通知她，因為他不確定這位美國朋友會待幾天。

湯姆正要離開房間時，電話又響了。

這回是傑夫，從河濱宮殿飯店打來的。「你那邊狀況怎麼樣了？」傑夫問。

「喔，還好，謝了，」湯姆微笑著說，手指撫梳過頭髮，好像他根本不在乎自家酒窖裡有一具屍體，是他為了保護德瓦特有限公司而殺掉的人。「那你那邊怎麼樣了？」

「莫奇森人呢？他還跟你在一起嗎？」

「他昨天下午回倫敦了。不過，我想他不會去跟那位……你知道，那個泰德畫廊的人見面。我很確定這點。」

「你說服他了？」

「是的。」湯姆說。

傑夫在海峽那頭大聲嘆了口氣，或者是寬心地喘了口氣。「好極了，湯姆。你真是個天才。」

「告訴他們冷靜一點，尤其是貝納德。」

「這個嘛——問題就出在這裡。當然，我會告訴他，很樂意。他很——他很沮喪。我們想把他送到別的地方，馬爾他，或是任何其他地方，待到展覽結束。每次有展覽他就會這樣，但這回更糟糕，因為——你知道。」

「他現在都在幹嘛？」

「坦白說，就是成天消沉。我們甚至還打電話給辛西雅——她還是蠻喜歡他的，我覺得。我們沒告訴她有關——有關他的這個恐懼，」傑夫又趕緊補充。「我們只是問她能不能花點時間陪貝納德。」

「我想她不肯。」

「沒錯。」

「貝納德知道你去找過她嗎？」

「艾德告訴他了。我知道，湯姆，或許這是個錯誤。」

湯姆很不耐煩。「你們就沒辦法讓貝納德安靜幾天嗎？」

「我們讓他吃了鎮靜劑，溫和的那種。我今天下午偷放進他的茶裡。」

「你能不能告訴他莫奇森會——安靜？」

傑夫笑了。「好，湯姆。他回倫敦打算做什麼？」

「他說他還有點事情要辦，然後他會回美國。聽好，傑夫，接下來幾天別再打電話來了，嗯？反正我也不確定我會在家。」

湯姆心想，如果警方要查電話通訊紀錄，他可以解釋他打給傑夫的那幾通，或是接到的那幾通：他在考慮要買《浴缸》，所以那些電話是在跟巴克馬斯特畫廊談相關的事。

當天晚上湯姆出去到工具小屋，拿回來一塊油布和一根繩子。趁著安奈特太太在廚房收拾，湯姆到酒窖裡把莫奇森的屍體包起來，然後用繩子綁好，好讓他可以抓著提起來。那具屍體很龐大，像一根樹幹，可是更重，湯姆心想。他把屍體拖到酒窖的樓梯口。屍體包住了，本來讓他覺得稍微比較好過些，但隨著他把屍體搬得更靠近門邊、階梯、前門，他全身的神經又重新緊繃起來。如果安奈特太太看到他，或是那些老來按電鈴的人——賣籃子的吉普賽人、村裡的雜物工米謝來問有沒有活兒讓他做、賣天主教小冊子的男孩——見了問起，他該怎麼說？他要怎麼解釋他正要搬上手推車上的這塊龐然大物？也許他們不會問，但他們會瞪著瞧，然後像典型法國人那樣講刻薄話：「看起來一點也不輕啊，不是嗎？」然後他們會記得這事情。

湯姆睡得很不好，而且很奇怪，他居然聽得到自己的鼾聲。他始終沒完全睡著，所以清晨五點起床一點也不難。

到了樓下，湯姆把前門外的門墊推到一旁，然後下去酒窖。他順利把莫奇森搬上樓梯的一半，但花了很多力氣，不得不暫停一下。繩子勒得手有點痛，但他懶得跑去工具小屋拿園藝手套。他又抓起繩子，一口氣搬到樓梯頂端。接下來拖過大理石地板就比較容易了。然後他把獨輪推車拉到門前，往側邊翻倒。他當然比較希望拖著莫奇森從屋子背面的落地窗出去，但那非得拆掉客廳的地毯不行。現在湯姆拖著那個瘦長的大包裹下了四、五級階梯。他試著把屍體盡量塞進推車，這樣他只要提起推車的一側，就可以把推車扶正。他是這麼做了，但推車卻整個翻過去，又把莫奇森摔到另一側的地上。簡直是滑稽。

想到要把屍體再拖回酒窖就覺得恐怖，湯姆簡直不敢想。他花了一會兒，大約三十秒鐘，想要恢復力氣，瞪著地上那個該死的玩意兒。然後他撲過去，彷彿那屍體是一條活生生、正在吼叫的餓龍，或者某種鬼怪，他得趕緊殺了它，否則自己就會被宰掉。然後湯姆把屍體提起來，放在直立的推車上。

推車的前輪陷入碎石子地，湯姆立刻明白根本不可能推著車穿過草坪，因為昨天的小雨已經讓泥土有點鬆軟了。湯姆趕緊跑去打開前院的大門，前門階梯到大門口有一道不規則形狀的石板路，推車相當順利地出了大門，來到外頭馬路的堅硬砂土地上。湯姆右手邊有一條小路通往屋後的樹林，這條窄小的路儘管寬度可以容得下一輛汽車，但比較像是步道，或是手推車行走的便道，而不是讓汽車開進去的。湯姆推著獨輪手推車，閃避著路上的小坑洞和水窪，最後終於來到他的樹林——其實當然不是他的，但現在他感覺這片樹林很像是他的了，他很高興來到這個能讓他隱藏的地方。

湯姆又推著車子往前走了一段距離，然後停下來找他黃昏開始挖的那塊地方。他很快就找到了。從小路進入樹林是一段斜坡，湯姆沒法上去，只好把屍體丟在路上，拖上斜坡。然後湯姆再回來把推車拉進樹林，免得萬一有人經過這條小路，會看到這輛推車。此時天色稍微亮了一點。湯姆急步走向工具小屋拿釘耙。他另外也拿了一把鏟子——生銹了，是他和赫綠思買下這棟房子時，前任屋主留下的。鏟子上有個洞，不過應該還是管用。湯姆回到樹林的那個地點，繼續挖掘。他碰到一堆樹根。十五分鐘後，顯然他今天早上沒法挖好這個洞了。頭一個問題就是，八點半時，安奈特太太就會端著咖啡上樓到他臥室。

湯姆遠遠看見小路上出現人影，連忙低下身子，那是一名男子，身穿褪色的藍衣服，推著一輛自製的木頭推車，上頭裝滿了柴火。那人沒有往湯姆這邊瞧。他正走向湯姆家門前的那條馬路。他是哪裡冒出來的？或許他是偷拿政府所屬林地的柴火，很樂意避開湯姆，就像湯姆很樂意避開他一樣。

湯姆挖出一道幾乎有四呎深的溝，但溝裡樹根交錯，得用鋸子才能弄斷。然後他爬出來，四處張望想找個斜坡，或任何窪地，可以暫時隱藏莫奇森的屍體。湯姆在十五呎外找到了一個地方，然後再度抓住繩子拖動屍體。他用枯枝落葉蓋在灰色的油布上。如果有人從小路上看過來，至少不會引起注意，他心想。

然後他推著現在輕如羽毛的手推車回到小路上，為了小心起見，他把推車放回工具小屋，免得放在外頭讓安奈特太太看到了，會跑來跟他問起。

他得從前門進屋，因為後面的落地窗鎖起來了。他的前額一片汗溼。

上樓後，他用熱熱的溼毛巾擦過身上，又重新穿上睡衣褲去睡覺。現在差二十分八點。他已經替德瓦特有限公司做太多了，他心想。他們值得嗎？說也奇怪，貝納德值得。只要他能讓貝納德度過這個危機。

但整件事不能這樣看。湯姆猜想，光是為了救德瓦特有限公司，或甚至是救貝納德，他是不會去殺人的。湯姆殺了莫奇森，是因為莫奇森在地窖裡發現他就是假扮德瓦特的人。湯姆殺了莫奇森是為了救自己。然而湯姆試著問自己，他們一起到地窖去的時候，他是不是就已經打算要殺掉莫奇森了？或者他本來無意殺他？湯姆就是沒法回答這個問題。何況有差嗎？

湯姆對德瓦特有限公司在倫敦的那三個人不太了解，貝納德只是其中一個人，但他最喜歡貝納德。艾德和傑夫的動機都太簡單了，只是要賺錢而已。湯姆不太相信是辛西雅要求跟貝納德分手的。如果是貝納德（他一定深愛過辛西雅）因為偽造而羞愧得提出分手，湯姆也不會覺得意外。如果哪天能探探貝納德有關這件事的詳情，應該會很有趣。沒錯，貝納德有種神祕感，而神祕感就是魅力所在，湯姆心想，也會讓人墜入愛河。且不管他屋後那片樹林裡那塊用油布包起來的龐然大物，湯姆覺得種種思緒帶著他飄得好遠，彷彿自己身在一朵雲上。這種感覺好奇怪，而且愉快極了，空想著貝納德的慾望、恐懼、羞愧，或許還有愛。貝納德有點像聖人，就像真正的德瓦特一樣。

兩隻飛蠅瘋狂地糾纏湯姆，繞著他的床頭几嗡嗡響。他從頭髮裡抓出一隻。今年夏天他可真受夠了這些飛蠅，到了現在都秋末了，居然還有。法國鄉間的飛蠅種類之多是出了名的，湯姆曾看過報導，說比乳酪的種類還多。一隻跳到另外一隻背上。就在光天化日之下！湯姆趕緊擦了根火柴湊向那對混帳玩意兒。翅膀發出嘶嘶聲。嗡嗡嗡。牠們的腿伸向空中，尾部打著旋。啊，愛之死，直到死亡也不分開。

如果這樣的事情在龐貝城能發生，那在麗影又有何不可，湯姆心想。

8

湯姆懶洋洋地度過星期六上午，他寫了一封信給赫綠思，寄到雅典的美國運通公司轉交，然後下午兩點半時，收聽了一個他常聽的廣播喜劇節目。碰到星期六下午，安奈特太太有時就會發現湯姆坐在黃色沙發上，笑得前仰後合，而赫綠思偶爾也會要求他翻譯，但很多雙關語譯不出來。到了四點，湯姆回應中午鄰居打電話來的邀約，走路到維勒佩斯另一頭的安東和艾格妮斯・葛瑞家裡喝下午茶。安東是建築師，平常在巴黎上班，就住在市區的工作室，只有週末才回鄉下家裡。艾格妮斯是個安靜的金髮女子，年約二十八，帶著兩個年幼的小孩留在維勒佩斯。葛瑞家的下午茶還有其他四個客人，全都是巴黎來的。

「你最近在忙什麼，湯姆？」艾格妮斯問道，拿出她先生留到最後招待客人的特產，一瓶濃烈的陳年荷蘭琴酒，葛瑞夫婦建議不加水純喝。

「畫點油畫。有時在花園裡面除掉壞東西。」法文這句話的意思就是除草。

「不寂寞嗎？赫綠思什麼時候回來？」

「或許再一個月吧。」

在葛瑞家的一個半小時，對湯姆具有撫慰效果。葛瑞夫婦沒提到他的兩個客人，莫奇森和貝托洛齊伯爵，或許是沒注意到他們來過，或者安奈特太太講的話還沒傳到他們的耳朵。安奈特太太買菜時非常饒舌，老是說個不停。葛瑞夫婦也沒注意到他幾乎要流血的粉紅色手掌，而且被綁著莫奇森的那些繩子給勒得到現在都還在發疼。

那天晚上，湯姆脫掉鞋子躺在黃色沙發上，翻閱著哈樂普法英字典，這字典重得不得了，他得放在大腿上，不然就得擺在茶几上。他預料會有人打電話來，但不太確定是誰，到了十點十五分，克里斯・葛林里從巴黎打來了。

「請問是——湯姆・雷普利嗎？」

「沒錯。哈囉，克里斯。你好嗎？」

「很好，謝謝。我跟我朋友剛到這裡。真高興你在家。萬一你寫了回信的話，我其實沒等到信就出發了。現在呢——我想——」

「你住在哪裡？」

「路易斯安那飯店，家鄉的朋友大力推薦的！這是我在巴黎的第一晚。我連行李箱都還沒打開。不過我想先打電話給你。」

「你有什麼計畫？你想什麼時候來我這邊？」

「啊，隨時都可以。當然我希望能先在巴黎觀光一下。首先或許是羅浮宮吧。」

「你星期二過來怎麼樣？」

「唔——可以，但我本來是想明天過去的，因為我朋友明天一整天都有事。他有個表親住在這裡，年紀比較大，是美國人。所以我本來希望……」

不知怎地，湯姆無法拒絕他，也想不出好藉口。「明天。好吧。下午嗎？我上午有點忙。」湯姆解釋他得到巴黎的里昂火車站搭車前往莫黑鎮那一站，等他決定搭哪班車後，再打電話來，這樣湯姆就知道什麼時候該去接他。

顯然克里斯明天會來過夜了。湯姆知道他明天早上得挖好莫奇森的墓穴，把屍體埋進去。事實上，這大概就是為什麼他會答應克里斯明天來訪。可以更鞭策他加快腳步。

克里斯講話的口氣很天真，但或許他有某些葛林里家族的好禮貌，不會作客太久而惹人嫌。想到這裡，湯姆皺了一下臉，因為他年輕生澀時，在義大利蒙吉貝羅的狄奇住處，絕對是待得久到惹人嫌了。當時他不是二十歲，而是二十五歲，從美國跑來，或者該說是狄奇的父親赫伯特•葛林里派他來，希望他帶狄奇回家。那是個典型的狀況，狄奇一直不想回美國。當時湯姆的天真，現在想到都會讓他害怕得畏縮一下。當時他不得不學會好多事！然後——唔，湯姆•雷普利就一直待在歐洲，也學會了一些事情。自從他有了點錢——狄奇的——女孩子就比較喜歡他，事實上湯姆還覺得自己有點搶手。赫絲思•皮里松就曾經是其中一個喜歡他的。從湯姆的眼光來看，她不古板、不傳統、不激進，也不無聊。湯姆沒求婚，赫絲思也沒有。那是他生命中黑暗的一章，非常短暫。赫絲思當時在坎城他們租的小木屋裡說，「既然我們都住在一起了，為什麼不乾脆結婚呢？順便說一聲，我不確定爸爸會贊成，」（「贊成」這個字的法文怎麼說？得去查一下字典）「我們長期同居下去，不過如果我們真的結婚了——那就是造成既定事實了。」湯姆在婚禮上臉色發青，儘管那是在某個法院公證結婚，沒有人觀禮。赫綠思後來大笑著說，「你臉都發青了。」是真的。但湯姆至少撐過去了。他曾希望赫綠思讚美他，不過他知道新娘誇讚新郎很荒謬。一般應該是新郎說：「親愛的，妳真是太美了！」或者，「妳的臉頰散發著美麗與幸福！」或一些類似的老套話。好吧，當時湯姆的確是臉色發青。至少他沒有昏倒在紅毯上——那是在法國南部一個地方法院，一條又窄又髒的走道，兩邊放著幾排空椅子。結婚應該是祕密，湯姆覺得，就像新婚之夜般是個人隱私——這種事是不會對外多講的。既然婚禮上大家的心思都的確是放在新婚之夜，那麼為什麼婚禮本身要弄得那麼誇張又公開？這樣也未免太粗俗了。為什麼不能說出這樣的話讓朋友驚奇：「啊，但是我們已經結婚三個月了！」舊時代會舉行公開的婚禮，原因很簡單明瞭——我們就要把女兒交給你了，這回你不能逃掉了，臭小子，不然新娘的五十個親戚就會讓你下油鍋——但現在這個時代了，哪有這個必要？

湯姆去睡覺了。

星期天清晨，又是在五點左右，湯姆穿上他的牛仔褲，悄悄下了樓。

這回，他碰到了安奈特太太，正當湯姆要打開前門出去時，她打開了小甬道通往廚房的門。安奈特太太一邊臉頰上摀著一塊白布——裡面無疑還包著炒熱的粗鹽在做熱敷，好用來止痛——她臉上有一種悲傷的表情。

「安奈特太太——妳又牙痛了。」湯姆同情地說。

「我一整夜都睡不著，」安奈特太太說，「你起得真早啊，湯姆先生。」

「那個該死的牙醫，」湯姆用英文說，接著他又回頭說法文。「什麼神經掉出來！他根本是在瞎搞。聽我說，安奈特太太，我剛剛才想到，樓上有一些黃色藥丸，是在巴黎買的，專門治牙痛的。妳稍等一下。」湯姆跑上樓。

安奈特拿了一顆，吞下去時眨了眨眼睛。她的眼睛是淡藍色的，上眼皮細長，眼角朝下垂，像北歐人。不過她父親那邊是不列塔尼人。

「如果妳願意的話，我今天可以開車帶妳去楓丹白露。」湯姆說。湯姆和赫綠思的牙醫在楓丹白露鎮，湯姆認為他應該肯在星期天替安奈特太太看牙。

「你怎麼這麼早就起床了？」看來安奈特太太的好奇壓過了她的牙疼。

「我打算去整理花園一下，再回去睡一個小時之類的。我也是整夜睡不好。」

湯姆輕聲說服她回房，還把那瓶藥留給她。他告訴她，二十四小時吃四顆就沒問題。「別替我做早餐和午餐了，親愛的安奈特太太。妳今天好好休息吧。」

然後湯姆出去工作了。他採取了一個合理的方法，或至少他覺得很合理。他挖的那個小溝應該要五呎深，這點不能打折扣。他從工具小屋拿了一把生銹得頗為嚴重、但還是管用的框鋸，然後去對付那些盤根錯節的樹根，也不管潮溼的泥土塞在鋸齒上。他一路頗有進展。現在天色頗為明亮，不過完全沒有太陽，他挖好後，爬出那個小溝，毛衣前幅全都是泥巴，可惜那是一件米色喀什米爾毛衣。他四下張望，穿過樹林的那條小路上沒有人影。還好，他心想，法國鄉間的居民都會把自己養的狗拴好，否則昨天晚上可能就會有狗聞到莫奇森的屍體，叫得方圓一公里內的人都聽得見了。湯姆再度拖著綁住莫奇森屍體的繩子。屍體砰地落入溝裡，湯姆覺得那聲音真是動聽。把泥土鏟進溝裡也同樣令人滿足。最後還剩了一些土，湯姆踩實了墓穴上的地面後，就把剩下的泥土撒向各個方向。然後他走過他的草坪，緩慢但帶著成就感，一路繞到前門。

他去赫綠思的浴室裡拿了一些細緻的肥皂水，洗好自己的毛衣。然後他睡得很好，一直到上午十點才醒。

湯姆去廚房煮了些咖啡，然後出門到賣報的店裡去買他週日必看的英國報紙《觀察家報》和《週日泰晤士報》。通常他買了之後會找個地方喝杯咖啡，然後瀏覽這兩份報紙，這向來是他的一大享受。但今天他希望單獨一個人閱讀德瓦特的報導。湯姆差點忘了買安奈特太太的報紙，是當地的日報《巴黎人報》，上頭的頭版大標題總是紅色的。今天是有關一個被勒死的十二歲小孩。那家店外頭寫著各家報紙頭條的廣告牌也同樣怪異，但是方式不一樣：

珍妮和皮耶又接吻了！

這兩個人是誰啊？

瑪麗被克勞德氣炸了！

法國人絕對不會是不悅而已，他們動不動就氣炸。

歐納西斯怕他們會搶走賈姬！

法國人失眠就在擔心這種事情嗎？

老天在上，這是哪個妮可啊？湯姆向來不太曉得這些人——或許是電影明星、流行歌手吧——但他們顯然有助於報紙銷路。英國皇室的種種事件簡直不可思議，伊麗莎白女王和夫婿菲力浦親王一年三次瀕臨離婚，瑪嘉烈公主和夫婿安東尼老是彼此口出惡言。

湯姆把安奈特太太的報紙放在廚房的餐桌上，然後上樓回自己臥室。《觀察家報》和《週日泰晤士報》的藝術評論版都有一張他的照片，不過是以菲力普・德瓦特的身分出現。一張是他張著嘴回答問題的模樣，嘴巴周圍環繞著那些討厭的鬍子。湯姆很快看了一下那篇報導，不打算逐字細看。

《觀察家報》上說：「……打破他長期的隱居，於星期三下午突然出現在巴克馬斯特畫廊，菲力普・德瓦特喜歡大家直接喊他德瓦特，他對於自己在墨西哥的行蹤不肯多說，但被問到自己與同代藝術家的作品時卻相當健談。談畢卡索：『畢卡索有不同的時期。我沒有什麼時期。』」《週日泰晤士報》的照片裡，他站在傑夫的辦公桌後頭，左手握拳舉起，湯姆不記得自己比過這個手勢，但照片證明他有。「……身上穿的衣服顯然在衣櫥裡收了好幾年……態度從容面對十二個記者的輪番尖銳提問，我們假設，在六年的隱居之後，這些提問必然像是審判。」這個「我們假設」是挖苦嗎？湯姆認為其實不是，因為接下來的評論充滿讚美之詞。「德瓦特的新作仍保持他的高水準——充滿個人特色、怪異，甚至或許是病態？……德瓦特絕對不會拿出草草畫成，或是沒有把握的作品。這些油畫是充滿熱愛的心血結晶，不過他的技巧顯然得心應手，因而看起來迅速、新鮮、簡單。但別誤以為他是隨便畫的。德瓦特說他每幅畫都至少要花兩星期……」他這樣說過嗎？「……而且他天天都在工作，通常每天至少七小時……男人、小女孩、椅子、桌子、火裡奇怪的東西，這些是他畫中最常見的元素……這次展覽想必又會全數賣出。」兩份報紙都沒提到德瓦特在訪問之後又失蹤了。

真可惜，湯姆心想，這些恭維無法刻在貝納德‧塔夫茲的墓碑上，不管他最後葬在哪裡。湯姆想到「此處長眠之人，他的名字寫在水上。」*這句話是他三度走訪羅馬的英格蘭新教徒墓園所看到的，三次都讓他熱淚盈眶，有時光是想到，都會讓他淚溼雙眼。或許貝納德這個辛勤苦幹的藝術家，在死前會寫出自己的墓誌銘。或者他會因為一幅他日後將畫出的「德瓦特」傑作，而無名地揚名？

或者貝納德再也不會畫德瓦特了？老天，湯姆發現自己根本不曉得。未來貝納德會畫出他自己的傑作，也被人簡稱為「塔夫茲」嗎？

接近中午時，安奈特太太覺得好多了。一如湯姆預料的，因為那些止痛藥，她就不想去找楓丹白露那位比較好的牙醫了。

「安奈特太太——看來我最近客人很多。可惜赫綠思夫人不在家。不過今天晚上又有一個客人要來吃晚餐了，一位很年輕的克里斯先生，是美國人。我可以負責去村子裡買菜。……不，不，妳繼續休息好了。」

湯姆就直接出門買菜，在兩點前回到家。安奈特太太說有個美國人打過電話來，但他們語言不通，那個美國人說他會再打來。

後來克里斯果然又打來，湯姆六點半要到莫黑鎮接他。

湯姆身穿法蘭絨舊長褲，套頭毛衣，腳上穿著沙漠靴，開著那輛愛快羅密歐出門。晚餐主菜是碎牛肉——法式漢堡肉排，鮮紅多汁，簡直可以生吃。湯姆曾在巴黎的時髦商場「藥房」看過美國人高高興興地在漢堡肉排上加洋蔥和番茄醬，而這些人離開美國才二十四小時而已。

一如事前猜測，湯姆一眼就認出了克里斯・葛林里。儘管湯姆的視線被幾個人干擾了，克里斯的一頭金髮還是頗為醒目。他的雙眼和眉毛和狄奇慣常一樣微微蹙著。湯姆舉起一手招呼，但克里斯猶豫著沒反應，一直等到兩人眼神相遇，湯姆露出微笑，他也才微笑示意。這小夥子的笑容很像狄奇，如果真要說有什麼差別，那就是嘴唇了，湯姆心想。克里斯的嘴唇比較豐潤，跟狄奇一點也不像，無疑是克里斯從母親那邊遺傳到的。

他們兩人握了手。

「這裡真像是鄉間。」

「你喜歡巴黎嗎？」

＊譯注：此指該墓園中最著名的英國詩人濟慈（John Keats, 1795-1821）之墓，墓上並未鐫刻濟慈之名，墓誌銘末尾說死者希望墓碑上刻下「此處長眠之人，他的名字寫在水上。」意指死後聲名一如流水，迅即流逝。

「啊，很喜歡。比我以為的要大。」

克里斯什麼都有興趣看，伸著脖子看著沿路最平凡不過的酒吧咖啡店、尋常的樹、私人家宅。他的朋友吉拉德可能會去史特拉斯堡兩、三天，克里斯告訴湯姆。「這是我第一次見到的法國村莊，這是真的，不是嗎？」他問，好像眼前有可能只是舞台佈景。

克里斯那種奇怪的緊張和熱情，讓湯姆覺得很好玩。湯姆想起自己第一次在行駛的火車上看到比薩斜塔，還有第一眼看到坎城海灘上的弧形光線時，就是樂得要命——但身邊卻沒有人可以傾訴。

現在天黑了，無法完全看清麗影的全貌，但安奈特太太打開了前門的燈，而且從屋子正面左邊角落的廚房所透出來的燈光，可以大略估計出整棟房子的大小。聽著克里斯著迷地讚美著，湯姆暗自冷笑，不過這些話還是讓湯姆很開心。有時湯姆很想把麗影和皮里松家族給踢爛，好像他們是個沙堡，他用腳就可以摧毀。他有時會被一些法國人的愛找碴、貪婪作風給氣瘋，他們撒謊不是講假話，而是刻意隱瞞事實。但當其他人讚美麗影時，湯姆就又很喜歡這棟房子了。湯姆把車子開進車庫，幫忙提了一個克里斯的行李箱。克里斯帶了兩個箱子，說他此行的所有行李都帶著了。

安奈特太太打開前門。

「這位是安奈特太太，我的管家、忠實的僕人，沒有她我就活不下去了，」湯姆說。「這位是克里斯先生。」

「妳好嗎？晚安。」克里斯說。

「晚安，先生。您的房間已經準備好了。」

湯姆帶著克里斯上樓。

「這個房間太驚人了，」克里斯說。「簡直就像個博物館！」

湯姆猜想，是因為屋裡有很多絲緞和仿金的黃銅。「我想，這裡的裝潢主要是我太太設計的。她現在不在家。」

「我看過一張她和你的合照。赫伯特叔叔幾天前在紐約才拿給我看過。她是金髮，名叫赫綠思。」

湯姆離開房間，好讓克里斯可以梳洗，臨走時說他會在樓下。

湯姆的心思又再度轉向莫奇森：莫奇森失蹤前，曾名列在他飛來巴黎的飛機旅客名單上。警方會清查巴黎的旅館，卻查不到他住宿的資料。查一下英國出入境管理處那邊，就可以得知莫奇森十月十四至十五日住在曼德維爾飯店，還跟飯店說他十七日會回來。湯姆自己的名字和地址也列在十月十五日曼德維爾飯店的登記資料上。但當然，當天晚上下榻曼德維爾的法國居民不只他一個。警方會來找他問話嗎？

克里斯下樓來。他已經梳過那一頭捲曲的金髮，還是穿著原來的燈芯絨長褲和軍靴。「希望你沒有其他客人來吃晚飯，如果有的話，我就去換正式一點的衣服。」

「只有我們兩個。這裡是鄉下，隨便穿沒關係。」

克里斯看看湯姆家裡的油畫，但比起油畫來，他更特別留意一幅帕斯桑（Pascin）畫的粉紅色裸女素描。「你一整年都住在這裡？一定很愉快。」

湯姆問他要不要來杯酒，他要了一杯蘇格蘭威士忌。湯姆又得說明他平常的時間怎麼打發，提到自己整理花園、非正式地學習各國語言，不過其實湯姆的日常學習狀況比他願意承認的嚴謹。總之，湯姆喜歡自己的閒暇時間，他心想，只有能掌握訣竅的美國人，才能如此享受，但這樣的人卻好少。這種事情他不想告訴任何人。當年認識狄奇・葛林里時，湯姆渴望悠閒和一點奢侈，現在他已經得到了，那種魅力毫未失色。

在飯桌上，克里斯開始談起狄奇。他說他有一些狄奇在蒙吉貝羅的照片，裡頭也有湯姆。克里斯有點遲疑地提到了狄奇的死——他的自殺，每個人都這麼以為。克里斯的教養很好，但湯姆看得出來，更難得的是他的敏感。燭光照進他藍色的眼珠內，湯姆看得迷住，因為當年在許多蒙吉貝羅的深夜，或是在拿坡里的某家燭光餐廳裡，狄奇的雙眼看起來就是這樣。

晚餐後，克里斯站著望向落地窗，又抬頭看著天花板的乳白色方格鑲板，開口說，「住在像這樣的房子真是太棒了。而且你還有音樂，和這些畫！」

湯姆痛苦地回想起自己二十歲的狀況。克里斯家裡不窮，湯姆很確定，但他們的房子應該不像自己這棟。他們喝咖啡時，湯姆放了《仲夏夜之夢》的唱片。

然後電話鈴響了，此時大約十點。

電話裡那名法國接線生問他號碼是不是幾號幾號，然後告訴他別掛斷，有一通倫敦的電話要接過來。

「喂。我是貝納德．塔夫茲。」一個緊張的聲音說，接著是一堆爆擦音。

「喂？是的。我是湯姆。你聽得到嗎？」

「能不能大聲一點？我打來是要跟你說……」貝納德的聲音逐漸消失，好像淹沒在深海裡。

湯姆看了克里斯一眼，他正在閱讀一張唱片的封套。「這樣好些了嗎？」湯姆朝著電話裡吼，而那電話彷彿刻意要刁難他，放了個屁，然後是一個爆裂聲，大得彷彿一座大山被閃電劈開。湯姆的左耳都震得耳鳴了，於是把聽筒換到右耳。他聽得到貝納德努力慢慢講、大聲講，但可惜實在很難聽懂講了什麼。湯姆只聽到「莫奇森」。「他在倫敦！」湯姆大吼，很高興終於有個確定的事情可以講了。這應該是跟曼德維爾飯店有關。湯姆很納悶，那個泰德畫廊的人試著透過曼德維爾飯店想連絡莫奇森，然後問到巴克馬斯特畫廊那邊了嗎？「貝納德，這樣不行的！」湯姆絕望地大喊。「你能不能寫信給我？」湯姆不知道貝納德是掛斷了還是怎樣，但隨之是一段帶著嗡響的沉默，湯姆猜想貝納德放棄了，於是他也把聽筒掛回去。「想想在這個國家裝電話還要花一百二十元，」湯姆說。「很抱歉剛剛吼那麼大聲。」

「啊，我老聽人說法國的電話很爛，」克里斯說。「是很重要的電話嗎？赫綠思打來的？」

「不，不是。」

克里斯站起來。「我想拿我的旅遊指南書給你看，可以嗎？」他跑上樓。

只是時間早晚的問題，湯姆心想，法國警察或英國警察，甚至美國警察，就會來問他有關莫奇森的問題。湯姆希望到時候克里斯已經離開了。

克里斯・葛林里拿著三本書下樓來。一本是「藍色指南」旅遊系列叢書的法國專書，一本是專門針對法國城堡所寫的藝術書，還有一本是德國萊因省的大開本書，克里斯說等吉拉德・海曼從史特拉斯堡回來，他們就打算一起去萊因省玩。

克里斯愉快地喝著白蘭地，喝得很慢。「我很懷疑民主制度的價值。一個美國人這樣說真可怕，對不對？民主制度要行得通，要取決於社會中每個人都至少受過某種程度的教育，而美國也希望能讓每個人民都能受這樣的教育——但我們真的就是沒得到。甚至也不是每個人都想受教育……」

湯姆不太專心聽著。不過偶爾答腔兩句，似乎都能滿足克里斯，至少今天晚上是如此。

電話又響了。湯姆看了電話桌上的那個銀色小時鐘，知道再過五分鐘就十一點了。

一名男子的聲音用法文說他是一名警探，為這麼晚打電話來而道歉，但雷普利先生在嗎？

「晚安，先生。你認識一位叫湯瑪斯・莫奇森的美國人嗎？」

「認識。」

「他最近去過你家嗎？星期三，或者星期四？」

「是的，來過。」

「啊，太好了！他現在跟你在一起嗎？」

「沒有，他星期四回倫敦了。」

「不，他沒回倫敦。不過有人在奧利機場發現了他的行李箱。他沒搭原訂那班下午四點的飛機。」

「哦？」

「雷普利先生，你是莫奇森先生的朋友嗎？」

「不，談不上是朋友。我才剛認識他而已。」

「他是怎麼離開你家去奧利機場的？」

「我開車載他去——大約星期四下午三點半。」

「你知道他有任何朋友在巴黎——他可能會去借住的嗎？因為他沒住在巴黎的任何旅館裡。」

湯姆停頓了一下，思索著。「沒有，他沒提起過任何朋友。」

這個答案顯然令那位警探很失望。「接下來幾天你都會在家吧，雷普利先生？……我們可能會想去找你談談……」

這回克里斯好奇了。「怎麼回事？」

湯姆微笑。「啊——有個人問我一個朋友的下落。我不知道。」

湯姆很納悶，是誰為了找莫奇森而鬧出這麼大的騷動？泰德畫廊那個人？會是奧利機場的法國警察嗎？或者甚至是莫奇森在美國的太太？

「赫綠思是怎麼樣的人？」克里斯問道。

9

第二天早上湯姆下樓時，安奈特太太說克里斯先生出去散步了。湯姆希望他不是跑去屋後的樹林，但看來克里斯比較可能想到村內各處看看。湯姆拿起那兩份倫敦的週日報，昨天他只匆匆看了一眼，這回他仔細看過新聞版面，看有沒有任何有關莫奇森的報導，或是有關奧利機場的失蹤案，不管有多麼小。結果什麼都沒有。

克里斯回來了，滿臉是笑，臉頰微紅。他在當地的五金店買了一個金屬絲攪拌器，法國人用來打蛋的那種。「給我姊姊的小禮物，」克里斯說。「放在行李箱裡面不重。我會告訴她是在你住的村子裡買的。」

湯姆問克里斯要不要開車去另一個城鎮吃飯。「帶著你那本藍色指南。我們會沿著塞納河行駛。」今天的信件應該快送來了，湯姆想再等幾分鐘。

結果只收到一封信，信封上的筆跡是用黑色墨水寫的，高瘦而稜角分明。湯姆立刻覺得那是貝納德寄的，雖然他根本沒看過貝納德的字跡。他打開信，看看信末的簽名，知道自己猜得沒錯。

考柏菲街一二七號

S.E.1

親愛的湯姆：

請原諒這封冒昧的信。我很想跟你見面。我可以過去嗎？你不必張羅我的住處。如果你願意的話，只要能跟你談一談，我就很高興了。

您的　貝納德・塔夫茲

附筆，在你收到這封信之前，我可能會試著打電話給你。

他得立刻給貝納德發個電報。但要說什麼？湯姆猜想，如果拒絕的話，會讓貝納德更加沮喪，雖然湯姆一點也不想見他——現在不是時候。或許中午以前可以從一個小鎮的郵局發電報給貝納德，用個假姓和假地址，因為法國電報表格最底下都要填寄件人姓名和地址。他得盡快送走克里斯，雖然並不情願。「可以走了嗎？」

正在沙發上寫明信片的克里斯站起來。「好。」

湯姆打開前門，面對著兩個正要敲門的法國警察。事實上，湯姆還被一隻戴著白手套舉起的拳頭給逼得後退。

「日安，雷普利先生嗎？」

「是的，請進。」他們一定是從梅朗鎮來的，湯姆心想，因為維勒佩斯的兩個警察都認識他，而湯姆也認得他們的臉，但眼前這兩個人他都不認得。

那兩名警探進門了，但婉拒坐下。他們脫下帽子，夾在腋下，比較年輕的那個警察從口袋裡掏出一本拍紙簿和鉛筆。

「我昨天晚上打過電話給你，問了有關莫奇森先生的事，」比較年長的那位警察說，他是局長。「我們跟倫敦那邊通過幾次電話，確定你和莫奇森先生在星期三搭同一班飛機抵達奧利機場，而且你們在倫敦也都住在曼德維爾飯店。所以——」那位局長露出滿意的微笑。「你說你星期四下午三點半的時候，把莫奇森送到奧利機場？」

「沒錯。」

「你有沒有陪著莫奇森先生進入航廈？」

「沒有，因為我不能把車停在路邊，所以我讓他下車而已。」

「你看著他走進航廈的門嗎？」

湯姆想了想。「我把車開走，就沒再回頭看了。」

「因為他把行李箱留在人行道上，人就消失了。他和誰約了在奧利機場碰面嗎？」

「沒聽他提起過。」

克里斯・葛林里站在一段距離外，這段談話他都聽到了，但湯姆很確定他沒聽懂多少。

「他提到過打算去看倫敦的什麼朋友嗎？」

「不，我不記得有。」

「今天早上我們又打去曼德維爾飯店，他本來在那邊訂了房要過去住的，我們問飯店有沒有什麼消息。他們說沒有，但一位——」他轉向他的同事。

「瑞摩爾先生。」那名比較年輕的警察說。

「瑞摩爾先生打過電話到飯店，因為他和莫奇森先生星期五約了要碰面。我們也從倫敦警方那邊知道，莫奇森先生有意鑑定他手上一幅畫的真偽。是德瓦特的畫。你知道這件事嗎？」

「喔，沒錯，」湯姆說。「莫奇森先生就帶著那幅畫來。他想看我這裡的德瓦特。」湯姆指著牆上給他們看。

「啊，我明白了。你認識莫奇森先生多久了？」

「上星期二才認識的。我在那個畫廊見到他，就是舉行德瓦特畫展的那家，然後當天晚上又在我住的飯店看到他，於是我們就開始聊起來了。」湯姆轉身道，「對不起，克里斯，不過這件事很重要。」

「喔，沒關係，我不介意。」

「莫奇森先生的畫在哪裡？」

「他帶走了。」湯姆說。

「原先放在他的行李箱嗎？現在不在裡頭了。」那位局長看著自己的同事，兩個人的神色都有點驚訝。

畫在奧利機場被偷走了，湯姆心想，感謝老天。「畫用褐色的紙包著，莫奇森先生拿在手上。希望不會被偷走。」

「啊，這個嘛──顯然是被偷了。那幅畫叫什麼？有多大？你能不能描述一下？」

湯姆都一一詳盡說明了。

「我們搞不懂這件事，或許倫敦警方也在查，但我們一定會盡量把我們所知道的告訴他們。莫奇森懷疑是假畫的，就是這幅《時鐘》嗎？」

「對，一開始他的確是懷疑。他這方面比我懂，」湯姆說。「我對他的說法很有興趣，因為我自己也有兩幅德瓦特，所以我就邀他來我家看看。」

「那麼──」那名局長迷惑地皺起眉頭，「──他對你這兩幅畫說了什麼？」這個問題可能只是出自好奇而已。

「他當然認為我的是真跡，我也這麼認為，」湯姆回答。「我想他於是就開始在想，他自己的那幅也是真跡了。他說他可能會取消他和瑞摩爾先生的約。」

「啊哈。」那名局長望著電話，或許是考慮要打電話回梅朗，但他沒開口要借電話。

「要不要喝杯葡萄酒？」湯姆問，意思是兩個警察都包括在內。

他們婉拒了葡萄酒，不過倒是說希望看看他所收藏的畫作。湯姆很樂意讓他們看。兩名警探在屋內走動，低聲討論，從他們著迷的臉和看著油畫和素描的手勢，可以判斷出他們的討論可能頗有見識。他們閒暇時間可能常去逛畫廊。

「在英國很有名的畫家，德瓦特。」比較年輕的那個警察說。

「沒錯。」湯姆說。

這次訪談結束了，兩個警察謝過湯姆離開了。

湯姆很高興安奈特太太剛好出去進行她早上的採購之旅。

湯姆關上門時，克里斯笑了兩聲。「這是怎麼回事？我只聽得懂『奧利』和『莫奇森』。」

「看起來那位湯瑪斯‧莫奇森，就是上星期來我家住的那位美國人，沒在奧利機場搭上他回倫敦的飛機。他好像失蹤了。警方在奧利機場的人行道上發現他的行李箱——就在我星期四放他下車的地方。」

「失蹤？老天！那是四天前了。」

「我也是到昨天晚上才聽說的，就是昨天很晚接到的那通電話。是警方打來的。」

「老天，真奇怪。」克里斯問了幾個問題，湯姆都回答了，就跟回答警方的一樣。「聽起來他好像忽然失去意識，才會把行李這樣留下。他沒喝酒嗎？」

湯姆大笑。「絕對沒喝。我也不懂。」

他們坐在那輛愛快羅密歐裡，沿著塞納河悠然往前行駛，快到薩慕瓦鎮時，湯姆帶克里斯去看一座橋，告訴他一九四四年巴頓將軍帶著軍隊回巴黎途中，曾經由此橋越過塞納河。克里斯下車閱讀那根灰色小石柱上的銘文，回來時眼睛溼溼的，就像當年湯姆看過濟慈的墳墓後一樣。中午去楓丹白露鎮吃飯，因為湯姆不喜歡下薩慕瓦的那家主要餐廳——叫「貝特宏家」還是類似的——他和赫綠思去那邊吃飯，沒有一次帳單是對的，而且經營的那家人老在客人吃到一半就開始拖地板，把金屬椅腳在瓷磚地板上拖來拖去，毫不在乎會製造出多麼刺耳的聲音。吃過飯之後，湯姆沒忘記例行要幫安奈特太太順便採購一些維勒佩斯買不到的東西：希臘蘑菇、西芹頭沙拉，還有幾種香腸，湯姆記不住名字，因為他不喜歡。他在楓丹白露鎮買到了，另外還買了一些電池，是他的電晶體收音機要用的。

回家的路上，克里斯忽然大笑起來說，「今天早上在樹林裡，我看到一個地方看起來像是剛下葬的新墳。很新。我覺得很好笑，因為今天早上警察跑來。他們要找一個去過你家的失蹤男人，如果他們在樹林裡看到那個很像新墳的地方——」他又爆笑起來。

沒錯，是很好笑，好笑得要命。湯姆也笑了，笑那種瘋狂的危險性。但他沒接腔。

10

次日天色陰沉，九點左右開始下雨。安奈特太太出去關緊一扇老在砰砰響的護窗板。她一直在聽她的廣播節目，警告湯姆說廣播裡說有個嚴重的風暴即將來襲。

風雨讓湯姆焦躁不安。這天早上他和克里斯是別想去觀光了。到了中午，風暴更加惡化了，高大楊樹的頂端都被風吹彎，看起來像鞭子或劍尖。偶爾樹上會有一根樹枝——大概是比較小或早已枯死的——被吹落朝屋子撲來，撞到屋頂後滾下，發出聒噪的聲響。

「我在這裡真沒見過這樣的。」湯姆午餐時說。

但克里斯擁有狄奇那種冷靜，或者是源自於整個家族的遺傳，他只是微笑，對風暴帶來的騷動樂在其中。

中間停電了半小時，湯姆說這種事在法國鄉間常常發生，即使是很輕微的風暴，也會造成停電。

午餐後，湯姆上樓到他作畫的房間。有時畫畫能有助於紓解緊張。他站在他的工作台前，畫布豎直了靠在一個沉重的鉗台上，後頭還有幾本沉重的藝術書籍和園藝書籍。

畫框底部墊著一些報紙和一大塊用來擦顏料的抹布，是從舊床單上剪下來的。湯姆俯身認真畫著，不時後退看看。這是一幅安奈特太太的人像，或許頗具抽象表現主義畫家德庫寧（Willem de Kooning）的風格，這表示安奈特太太絕對看不出畫的是她。湯姆不是刻意模仿德庫寧，剛開始畫這件作品時也沒刻意想到他，但眼前這幅畫像看起來，無疑就是德庫寧風格。安奈特太太的蒼白嘴唇咧開，成了一抹豔粉紅色的笑容，泛灰黃的牙齒參差不齊。她穿著一件灰紫色的家居服，頸部有一圈白色的縐褶。整幅畫都以相當狂亂的長筆觸構成。這幅油畫的幾幅草圖，是湯姆在客廳裡把拍紙簿放在膝蓋上匆匆畫出的速寫，當時安奈特太太根本沒發現他在畫她。

現在開始打雷了。湯姆挺直身子呼吸，胸部因為緊張而發痛。在他的電晶體收音機裡，「法國文化」電台正在訪問一個聲音很難聽的作者：「在我看來，雨布洛（還是厄布藍？）先生（爆擦音）……似乎偏離了——就像幾位評論家說過的——你到目前為止對反沙特主義觀念的挑戰。但現在似乎顛覆了……」湯姆突然把收音機關掉。

樹林的方向傳來一聲不祥的劈啪聲，感覺很接近，湯姆朝窗外望去。松樹和楊樹的樹頂依然被風吹得彎折，但即使樹林裡有什麼樹被吹倒，他站在這裡也看不到，只能看到一片灰綠色的幽暗森林。有可能剛剛倒了一棵樹，甚至是一棵小樹，蓋住那個該死的墳墓，湯姆心想，希望如此。湯姆剛調了一些紅褐色顏料，正要畫安奈特太太的頭髮——他希望今天能完成這幅油畫——此時聽到了樓下傳來的人聲，或者他以為自己聽到了。兩個男人的聲音。

湯姆出了房間到走廊上。

那兩個聲音在講英語，但他聽不見在講什麼。克里斯和另一個人。貝納德，湯姆心想。有英國口音。沒錯，老天！

湯姆把調色刀小心翼翼架在松節油杯子上。出了畫室關上門，急步下樓。是貝納德，一身又髒又溼，站在前門內的門墊上。湯姆覺得他深黑色眉毛下那對深色眼睛似乎下陷得更深了。貝納德看起來嚇壞了，湯姆心想。然後緊接著，湯姆想到貝納德看起來就像個死神。

「貝納德！」湯姆說。「歡迎！」

「你好。」貝納德說。他腳邊放了個粗布旅行袋。

「這位是克里斯・葛林里，」湯姆說。「這位是貝納德・塔夫茲。或許你們已經自我介紹過了。」

「是啊，沒錯。」克里斯微笑著說，似乎很高興多了人來作伴。

「希望你不介意我——這副樣子。」貝納德說。

湯姆保證不介意。現在安奈特太太也進來了，湯姆替他們介紹。安奈特太太問貝納德要不要把外套掛起來。

湯姆用法文跟她說，「妳可能得去幫貝納德先生準備那個小房間。」那是另一個客房，很少用，裡頭有一張單人床，他和赫綠思稱之為「小臥室」。「另外今天晚上貝納德先生要在這裡吃晚飯。」然後湯姆跟貝納德說，「你怎麼來的？從梅朗搭計程車？還是從莫黑？」

「對，從梅朗。我在倫敦一張地圖上查到了這個小鎮。」貝納德身材細瘦而稜角分明，像他的字跡，站在那邊搓著手。連他的西裝外套似乎都溼透了。

「要不要給你一件毛衣，貝納德？來一杯白蘭地暖暖身子怎麼樣？」

「喔，不，不，謝了。」

「進來客廳吧！要喝點茶嗎？等安奈特太太下來，我請她去泡茶。坐吧，貝納德。」

貝納德緊張地望著克里斯，好像期望他先坐下之類的。但接下來，湯姆才明白貝納德是看什麼都很緊張，即使看著茶几上的一個菸灰缸也不例外。他們的談話跟之前一樣陷入膠著，貝納德根本只希望克里斯離開。但湯姆看得出來，克里斯似乎沒搞懂，反而以為他在場可能會有幫助，因為貝納德顯然處於一種狀態。他講話結結巴巴，雙手顫抖。

「我真不希望打擾你太久。」貝納德說。

湯姆大笑。「可是你今天一定走不了！這是我住這裡三年來碰到過最壞的天氣。飛機降落時很不順利吧？」

貝納德不記得了。他雙眼緩緩移向——他自己畫的——壁爐上的那幅《椅中男子》，然後又移開目光。

湯姆想到那幅畫中的鈷紫。現在對湯姆來說就像一種化學毒藥。對貝納德也是吧，湯姆心想。「你好久沒看過《紅色椅子》了。」湯姆說著站起來，那幅畫就在貝納德身後。

貝納德站起來轉身，雙腿還是抵著沙發。

湯姆的努力有了回報，貝納德臉上出現一抹很淡、卻真誠的微笑。「是的，真美。」貝納德輕聲說。

「你是畫家嗎？」克里斯問。

「對。」貝納德又坐下。「可是不像——不像德瓦特那麼好。」

「安奈特太太，麻煩燒點水泡茶好嗎？」湯姆問。

安奈特太太從樓上下來，抱著一些毛巾或什麼的。「馬上去，湯姆先生。」

「你能不能告訴我，」克里斯朝貝納德開口，「讓一個畫家好或不好的因素是什麼？比方說，我覺得現在有好幾個畫家的畫風都很像德瓦特。我一時想不起他們的名字，因為他們名氣不大。喔，對了，有一個是帕克・拿諾里。你知道他的作品嗎？讓德瓦特這麼好的原因是什麼？」

湯姆也努力思索著正確的答案，或許是「原創性」吧。但「知名度」這個字眼也掠過他的腦海。他等著貝納德說話。

「是人格，」貝納德謹慎地說。「那造就了德瓦特。」

「你認識他？」克里斯問。

湯姆心中一陣刺痛，他可以理解貝納德的痛苦。

貝納德點點頭。「啊，是的。」他清瘦的雙手緊緊抓住一邊膝蓋。

「你剛認識他，我是說，親眼看著他的時候，就感覺到這種人格嗎？」

「是的。」貝納德說得更堅定了。但這番對話讓他坐立不安，或許是覺得很痛苦吧。同時他的深色雙眼似乎正在努力思索，想針對這個主題找點話來講。

「這個問題大概不公平，」克里斯說。「我想，大部分優秀的藝術家不會在私生活中展現人格，或是浪費熱情。他們表面看來似乎再平凡不過。」

安奈特太太端著茶和茶點過來。

「貝納德，你沒帶行李箱吧？」湯姆問。湯姆知道他沒帶行李箱，擔心他會住得不舒適。

「是啊，我匆匆忙忙就趕來了。」貝納德說。

「別擔心，你需要的東西我都有。」湯姆覺得克里斯看著他和貝納德，或許在推測他們兩個是怎麼認識的、到底有多熟。「餓了嗎？」湯姆問貝納德。「我的管家很愛做三明治。」茶點只有四個小三明治。「她叫安奈特太太，需要什麼儘管說。」

「不必了，謝謝。」貝納德把茶杯放回碟子上，發出三次清脆的碰撞聲。

湯姆很好奇傑夫和艾德是不是給貝納德吃太多鎮靜劑了，搞得他現在不吃藥就不行？貝納德喝完茶，湯姆帶他上樓到那個小客房。

「你得跟克里斯共用浴室，」湯姆說。「從這個走廊過去，穿過我太太的房間就是了。」湯姆走出來，房門沒關。「赫綠思不在家，她去希臘了。希望你可以在這裡休息一下，貝納德。你到底有什麼事？到底在擔心什麼？」

此時他們又回到貝納德的「小臥室」，門關上了。

貝納德搖搖頭。「我覺得自己好像走到盡頭了。如此而已。這回的展覽就是盡頭了。這是我能畫出的最後一次展覽了，最後一幅畫是《浴缸》。現在他們又想讓他——你知道——讓他復活。」

而且我辦到了——湯姆真想說，但他和貝納德一樣保持一臉嚴肅。「唔，過去五年，本來就該讓大家以為他還活著啊。如果你不想再畫，我相信他們不會逼你的，貝納德。」

「啊，他們會試的，傑夫和艾德。但我已經畫夠了，太夠了。」

「我想他們明白的。別擔心了。我們可以——嗯，德瓦特可以再度隱居。在墨西哥。接下來幾年，我們就說他繼續在畫，但是拒絕展出任何作品。」湯姆邊說邊來回踱步。「過了幾年之後，我們就說他死了，把他那些新作全都燒了，諸如此類的，這樣就再也沒有人會看到他了！」湯姆微笑。

貝納德憂鬱的雙眼看著地上，讓湯姆覺得自己好像講了個笑話，聽眾卻沒聽懂。或者更糟，好像他褻瀆上帝，在大教堂裡講了一個爛笑話。

「你需要休息，貝納德。要不要吃安眠藥？我有一些劑量很低的苯巴比妥，四分之一格令的。」

「不用了，謝謝。」

「要不要梳洗一下？別擔心克里斯和我。我們不會吵你的。如果你要一起吃晚餐的話，就八點到樓下。要是想喝杯酒，就提早下來。」

此時風發出呼呼聲，後院裡一棵大樹都被吹彎了——他們兩個都看著窗外，目睹了這個景象，湯姆覺得好像整座房子也跟著彎了，他本能地矮下身子。怎麼有人在這種天氣裡還能保持冷靜？

「要不要我拉上這些窗簾？」

「沒關係。」貝納德望著湯姆。「莫奇森看了《椅中男子》後，說了些什麼？」

「一開始，他說那是假畫。但我說服他，讓他相信是真跡。」

「怎麼可能？莫奇森把他的想法跟我說過——那些淺紫色。他說得沒錯。我犯了三次錯，《椅中男子》、《時鐘》，然後這回是《浴缸》。我不曉得是怎麼發生的。我不明白為什麼，我根本沒在想。莫奇森是對的。」

湯姆沒吭聲，然後他說，「當然了，這種事把我們都嚇壞了。如果德瓦特還活著的話，或許就可以打發掉這事情。危險的就是這個——被人發現他其實已經死了。但我們會度過這個難關的，貝納德。」

貝納德可能完全沒聽到這段話。他說，「你跟他提出要買《時鐘》，或是類似的事情嗎？」

「不。我說服他說，德瓦特一定是又回去用他早期的那種顏料——可能一、兩幅，或是三幅。」

「莫奇森甚至跟我談到畫的品質。啊，基督啊！」貝納德在床上坐下，往後一倒。「莫奇森現在在倫敦做什麼？」

「不曉得。但我知道他不會去見專家，也不會做任何事情了，貝納德——因為我已經說服他相信我們的說法。」他安慰地說。

「我只能想到一個說服的方法，很瘋狂的方法。」

「什麼意思？」湯姆問，微笑著，心裡有點驚恐。

「你說服他放過我。就當是同情我，可憐我。我不要被人可憐。」

「我沒提到你，絕對沒有。」你瘋了——湯姆很想說。貝納德瘋了，或至少暫時精神錯亂了。然而剛剛貝納德說的，卻正是湯姆在地窖裡殺掉莫奇森之前所試圖做的：說服他放過貝納德，因為貝納德再也不會畫任何「德瓦特」了。湯姆甚至試圖讓莫奇森了解貝納德很崇拜德瓦特這位死去的偶像。

「我不認為莫奇森能被人說服，」貝納德說。「你不會跟我撒謊，好讓我心裡好過一點吧，湯姆？因為我實在受夠謊言了。」

「不是。」但湯姆覺得很不安，因為他跟貝納德撒謊。湯姆撒謊很少會覺得不安的。湯姆可以預料，有一天他得告訴貝納德莫奇森死了。這是唯一能讓貝納德放心的辦法——至少是在偽造假畫方面，讓他放一部分心。但湯姆不能現在告訴他，眼前的暴風雨令人心驚肉跳，而且貝納德的心理狀態很不穩定，要是現在說了，貝納德一定會大怒而失控。「我馬上回來。」湯姆說。

貝納德立刻從床上起來，走向窗子，此時一陣大風夾著大雨，猛撲在玻璃窗上。

湯姆皺臉往後縮了一下，但貝納德沒有。湯姆進了自己房間，拿了睡衣褲和一件馬德拉斯細棉印花布的睡袍給貝納德，還有室內拖鞋，加上一把包在塑膠盒內的全新牙刷。他把牙刷放在浴室裡，以防萬一貝納德沒帶，其他東西則拿進貝納德房間。他告訴貝納德，如果需要什麼，他就在樓下，然後說接下來他就讓他好好休息一下。

克里斯已經回自己房間了，湯姆看到裡頭開了燈。暴風雨讓整棟大宅暗得不自然。湯姆進了自己房間，從最頂端的抽屜拿出伯爵的牙膏。把底部往上捲一點，這管牙膏就可以留著自己用了，免得丟進垃圾桶可能會被安奈特太太看到：很難解釋，又實在太浪費了。湯姆從盥洗槽拿了自己的牙膏，放進克里斯和貝納德共用的那間浴室。

湯姆想不透，他究竟該拿貝納德怎麼辦？如果警察回來找他，到時候貝納德在場，就像昨天早上克里斯在場那樣，該怎麼辦呢？貝納德的法文不錯，湯姆心想。

湯姆坐下來寫信給赫綠思。寫信給她向來對他有鎮靜效果。碰到對自己的法文沒把握時，他通常都不會費事去查字典，因為他的錯誤可以逗赫綠思開心。

親愛的赫綠思：

狄奇．葛林里的一個堂弟來訪幾天，他名叫克里斯，是個很有教養的年輕人。他首次來訪巴黎幾天。想想一個二十歲的年輕人第一次看到巴黎？他很驚訝巴黎麼大。他家在加州。

今天有個很可怕的風暴來襲。每個人都很緊張。風雨交加。

我想妳。妳收到那件紅色泳衣了嗎？我請安奈特太太寄航空的，給了她很多錢，所以如果她沒寄航空的，我就要打她了。每個人都問起妳什麼時候回家。我跟葛瑞夫婦喝了下午茶。沒有妳在身邊，我覺得很孤單。等妳回來，我們可以睡在彼此的懷抱裡。

妳寂寞的丈夫　湯姆

一九——年，十月二十二日

湯姆在信封上貼好郵票，帶到樓下，放在走廊的小几上。

現在克里斯在客廳裡，坐在沙發上看書。他驚跳起來。「我想問一下——」他輕聲說。「你的朋友是怎麼回事？」

「他有點個人危機，在倫敦。他對自己的作品很沮喪。另外我想他——他和他女朋友分手了，或者是她提出分手。不曉得。」

「你跟他熟嗎？」

「不是很熟。」

「我在想——既然他的狀況這麼怪——是不是我離開比較好。就明天早上吧，甚至今天晚上。」

「啊，今天晚上絕對不行，克里斯。這種天氣怎麼走？不，你不會打擾到我的，待在這裡沒關係。」

「可是我覺得打擾到他了。貝納德。」克里斯扭頭望向樓梯。

「唔——如果貝納德想私下跟我談，這房子裡面有很多房間，可以讓我們講話。別擔心了。」

「好吧。如果你堅持的話，那我就等到明天再走。」他兩手插進後褲口袋裡，走向落地窗。

現在安奈特太太隨時會走進來拉上窗簾了，湯姆心想，這樣至少可以平息一下眼前混亂的狀況。

「你看！」克里斯指向草坪。

「那是什麼？」一棵樹倒了，湯姆原先這麼以為，小事一樁。他看了好一會兒，才看出克里斯所看到的，因為外頭太暗了。湯姆認出一個人影緩緩走過草坪，他第一個念頭是莫奇森的鬼魂，驚跳了一下。但湯姆不相信世上有鬼。

「是貝納德！」克里斯說。

當然，是貝納德。湯姆打開落地窗，走進雨中，現在冷冷的大雨被吹得四處亂撲。「嘿，貝納德！你在做什麼？」湯姆看到貝納德沒反應，還抬著頭慢吞吞行走，於是湯姆衝向他。湯姆在階梯頂端絆了一下，差點整個人摔下去，還好在階梯底部穩住身子，一隻腳踝扭到了。「嘿，貝納德，進來！」湯姆大喊，一跛一跛走向貝納德。

克里斯也過來陪著湯姆。「你全身都溼了！」克里斯說著笑了一聲，伸出一隻手想抓貝納德的胳臂，但顯然不敢碰他。

湯姆緊握住貝納德的手腕。「貝納德，你是想搞得大病一場嗎？」

貝納德轉向他們，露出微笑，雨水從他前額的黑髮流下來。「我喜歡這樣。真的。我覺得好喜歡這樣！」他甩掉湯姆的手，舉起雙臂。

「你不進來嗎？拜託，貝納德。」

貝納德向湯姆微笑。「喔，好吧。」他說，好像只是為了讓湯姆高興一下。

三個人一起走向屋子，但走得很慢，因為貝納德似乎想淋到每一滴雨。貝納德心情很好，在落地窗旁脫掉鞋子、免得弄溼地毯時，還講了些開心的話。他也把西裝外套脫掉了。

「你得去換掉這些溼衣服，」湯姆說。「我去找些衣服讓你換。」湯姆正在脫自己的鞋子。

「很好，我會換衣服的。」貝納德說，還是一副敷衍的口氣，然後慢慢爬上樓梯，手上拿著鞋子。

克里斯望著湯姆，眉頭專注地皺了起來，就像狄奇。「那傢伙瘋了！」他耳語道。「真的瘋了！」

湯姆點點頭，很怪異地發著抖——每次他跟一個腦袋不太正常的人相處，就會發抖。那是一種筋疲力盡的感覺。這回提早發生了：通常要二十四小時之後，他才會開始發抖的。湯姆小心翼翼活動著腳踝，走了幾步。應該不嚴重，他心想。「你說得可能沒錯，」他跟克里斯說。「我上樓去找些乾衣服給他。」

11

當天晚上大約十點，湯姆去敲貝納德的門。「是我，湯姆。」

「喔，請進，湯姆。」貝納德的聲音很冷靜。他正坐在寫字檯前，手上拿著鋼筆。「不要因為我去淋雨就擔心。在雨中我覺得又找回了自己。這樣的事情現在已經很難得了。」

湯姆明白，太明白了。

「坐吧，湯姆。關上門，別拘束。」

湯姆坐在貝納德的床上。他們吃晚飯時，湯姆說過要來看他，事實上，還當著克里斯的面。晚飯時貝納德開心多了。此時他穿著那件馬德拉斯細棉印花布的睡袍。寫字檯上有兩張紙，上頭有貝納德黑色墨水的筆跡，但湯姆感覺貝納德不是在寫信。「我想，有很多時候你覺得自己是德瓦特。」湯姆說。

「有時候。但誰能真正成為他？而且我走在倫敦的街道上時，從來不會有這種感覺。只是我畫畫時，有時會有那麼幾秒鐘，我覺得自己就是他。你知道，我現在可以輕鬆談這件事，真是太愉快了，因為我要放棄了，我希望是這樣。」

寫字檯上的那兩張紙，或許是一份坦白罪狀的告白，湯姆心想。向誰告白呢？

貝納德一隻手臂垂在椅背後。「你知道，我的作假，我的偽造，這四、五年來有些演進，就像德瓦特自己來畫也會有演進一樣。很滑稽，不是嗎？」

湯姆不知道該說什麼才是正確的，甚至不曉得怎麼說才不至於不敬。「或許這並不滑稽。你了解德瓦特。評論家也有同樣的說法，說那些畫有進步。」

「你無法想像，要以貝納德・塔夫茲的身分畫畫，感覺有多麼奇怪。他的畫沒什麼進步。那就好像我在偽造塔夫茲，因為我現在畫出來的，跟五年前的塔夫茲一樣！」貝納德放聲大笑。「在某種程度上，我當自己要比當德瓦特吃力。真的。這點讓我發狂，你知道。你應該看得出來。我想趁還沒完全喪失自我之前，給自己一個機會。」

湯姆明白，他指的是給貝納德・塔夫茲一個機會。「我相信你辦得到。這件事應該由你決定才對。」湯姆從口袋掏出一包高盧牌香菸，讓貝納德拿了一根。

「我想從頭來過，有個乾乾淨淨的開始。我打算坦白我所做過的事情，就從這裡開始——至少嘗試這麼做。」

「啊，貝納德！你一定得拋開這個想法。你不是唯一牽涉在內的。想想這對傑夫和艾德會有什麼影響。你畫的所有作品都會——真的，貝納德，如果你真的想告解，就去找個神父吧，但別找媒體，也別找英國警察。」

「你覺得我瘋了，我知道。唔，有時候我的確是瘋了。但人生在世只有一輩子。我差點要毀了這輩子。我可不想毀掉接下來的人生。而且這是我的事，不是嗎？」

貝納德的聲音顫抖。這是堅強還是軟弱？湯姆不知道。「我的確明白。」湯姆輕聲說。

「我不想搞得那麼誇張，但我得搞清大家會不會接受我——或許可以說，看他們會不會原諒我。」

不會的，湯姆心想。世人絕對不會原諒他的。但如果湯姆坦白說出來，會不會擊垮貝納德？八成會。貝納德可能不會告解，而是會去自殺。湯姆清清嗓子，試圖想點話說，但什麼都想不出來。

「還有另外一件事，如果我和盤托出自己以前做過的事情，我想辛西雅會贊成的。她愛我。我愛她。我知道她現在不想見我，艾德在倫敦告訴我了。我不怪她。傑夫和艾德把我講得像個病人似的：『來看看貝納德吧，他需要妳！』」貝納德故意捏著嗓子說。「這樣哪個女人會想來看我？」貝納德看著湯姆，雙手一攤，臉上帶著微笑。「你看得出淋那些雨給我帶來多少好處吧，湯姆？讓我煥然一新，只不過還沒法洗掉我的罪。」

他又笑了，湯姆羨慕他笑聲中的那種輕鬆愉快。

「辛西雅是我唯一愛過的女人。我的意思不是——唔，我很確定，她跟我分手之後，又交了一、兩個男朋友。當初分手多少是我造成的。我開始模仿德瓦特之後，就變得好——好緊張，甚至是害怕。」貝納德深深吸了口氣。「但我知道她還愛著我——原來的那個我。你能懂嗎？」

「我當然懂。你現在是要寫信給辛西雅嗎？」

貝納德一手揮向那些白紙，微笑著。「不，我是寫給——寫給所有人。那只是一份聲明，是給媒體或任何人的。」

一定得阻止這事情。湯姆冷靜地說，「貝納德，我希望你能多花幾天，把事情想清楚再說。」

「我不是已經花夠多時間想了嗎？」

湯姆試圖想出一些比較有力的、清楚的話來勸阻貝納德，但他的心思有一半放在莫奇森身上，想著警察有可能再來找他。他們如果搜索這裡，要找到證據能有多難？他們會去樹林裡查看嗎？湯姆．雷普利的名聲已經有點——算是玷污了，因為狄奇．葛林里的那個故事。他一度涉嫌，後來又洗清了嫌疑，儘管最後是個快樂結局，但那個故事畢竟出現過。他當初為什麼不把莫奇森搬上那輛旅行車，開到幾哩外給埋掉呢？比方楓丹白露的森林裡，必要的話，就假裝去那些樹林裡露營，把事情給搞定？「我們能不能明天再談？」湯姆說。「貝納德，你明天的想法可能就會不同了。」

「當然了，我們隨時都可以談。但我明天的感覺不會改變的。我想先跟你談，因為讓德瓦特復活的整個主意是你想出來的。我想從最早的事情開始解決，一步步照邏輯來。」他說著這番堅持己見的話，其中帶著些許瘋狂的成分，湯姆再度覺得十分不安。

電話鈴響了。湯姆的房間裡有一具分機，鈴聲穿過走廊傳來，非常清晰。

湯姆猛然站起身。「你千萬別忘了還有別人牽涉在內——」

「我不會把你拖下水的，湯姆。」

「我去接電話了。晚安，貝納德。」湯姆迅速說，衝過走廊到自己的房間。他不希望克里斯在樓下幫忙接電話。

又是警察。他們為這麼晚打電話來而致歉，但是——

湯姆說，「對不起，先生，不過能不能請你過五分鐘再打來？我現在正在忙——」

那個有禮的聲音說沒問題，他晚一點再打。

湯姆掛了電話，臉埋在雙手裡。他原先坐在床上接電話，這會兒他站起來關上房門。事情發展得比他所預期的快了一點。當初他會那麼急著埋掉莫奇森，都是因為那個該死的伯爵。真是犯了個大錯！塞納河和盧萬河都蜿蜒流過這個地區，有很多人車稀少的橋梁，尤其夜裡一點過後更是安靜。警方打來的電話只可能是壞消息。莫奇森太太——哈麗葉，莫奇森說過她叫這名字嗎？——可能雇了個美國或英國偵探來找她先生。她知道莫奇森此行的任務，就是要查清一幅重要畫家的作品是不是偽造的。她會懷疑自己的丈夫遭遇到什麼不測嗎？如果有人來詢問安奈特太太，她會說出她星期四下午其實沒親眼看到莫奇森離開嗎？

如果警方今天晚上想來找他，克里斯可能會主動提供情報，提起樹林裡有塊像新墳的土地。湯姆想像克里斯用英語說，「你何不告訴他們有關……」而湯姆恐怕也只能照實翻譯給那些法國警察聽，因為克里斯大概會希望看他們挖掘。

電話鈴又響了，湯姆冷靜地接起來。

「喂，雷普利先生。這裡是梅朗警察局。我們接到了一通倫敦打來的電話。是有關莫奇森的，莫奇森太太聯繫了倫敦市警察局，他們希望我們今天晚上能提供一切可能的情報。那位英國督察明天上午會趕到。現在，能否請教一下，莫奇森先生是否從你家打過電話？我們想追查一下那些號碼。」

「我不記得他打過電話，」湯姆說，「但我也不是隨時都在屋裡。」他們可以去查他的帳單，湯姆心想，不過他們自己去想，湯姆不打算提醒他們。

他們談了一會兒，然後掛上電話。

倫敦警察沒直接打電話給湯姆詢問，這樣並不友善，湯姆覺得有點反感。他覺得倫敦警察已經把他當成嫌疑犯了，寧可透過正式管道取得資訊。不知怎地，湯姆比較怕英國的刑警，而非法國的，儘管從整體來說，湯姆覺得法國人極為注重瑣碎細節。

他得做兩件事情，把屍體弄出樹林，還有讓克里斯離開。那貝納德呢？湯姆簡直難以想像該怎麼處理他。

他下了樓。

克里斯在讀書，不過這會兒打了個呵欠站起來。「我正要去睡覺。貝納德怎麼樣了？我覺得他晚餐時好多了。」

「是啊，我也這麼覺得。」湯姆真不願意開口請他離開，或者只是暗示，那會更糟。

「我打電話查過火車時刻表了。早上九點五十二分有一班車，另一班是十一點三十二分。我可以從這裡搭計程車到火車站。」

湯姆鬆了口氣。還有更早的火車，但他實在沒辦法開口說。「看你要搭哪一班，我開車載你去火車站。我不曉得該拿貝納德怎麼辦，但他應該是想跟我單獨待在一起兩天。」

「我只希望一切平安，」克里斯認真地說。「你知道，我本來考慮為了他，要待下來一、兩天，這樣萬一你有需要的話，我可以幫上忙。」克里斯輕聲說。「我在阿拉斯加服役的時候，有個傢伙崩潰了，他當時的行為跟貝納德很像。突然之間他就變得很暴力，見人就打。」

「唔，我不太相信貝納德會變成那樣。或許貝納德走了之後，你和你朋友吉拉德可以過來玩。說不定等你們從德國萊因省回來再說吧。」

克里斯臉色一亮，顯然很期待。

克里斯上樓後（他打算搭明天九點五十二分的火車），湯姆在客廳裡來回踱步。差五分鐘就十二點了。今天晚上一定得處理莫奇森的屍體。這件事真是不輕鬆，一個人要在黑暗中把屍體挖出來，裝上那輛旅行車，再運去丟掉——丟到哪裡？或許從哪座小橋丟下去吧。湯姆考慮著開口要貝納德幫忙。面對真相的時候，貝納德會大發雷霆，還是會合作？以目前的狀況，湯姆感覺到自己無法說服貝納德不要告解。那具屍體會不會嚇得他清醒過來，認真面對整個狀況？

真是個好問題。

貝納德會像祁克果的理論那樣，突然來個信仰的跳躍嗎？想到這個辭彙，湯姆微笑了。但他跑去倫敦扮演德瓦特時，就已經跳躍過了。那次跳躍成功了。殺了莫奇森是另外一次跳躍。別提了。要想有收穫，就得冒險才行。

湯姆走向樓梯，腳踝的痛楚害他必須放慢腳步。事實上，他還痛得在第一階樓梯暫停，他手放在樓梯欄杆下端那根柱子的鍍金天使上。他忽然想到，如果今天晚上貝納德不肯配合，那麼湯姆或許也得把他除掉。也就是殺了他。這個想法讓湯姆覺得很不舒服。他不想殺貝納德。或許他根本辦不到。所以如果貝納德拒絕幫他，還把莫奇森被殺害的事情加入他的告解內容——

湯姆爬到二樓。

走廊很暗，只有湯姆自己的臥室有燈光。貝納德房裡的燈關了，克里斯似乎也是，但這不表示克里斯睡著了。湯姆好不容易才舉起手敲了貝納德的門。他敲得很輕，因為克里斯的房間就在八呎之外，他不希望克里斯因為想保護他，怕貝納德可能會突然攻擊，而在暗中偷聽。

12

貝納德沒回應，於是湯姆開門進去，在身後把門關上。

「貝納德？」

「唔─嗯？是湯姆嗎？」

「是，對不起，我可以開燈嗎？」

「當然可以。」貝納德聽起來相當冷靜，自己摸著了床頭燈打開。「怎麼回事？」

「啊，沒什麼。我是說，我只是得跟你談談，但是得小聲一點，因為我不希望克里斯聽到。」

湯姆把房裡的直背椅拉近貝納德的床邊，然後坐下來。「貝納德──我有麻煩了，希望你能幫我個忙。」

貝納德因為專心而蹙起眉頭。他伸手去拿他的絞盤牌香菸，點著了一根。「什麼麻煩？」

「莫奇森死了，」湯姆輕聲說。「這就是為什麼你不必擔心他了。」

「死了？」貝納德皺眉。「你怎麼不早告訴我？」

「因為──我殺了他。就在這棟房子的酒窖。」

貝納德猛吸了一口氣。「真的？你不會是開玩笑的吧，湯姆！」

「噓。」很奇怪，湯姆覺得此刻貝納德的腦袋比他還清醒。這讓湯姆覺得更為難了，因為他本來預料貝納德會有比較怪異的反應。「我不得不下手——就在這裡——現在他就埋在屋子後頭的樹林裡。警方已經打過電話來了。明天他們可能就會來這裡查看。」

「殺了他？」貝納德說，還是無法置信。「為什麼？」

湯姆嘆了口氣，渾身顫抖。「第一個，還需要我講嗎？他打算揭穿德瓦特？德瓦特有限公司。第二個，也是最糟的，他在酒窖裡認出了我。他認出我的手，他說，『你在倫敦假扮成德瓦特。』一切忽然就發生了。我帶他到酒窖的時候，起初並不打算殺他的。」

「死了。」貝納德又說了一次，目瞪口呆。

時間迅速流逝，湯姆不耐煩起來。「相信我。我盡力想勸他罷手。我甚至告訴他，那些假畫就是你畫的，就是在曼德維爾飯店跟他談過的那個人。沒錯，我看到你在那兒。」湯姆不等貝納德開口，就逕自說下去。「我跟他說，你不會再畫任何德瓦特了。我要他放過你。莫奇森拒絕了。所以——你能不能幫我把屍體挖出來運走？」湯姆看了房門一眼。門還關著，走廊那邊也沒有任何聲音傳來。

貝納德緩緩下了床。「你希望我怎麼做？」

湯姆站起身。「大概二十分鐘後，如果你能幫忙，那就太感謝了。我想把屍體用旅行車運走。如果有兩個人的話，就會容易得多。我一個人真的沒法辦到，他很重。」湯姆覺得好過些了，因為他現在就照他常在思考的方式說話。「如果你不想幫我，沒關係。我可以試試看自己一個人去做，但是——」

「好吧，我會幫你的。」

貝納德一副認命的口吻，好像很真心，但湯姆不太相信。貝納德會不會半個小時後才發作，有一些出乎意料的反應？貝納德的語氣就像對著一個聖人說話似的——唔，應該是比聖人還要更偉大的，「不論你往哪裡走，我都會追隨。」

「你能不能換上衣服？我今天給了你一件長褲。盡量小聲點，千萬別被克里斯聽見。」

「好。」

「你能不能到樓下，就在門外的階梯等我，十五分鐘後？」湯姆看了一下手錶。「現在是十二點二十七分。」

「好。」

湯姆下樓，把安奈特太太晚上鎖起來的前門打開。然後他一跛一跛上樓回自己房間，脫掉他的室內拖鞋，穿上外出鞋和夾克。他又下樓，在走廊的小几上拿了車鑰匙。他關掉了客廳裡的其他燈，只留一盞：他常常會留一盞燈過夜。接著他拿了件雨衣，又去備用廁所找放在那兒的橡皮靴，套在鞋子外頭。他從走廊小几的抽屜裡拿了手電筒，另外也拿了放在備用廁所的一盞提燈，是可以放在地上的那種。

他把那輛雷諾旅行車開出來，駛入通往森林的那條小路。他只開了停車指示燈，一開到他覺得正確的地方，就關了燈。他拿著手電筒走進樹林，找到那個埋屍處，然後盡可能隱藏著手電筒的光，轉身到工具小屋，拿了鏟子和釘耙，拿回到那塊泥濘的埋屍處。然後他冷靜地開始走，想著要節省體力，沿著小徑回到屋子。湯姆預料貝納德會遲到，也完全準備好他可能根本不會出現。

但貝納德在那兒，像一座雕像站在黑暗的走廊上，穿著他自己那套西裝，幾個小時前還是溼的，但湯姆曾注意到，貝納德進臥房後，就把衣服披在暖氣片上。

在小路上，湯姆看到克里斯的窗子是暗的。只有貝納德的燈還亮著。「不遠，麻煩的地方就在這裡！」湯姆說，忽然覺得好笑極了。他把釘耙遞給貝納德，自己留著鏟子，因為他認為鏟子的工作比較重。「很抱歉，我得告訴你，埋得挺深的。」

貝納德帶著那種怪異的認命態度開始挖，但他的釘耙挖得強勁又有效率。一開始貝納德把挖出來的土往外拋，但很快地他就只是把土挖鬆，然後湯姆站在窄溝裡，盡快把那些泥土往外鏟。

「我要休息一下，」湯姆最後終於說，不過他其實沒閒下來，而是搬了兩塊石頭，每塊至少三十磅，走到汽車後方。之前他已經把後掀的車門打開了，這會兒就把石頭放上車。

貝納德已經挖到屍體了。湯姆跳下去，想用他的鏟子把屍體撬起來，但那道溝太窄了。於是兩個人一起合作，張開腳，硬抓著繩子往上拖。湯姆那邊的繩子斷了或鬆開了，他詛咒了一聲，把繩子重新綁好，同時貝納德拿著手電筒。湯姆覺得好像有個什麼把莫奇森的屍體緊緊吸回土裡：彷彿有一股力量在跟他們作對。湯姆的雙手沾滿泥土又酸痛，或許還流血了。

「真的很重。」貝納德說。

「是啊。我們最好數到三，一起用力拉起來。」

「好。」

「一——二——」兩人作好準備。「——三！呃！」

莫奇森的屍體已經抬到地面上了。貝納德抬的是比較重的那一端，肩膀那邊。

「剩下的應該會比較簡單了。」湯姆說，只是沒話找話講。

他們把屍體搬進車子裡。油布還不斷滴著泥水，湯姆的雨衣前幅髒得一塌糊塗。

「我們得把土填回去。」湯姆的聲音因為筋疲力盡而變得沙啞。

這部分是最容易的，湯姆還額外拖來兩根吹落的樹枝蓋在上頭。貝納德順手把釘耙扔在地上，湯姆說，「我們把工具拿回車上吧。」

於是他們把工具放進車裡，然後兩個人上了車，湯姆朝外頭的馬路倒車出去，很受不了引擎的嗡響。小路上沒有地方可以掉頭。然後湯姆驚駭地看到克里斯的燈亮了。湯姆之前抬頭看了那扇黑暗的窗子一眼——克里斯臥房也有一面邊窗——燈光閃了幾下亮起來，好像在跟他們打招呼。湯姆什麼都沒跟貝納德說。這裡沒有路燈，湯姆希望克里斯看不出車子的顏色（墨綠），不過此時停車指示燈開著，因為有必要。

「我們要去哪裡？」貝納德問。

「我知道距離這裡八公里有個地方。一座橋——」

此時路上沒有其他車，這在半夜一點五十分並不稀奇。湯姆好幾次參加朋友晚宴而夜裡開車回來，知道這個時候路上不太會有別的車。

「謝了，貝納德。一切都很順利。」湯姆說。

貝納德沒吭聲。

他們來到湯姆意中的地方。就在一個叫瓦濟的小村旁，今夜之前，湯姆從來沒對這個村名太注意，直到此刻他駛過村界，經過這個小村，好到達他記得的那座橋。橋下是盧萬河，湯姆心想，往下會匯入塞納河。不過莫奇森的屍體包裡有那兩塊石頭，不會漂太遠。橋的這一頭有一盞黯淡而節約的路燈，但另一端沒有燈，一片漆黑。湯姆把車開到另一端，在過橋幾碼後停下。在黑暗中，他們藉助手電筒的光，兩人把石頭塞進油布裡，重新綁緊繩子。

「現在我們把他扔下去吧。」湯姆輕聲說。

貝納德的動作帶著一種冷靜的效率，而且似乎完全曉得該做什麼。兩個人抬起屍體，即使加上了石塊，也還是相當輕鬆。橋的木頭欄杆有四呎高。湯姆後退著走，四下看了一圈，他背後的黑暗村落只看得到兩盞路燈，前方橋的另一頭則消失在黑暗中。

「我想我們可以冒險從橋中央扔下去。」

於是他們走到橋中央，把屍體放在地上，好讓自己休息一下。然後他們彎腰抬起屍體，兩個人一起舉高，扔出欄杆外。

那個擊中河水的聲音大得令人震驚——萬籟俱寂之下砰的一聲，像大砲發射似的，好像足以驚醒整個小村——然後是一片水花潑濺聲。他們往回走向汽車。

「別用跑的。」湯姆說，或許沒必要。他們還跑得動嗎？

他們上了車，發動引擎往前駛，湯姆不知道前面是哪裡，也不在乎。

「事情結束了！」湯姆說。「我們擺脫那個該死的玩意兒了！」他覺得好快樂，好輕盈，好自由。「我想我沒告訴過你，貝納德，」湯姆用開心的口氣說，這會兒他連喉嚨乾的感覺都消失了。「我之前告訴警方，我星期四把莫奇森送到奧利機場。我的確是把他的行李放在那裡。所以如果莫奇森沒搭上他那班飛機，也不是我的錯，對不對？哈！」湯姆笑出聲，就像他獨處時那樣大笑一樣，也有那種糟糕時刻過後的類似輕鬆感覺。「順帶講一聲，《時鐘》在奧利機場被偷了。當初莫奇森帶著畫和行李箱一起來的。我想像任何人看到德瓦特的簽名，就會趕緊據為己有，絕對不會聲張！」

但貝納德真在聽他講話嗎？他一直沒吭聲。

又開始下雨了！湯姆好想歡呼。這場雨可能會、大概會消去他在屋旁小路上留下的車胎痕跡，而且一定有助於改變原來埋屍地點的外貌。

「我得下車。」貝納德說，伸手去抓門把。

「什麼？」

「我想吐。」

湯姆盡快把車開到路邊停下。貝納德下車了。

「要不要我陪你？」湯姆趕緊問。

「不用了，謝謝。」貝納德往右走了兩碼，那裡有一片黑暗的斜坡陡然聳起，高達數呎。他彎著腰。

湯姆為他覺得遺憾。他自己這麼開心、這麼安好，而貝納德卻反胃得嘔吐。貝納德在外頭待了兩分鐘，然後是三分鐘、四分鐘，湯姆心想。

後頭有輛車逼近，速度適中。湯姆直覺上想關掉車燈，但沒去動，平常的大燈亮著，但沒開到最亮。因為他們停在一個轉彎處，後面那輛車的大燈掃過貝納德的身影。老天在上，是輛警車！車頂上有個藍色燈。那輛警車繞過湯姆的車旁，繼續往前，還是保持同樣適中的速度。湯姆放鬆了。感謝老天。他們一定是認為貝納德停下來小便，在法國的鄉間道路上，這當然不違法，就算是大白天在馬路邊方便，也不算什麼。貝納德回到車上後，對那輛車隻字不提，湯姆也沒提。

回到家裡，湯姆悄悄把車子開進車庫。他拿出鏟子和釘耙，靠在一面牆上，然後用抹布擦了車子後頭。他虛掩上那個後掀式車門，不想關上而製造出砰然巨響。貝納德等著，湯姆跟他比了個手勢，兩人出了車庫。湯姆關上車庫門，輕輕扣上掛鎖。

到了前門，他們脫下鞋子用手拿著。之前湯姆開著車快到屋子時，就注意到克里斯房間的燈沒亮。此刻湯姆用手電筒照路，兩人上了樓。湯姆示意貝納德回他房間，打手勢說自己馬上過來。

湯姆掏空了雨衣的口袋，扔進浴缸。他在水龍頭底下沖洗過靴子，放進一個衣櫥裡。他可以稍後再來洗雨衣，也同樣掛進衣櫥裡，這樣安奈特太太明天早上就不會看到這些東西了。

然後他悄悄換上睡衣和室內拖鞋，去找貝納德。

貝納德穿著長襪站在那裡，正在抽菸。他沾了泥土的外套搭在一張直背椅上。

「那套西裝真是被整得一塌糊塗，」湯姆說。「我來處理吧。」

貝納德緩緩移動，但的確是在移動。他脫下長褲，遞給湯姆。湯姆接過長褲和外套，回到自己房間。他可以稍後再擦掉那些泥土，然後送去快洗店。這套西裝代表貝納德典型的作風，不是什麼好料子。傑夫或艾德曾告訴湯姆，他們從德瓦特有限公司賺到的錢要分給貝納德，但他只肯收一部分。湯姆回到貝納德的房間。這是第一回湯姆很懂得欣賞家裡結實的拼花地板：不會發出嘎吱的聲音。

「要不要我給你倒杯酒，貝納德？我想你需要喝一杯。」現在他去樓下，湯姆心想，如果被安奈特太太看到，或甚至是克里斯看到，都沒關係了。他還可以說他和貝納德一時興起，開車出去兜風了一下，剛剛才回來。

「不用了，謝謝。」貝納德說。

湯姆很好奇貝納德是否睡得著，但他不敢再提議給他別的東西了，比方鎮定劑，或甚至是一杯熱巧克力，因為他覺得貝納德又會說，「不用了，謝謝。」湯姆耳語說，「很抱歉讓你涉入這件事。如果你願意的話，明天你就睡一早上吧？克里斯上午會離開。」

「好。」貝納德的臉是一片淡橄欖色。他沒看湯姆。他的嘴唇抿成一條堅定的線條，好像很少笑、很少開口——現在他的嘴巴看起來很沮喪。

他一副背叛的表情，湯姆心想。「我也會處理你的鞋子。」他拿了起來。

到了浴室——他的房門和浴室門都關上了，免得克里斯有可能會聽到——湯姆洗好自己的雨衣，又用海綿擦拭了貝納德的西裝。他沖洗過貝納德的沙漠靴，放在廁所的暖氣片旁，底下墊了一張報紙。安奈特太太雖然每天會端咖啡來臥室給他，替他鋪床，但不太會進他的浴室，除了或許每週一次進來收拾一下，真正負責打掃的是一位克呂佐太太，一星期會來一次，今天下午剛好會來。

最後，湯姆處理自己的手，看起來不像感覺的那麼糟。他擦上妮維雅乳霜。他有種奇怪的感覺，覺得過去大約一個小時都是在做夢——在某個地方歷經夢中的那些動作，因而雙手發痛——而發生過的那一切都不是真實的。

電話發出了鈴響前會有的那種尖銳音。湯姆衝過去，在第一聲鈴響一半時抓起電話，半夜的鈴聲似乎大得嚇人。

現在已經快凌晨三點了。

「嗶—嗶……剝—剝……嘟—嘟……嗶？」

潛水艇的聲音，這是哪裡打來的電話？

「您是……請別掛斷……雅典那邊打來的電話……」

赫綠思。

「喂，湯姆！……湯姆！」

在那狂亂的幾秒鐘內，湯姆只能聽懂這幾個字。「能不能大聲一點？」他用法語說。他半聽半猜，赫緣思是告訴他說她不開心又無聊，無聊得要命。另外還說了些別的事，或是別的人，說討厭得不得了。

「這個叫諾麗塔的女人……」還是蘿麗塔？

「回家吧，親愛的！我想妳！」湯姆用英文吼著。「那些討厭鬼去死吧！」

「我知道該怎麼做。」這句話就很清楚了。「我試了兩個小時才連絡到你。這裡就連電話都打不通。」

「從哪裡打來都打不通。這電話根本就是詐財工具。」湯姆很高興聽她笑了一下——就像海妖賽倫的歌聲從海中傳來。

「你愛我嗎？」

「我當然愛妳！」

正當聲音開始比較清晰的時候，電話斷了。湯姆很確定不是赫緣思掛斷的。

電話沒再響。湯姆猜想，現在希臘是清晨五點吧。赫緣思是從雅典的飯店打來的嗎？還是從那艘瘋狂的遊艇？他真想看到她。他已經變得習慣有她在身旁，現在好想念她。愛一個人就是這樣嗎？婚姻就是這樣嗎？但他想先收拾掉眼前的殘局。赫緣思沒什麼道德觀念，但這一切她也沒辦法接受的。而且當然，她對偽造德瓦特作品的事情毫不知情。

13

在安奈特太太的敲門聲中，湯姆渾身無力地醒來。她送來了他的黑咖啡。

「早安，湯姆先生！今天的天氣真好！」

太陽確實出來了，跟昨天一比，真是個奇妙的轉變。湯姆啜著咖啡，讓其中的黑色魔法滲入體內，然後起床更衣。

湯姆去敲克里斯的房門。現在還來得及趕上九點五十二分的火車。

克里斯還在床上，一張大地圖攤在膝蓋。「我決定搭十一點三十二分的車——如果可以的話。我實在想多賴床幾分鐘。」

「當然可以，」湯姆說。「你該請安奈特太太幫你送咖啡過來的。」

「啊，那太誇張了。」他跳下床。「我想出去散步一下。」

「好，那就晚點見了。」

湯姆下樓。他在廚房把咖啡重新加熱，又倒了一杯，站在那兒望著窗外，一邊喝著咖啡。他看到克里斯走出屋子，打開外頭的大門。他左轉朝鎮上的方向走去。大概是打算去酒吧咖啡店來杯牛奶咖啡和可頌麵包，享受一頓法式早點。

顯然貝納德還在睡，那是再好不過了。

九點十分時，電話鈴響了。一個英國人的聲音謹慎地說：「我是倫敦市警局的韋布斯特督察。請問雷普利先生在嗎？」

這是他人生的主題曲嗎？「是的，我就是。」

「我現在人在奧利機場，如果可以的話，我想今天上午去拜訪你。」

湯姆想說今天下午比較方便，但此刻他卻覺得勇氣盡失，而且他也覺得這位督察可能會懷疑他想利用這個早上隱藏什麼事情。「今天上午很好。你要搭火車過來嗎？」

「我想我會搭計程車，」那聲音若無其事地說。「去你那裡好像沒那麼遠。搭計程車要多久？」

「大約一小時。」

「那麼我們就一個小時之後見了。」

到時候克里斯還在。湯姆又倒了一杯咖啡，拿上樓要給貝納德。他寧可不讓韋布斯特知道貝納德也在他家，但在眼前的情況下，同時又不知道克里斯會不會說溜嘴，湯姆心想最聰明的辦法，就是不要試圖藏著貝納德。

貝納德醒了，仰天躺著，頭靠在兩個枕頭上，十指交叉放在胸口。他可能是在進行清晨的冥想。

「早安，貝納德。要喝點咖啡嗎？」

「好，謝謝。」

「一個小時後，有個從倫敦來的警察會到。他可能會想跟你談。當然，是有關莫奇森的事。」

「好。」貝納德說。

湯姆等著貝納德喝了一、兩口咖啡，才又繼續說。「裡頭沒放糖。不曉得你喜不喜歡。」

「無所謂。這咖啡很好。」

「聽我說，貝納德，你最好說你不認識莫奇森，從沒見過。你從沒在曼德維爾飯店的酒吧跟他講過話。明白嗎？」湯姆希望他聽進了這番話。

「明白。」

「另外，你甚至沒聽說過莫奇森這號人物，連從傑夫和艾德那邊都沒聽過。你也知道，照理說，你根本就跟傑夫或艾德不熟。你們彼此都認識，但傑夫或艾德不會費事去跟你說有個美國人懷疑《時鐘》不是真跡。」

「好，」貝納德說。「好，當然了。」

「還有——這是最容易記住的，因為事實本來就是這樣，」湯姆繼續說，好像是在跟一班不太專心的小學生講話，「你昨天下午才到這裡，離莫奇森離開這裡要去倫敦已經二十四個小時以上了。所以你當然沒見過他，也沒聽過他。沒問題吧，貝納德？」

「沒問題。」貝納德說。他一手撐靠在床上。

「要不要吃點什麼？蛋？我可以拿個可頌麵包給你。安奈特太太出去買了一些。」

「不用了，謝謝。」

然後湯姆下樓。

安奈特太太從廚房出來。「湯姆先生，你看。」她把自己買的報紙頭版拿給他看。「這不就是那位先生，那位星期四來過的莫奇森先生嗎？報紙說他們在找莫奇森先生！」

尋找莫奇森先生……報上的法文標題寫著。湯姆看著那張兩欄寬的莫奇森臉部照片，淺淺微笑著，登在《巴黎人報》塞納－馬恩省版的左下角。「是的，沒錯。」湯姆說，報上寫著：

湯瑪斯．莫奇森，五十二歲，美國人，從十月十七日星期四下午即告失蹤。他的行李在奧利機場的離境大廳門外被尋獲，但他沒有登上他那班前往倫敦的飛機。莫奇森是紐約的一名企業經理人，之前去拜訪梅朗地區的一位朋友。他在美國的妻子哈麗葉已經開始詢問，並在法國和英國警方的協助下展開調查。

湯姆很高興他們沒提到自己的名字。

克里斯從前門進來，手裡拿著兩本雜誌，但沒有報紙。「哈囉，湯姆！安奈特太太！天氣真好！」

湯姆跟他打了招呼，然後向安奈特太太說，「我還以為到現在他們就應該找到他了。但事實上——今天上午有個英國人會過來，問我們一些問題。」

「喔，是嗎？今天上午？」

「大概再過半個小時吧。」

「好離奇啊！」她說。

「什麼離奇？」克里斯問湯姆。

「莫奇森。今天報上登了他的照片。」

克里斯充滿興趣看了那張照片，然後緩緩唸出底下的一些辭彙，翻譯著。「老天！還沒找到呢！」

「安奈特太太，」湯姆說，「我不確定那位英國人會不會留下來吃午飯，能不能請妳準備四人份？」

「可以，湯姆先生。」她回廚房去了。

「什麼英國人？」克里斯問。「又有一個了？」

克里斯的法文進步神速，湯姆心想。「是啊，他是來問莫奇森的事情。你知道——如果你想搭十一點半的火車——」

「唔——我可以留下嗎？十二點多還有一班火車，另外下午當然還有幾班火車。我對莫奇森很好奇，也很好奇他們會查到什麼。當然了——如果你想跟他單獨談的話，我不會待在客廳裡的。」

湯姆覺得很煩，但他說，「有何不可？沒什麼好保密的。」

那位督察在大約十點半乘著計程車抵達。湯姆忘了跟他說應該怎麼走，但他說他在郵局停下來，問過雷普利先生的房子在哪裡。

「府上真是太漂亮了！」那位督察開心地說。他年約四十五歲，穿著一身便衣。一頭日漸稀疏的黑髮，小腹微凸，戴著一副黑框眼鏡，眼神機警而殷勤。事實上，他愉快的笑容好像固定在臉上。「在這裡住很久了嗎？」

「三年了，」湯姆說。「進來坐吧。」湯姆已經打開門，因為安奈特太太沒聽到計程車開來的聲音，也沒出來招呼，就由湯姆接過督察的大衣。

督察拿著一個精巧而修長的手提箱，就是可以在裡面放一套西裝的那種，他拿著手提箱坐在沙發上，好像還不習慣跟這手提箱分開。「唔——先做最重要的事。你最後一次看到莫奇森先生是什麼時候？」

湯姆坐在一張直背椅上。「上個星期四，大約下午三點半。我載他到奧利，他要去倫敦。」

「我明白了。」韋布斯特把他的黑提箱打開一點點，取出一本筆記本，然後從口袋抽出一枝筆。他寫筆記寫了幾秒鐘。「他精神很好嗎？」他問，微笑著。他伸手從外套口袋拿出一根香菸，迅速點著了。

「是的。」湯姆正想說他當時剛送了他一瓶瑪歌葡萄酒，但又不想提到自己的酒窖。

「他隨身帶著那幅畫，我想應該叫《時鐘》吧。」

「沒錯，用褐色的紙包著。」

「顯然在奧利被偷走了，沒錯。這幅畫就是莫奇森先生認為是偽作的嗎？」

「他說他懷疑是——一開始。」

「你跟莫奇森先生有多熟？認識多久了？」

湯姆解釋了一下。「我記得看到他走進畫廊後頭的辦公室，我聽說德瓦特就在裡頭。所以——當天晚上我在我那家飯店的酒吧看到莫奇森先生，就去找他聊一下。我想跟他打聽德瓦特是什麼樣子。」

「我明白了。然後呢？」

「我們一起喝了杯酒，莫奇森告訴我他的想法，說他覺得近年有幾幅德瓦特的油畫是偽造的。我說我在法國的家裡有兩幅德瓦特，就問他要不要來看看。於是我們星期三下午就一起過來，他在這裡過夜。」

那名督察記了一下筆記。「你到倫敦，是專程為了看德瓦特的畫展嗎？」

「啊，不是。」湯姆微微一笑。「我去是為了兩件事。一半是為了德瓦特的展覽，我承認，另一半是因為我太太的生日在十一月，她喜歡英格蘭的東西。毛衣和長褲。卡奈比街。我在伯靈頓市場街買了些東西——」湯姆看了樓梯一眼，考慮要上去拿那個金猴胸針，不過忍住了。「我這回沒買德瓦特，不過我在考慮要買《浴缸》。剛好是唯一沒賣出的。」

「你請莫奇森先生過來，是不是——呃——認為你的畫也可能是偽造的？」

湯姆猶豫著。「我承認當時我很好奇。不過我從沒懷疑過我的畫。而莫奇森先生看過我的這兩幅收藏之後，也認為是真跡。」湯姆當然不打算去講莫奇森的淺紫色理論。韋布斯特督察似乎對湯姆的兩幅德瓦特興趣不大，只是轉頭看了背後的《紅色椅子》幾秒鐘，然後又看看位於他正面的《椅中男子》。

「這方面恐怕不是我的專長。現代繪畫。你們沒跟其他人住嗎，雷普利先生。就只有你和尊夫人？」

「是的，除了我們的管家安奈特太太。我太太現在人在希臘。」

「我想見見你的管家。」督察說，還是帶著微笑。

湯姆正要去廚房叫安奈特太太時，克里斯走下樓梯。「啊，克里斯。這位是韋布斯特督察，從倫敦來的。這位是我的客人克里斯・葛林里。」

「你好嗎？」克里斯伸出一隻手，對這位倫敦警察局的督察露出敬畏的表情。

「你好嗎？」韋布斯特愉快地說，湊向前和克里斯握手。「葛林里。雷普利先生，有一位理查・葛林里*是你的朋友，是吧？」

「是的。克里斯是他堂弟。」韋布斯特一定剛找過檔案，湯姆心想，他一定查遍檔案，看湯姆・雷普利是否有任何紀錄，因為湯姆無法想像，事情已經過了六年了，怎麼會有人還記得狄奇的名字。「請容我告退一下，我去叫安奈特太太。」

安奈特太太正在水槽裡削皮。湯姆問她能不能出來見一下那位倫敦來的紳士。「他大概會說法語。」

然後，湯姆回到客廳時，貝納德也正好下樓。他穿著湯姆的長褲，還有一件毛衣，裡頭沒穿襯衫。湯姆把他介紹給韋布斯特。「塔夫茲先生是畫家，從倫敦來的。」

「啊，」韋布斯特說。「你在這裡見過莫奇森先生嗎？」

「沒有，」貝納德說，坐在一把黃色椅墊的直背椅上。「我昨天才到的。」

安奈特太太進來了。

韋布斯特督察站起來，露出微笑說，「妳好，夫人。」他的法語講得很好，但有明顯的英國口音，「我來這裡是要請教有關湯瑪斯•莫奇森先生的問題，他失蹤了。」

「啊，沒錯！我今天早上才在報上看到，」安奈特太太說。「還沒找到他嗎？」

「還沒，夫人。」又一個微笑，好像他在講什麼更有趣的事情。「看起來好像妳和雷普利先生是最後看到他的人。或者當時你也在這裡，葛林里先生？」他用英文問克里斯。

克里斯結巴起來，但擺明了非常誠懇。「不，我沒見過莫奇森先生。」

「安奈特太太，莫奇森先生星期四是什麼時候離開這裡的？妳記得嗎？」

「唔，或許是——才剛吃過午餐。我提早準備午餐的。他大概是兩點半離開的。」

湯姆保持沉默。安奈特太太說得沒錯。

韋布斯特督察又轉向湯姆。「他提到過在巴黎有任何朋友嗎？請原諒，夫人，我也可以講法

＊譯注：狄奇（Dickie）是理查（Richard）的暱稱。

語。」

但談話繼續以雙語進行，有時是湯姆、有時是韋布斯特幫安奈特太太翻譯，因為韋布斯特希望她也能幫忙提供一些資訊。

莫奇森沒提到任何住巴黎的人，湯姆說他不認為莫奇森打算在奧利機場跟誰碰面。

「你知道，莫奇森先生和他的畫都失蹤了——兩件事可能有關連，」韋布斯特督察說。（湯姆向安奈特太太解釋，莫奇森隨身帶著的一幅油畫在奧利機場被偷了，安奈特太太很熱心地想到，在莫奇森離開前，她曾看到那幅畫就靠著莫奇森先生的行李箱，放在走廊上。她一定是匆忙看到了一眼，湯姆心想，但幸好她還記得。韋布斯特可能正懷疑那幅畫被湯姆毀掉了。）「德瓦特公司，我想毋庸置疑，是一家相當大的公司。這家公司賺的錢比德瓦特當畫家的收入還多。德瓦特的朋友康斯坦和班伯瑞分別是攝影師和記者，他們經營巴克馬斯特畫廊，有點當成是副業。現在有德瓦特美術用品公司，義大利的佩魯賈有一所德瓦特美術學校。如果有假畫的事情出現，那可就不得了了！」他轉向貝納德。「我想你認識康斯坦先生和班伯瑞先生，對吧，塔夫茲先生？」

湯姆覺得更加擔心，因為韋布斯特一定是深入追查過了：好幾年來，艾德・班伯瑞都沒在他的文章中提過貝納德是德瓦特的老友。

「是的，我認識他們。」貝納德的態度似乎有點茫然，但至少還很鎮定。

「你在倫敦跟德瓦特談過嗎？」湯姆問韋布斯特督察。

「根本找不到他！」韋布斯特督察說，掛著滿面笑容。「我倒是沒特別認真找就是了，不過我一個同事找過——就在莫奇森先生失蹤後。更離奇的是——」他在這裡改用法語，好讓安奈特太太也聽得懂，「——我們查不到德瓦特最近從墨西哥或任何地方入境英國的紀錄。本來大家以為他是這幾天才到英國的，但不光是過去幾天而已，而是追溯到過去幾年都沒有紀錄。事實上，出入境管理處最後一筆資料顯示，菲力普・德瓦特是在六年前離開英國前往希臘。我們沒有他回國的紀錄，你們或許知道，有一度大家相信德瓦特已經在希臘溺死或自殺了。」

貝納德身子前傾，前臂放在膝蓋上。他是打算要接受挑戰，還是準備和盤托出？

「是的，我們聽說過。」湯姆對安奈特太太說，「我們提到畫家德瓦特——曾經被認為自殺了。」

「是的，夫人，」韋布斯特殷勤地說，「請原諒我們暫時講英語。如果有什麼重要的地方，我會講法語的。」然後他對湯姆說，「所以這表示，德瓦特進入英國、甚至離開英國，就像紅花俠或鬼魂一樣，來無影，去無蹤。」他低笑起來。「不過你，塔夫茲先生，我知道你以前認得德瓦特。你這回在倫敦見到他了嗎？」

「沒有，我沒見到。」

「但我想，你去看了他的畫展吧？」韋布斯特的笑容和貝納德的一臉陰鬱形成強烈的對比。

「還沒。我可能晚幾天會去。」貝納德鄭重地說。「我變得——對一切有關德瓦特的事都很煩。」

韋布斯特似乎換了一種新的眼光看待貝納德。「為什麼？」

「我——很喜歡他。我知道他不喜歡張揚。我想——等這一切騷動都結束後，我就會趁他回墨西哥前見他。」

韋布斯特笑著一拍大腿。「好吧，要是你能找到他，麻煩告訴我們一聲。我們想跟他談談有關這個疑似偽造的事情。我跟班伯瑞和康斯坦先生談過了。他們看過《時鐘》，說那是真跡，但我是覺得呢，他們當然會這麼說，」他看了湯姆一眼，露出微笑，「因為畫是他們賣出去的啊。他們還說德瓦特親自證實過那是真跡。但畢竟我只聽過班伯瑞先生和康斯坦先生的說法，因為我找不到德瓦特和莫奇森先生。如果德瓦特不承認那是自己的作品，或是有懷疑，那一定很有趣，而且——啊，我又不是在寫偵探小說，我連想都沒想過！」韋布斯特大笑起來，嘴角歡樂地上揚，然後在沙發上前仰後合了一下。儘管韋布斯特的身軀胖大，牙齒也不太白，但他的笑卻迷人又有感染力。

湯姆知道韋布斯特想說的：巴克馬斯特畫廊的人可能是刻意叫德瓦特躲起來，或者把他給偷偷送走。同時他們也讓莫奇森封口了。湯姆說：「但莫奇森先生跟我提過他跟德瓦特的對話。他說德瓦特承認這幅畫是他畫的。讓莫奇森先生擔心的是，他認為德瓦特可能已經忘了自己畫過這幅畫。或者我應該說，是忘了自己根本沒畫過。但德瓦特似乎記得這幅畫。」現在換湯姆笑了起來。

韋布斯特督察看著湯姆眨眨眼，沒吭聲，湯姆覺得是為了保持禮貌。那就好像是在說，「現在我也有你的說法了，不過可能沒什麼價值。」韋布斯特最後終於說，「我相當確定有人為了某個理由，認為值得花時間擺脫湯瑪斯・莫奇森。不然我還能怎麼想？」他很禮貌地把這些話翻譯給安奈特太太聽。

安奈特太太說，「是嗎！」湯姆感覺到她恐懼得發抖，不過沒看她一眼。

湯姆很慶幸韋布斯特不知道他認識傑夫和艾德，即使對外的說法是不太熟。韋布斯特沒直接問他是否認識他們，湯姆覺得有點怪。或者傑夫和艾德已經告訴他，說他們認識湯姆・雷普利但不太熟，因為他跟他們買過兩幅畫？「安奈特太太，或許我們需要一些咖啡。要不要喝點咖啡，督察？還是來杯酒？」

「我看到你的推車上有杜柏內酒。我想喝一杯，加點冰和一片檸檬皮，如果不麻煩的話。」

湯姆告訴了安奈特太太。

沒有人想喝咖啡。克里斯斜靠在落地窗前一張椅子的椅背上，什麼都不想要。他似乎對眼前進行的事情很著迷。

「究竟為什麼，」韋布斯特說，「莫奇森先生認為他的那幅油畫是偽造的？」

湯姆思索著嘆了口氣。這個問題是對著他問的。「他談到其中的精神。還有一些關於筆觸的。」全都很模糊。

「我很確定，」貝納德說，「德瓦特不會贊同任何他作品的偽造，絕對不可能的。如果他認為《時鐘》是假畫，他一定會率先說出來。我想他還會直接去找——我不曉得——警方吧。」

「或是巴克馬斯特畫廊的人。」韋布斯特督察說。

「沒錯，」貝納德堅定地說。他忽然站起來。「能不能容我失陪一下？」他走向樓梯。

安奈特太太端上韋布斯特的酒。

貝納德下樓來，拿著一本厚厚的褐色筆記本，很舊了，他邊走進客廳邊翻找著。「如果你想知道一些有關德瓦特的事情——我這裡抄了幾段他日記裡面的話。當年他去希臘前，就把日記都收在一個行李箱裡，留在倫敦。我借來一陣子。他的日記主要都是有關繪畫的，他每天所遇到的困境，但有一段——是了，就在這裡。已經是七年前了。這是不折不扣的德瓦特。我能不能唸一下？」

「是，請唸。」韋布斯特說。

貝納德唸道。「『藝術家意氣消沉的唯一原因，只可能是回歸靈性我（Self）所導致的。』他的 Self 是字首大寫。『靈性我就是那個羞怯、自我中心的、有意識的放大鏡，絕對不能被看見或看透。有時在中途可以瞥見一眼，發生在非常驚駭的時候，或者兩幅畫之間，或是在度假時——那就絕對不該去度假。』」貝納德笑了一下。「『這種意氣消沉，除了痛苦之外，主要存在於種種虛榮的問題中，比方這一切究竟是為什麼？還有感嘆自己有多麼不足！更糟的是發現了我早該注意到的事情，在我需要的時候，我甚至不能仰賴那些理當愛我的人。如果工作順利時，我們是不會需要朋友的。我絕對不能在這種軟弱的時候暴露自己。否則日後可能會自食惡果，那就像是一把早該燒掉的撐架拐杖——今夜就燒。讓那些暗夜的記憶只活在我心中。』下一段，」貝納德敬畏地唸道，「『人們真能夠彼此講真話，不必擔心因而無法擁有美好的婚姻嗎？世上的仁慈、寬恕都到哪兒去了？我發現那些擺姿勢讓我畫的兒童更能接受我，他們睜著純真的大眼睛凝視我、望著我，毫無批判。而朋友呢？一個想要自殺的人在與敵人死神搏鬥的時刻，打電話給朋友。一個接一個，他們不在家，電話沒人接，或者即使有人接，他們今晚很忙——他們有很重要的事情，分不開身——而這個人驕傲到無法當場崩潰說，「我今晚一定得見你，不然就完了！」這是對外接觸的最後一次努力。多麼可憐，多麼人性化，多麼高貴——因為還有什麼比溝通更神聖的？這個想自殺的人知道溝通有種魔力。』」貝納德闔上筆記本。「當然，他寫這些的時候相當年輕，還不滿三十歲。」

「很動人，」韋布斯特督察說。「你剛剛說他是在什麼時候寫這個的？」

「七年前。十一月。」貝納德回答。「他十月在倫敦企圖自殺。康復後寫下這些。當時——狀況不算太糟。安眠藥。」

湯姆聽得很不安。他沒聽說過德瓦特曾企圖自殺。

「也許你覺得這很像誇張的通俗劇，」貝納德對著督察說。「他的日記並不打算讓別人看的。日記都在巴克馬斯特畫廊那邊，除非德瓦特要回去了。」貝納德開始結巴，一臉不自在，大概是因為他很努力想撒謊。

「那麼他是那種容易自殺的類型囉？」韋布斯特問。

「喔，不是！他有高潮和低潮。非常正常。我的意思是，對畫家來說很正常。他寫下這些的時候，整個人崩潰了。他接的一個壁畫委託案被拒收，德瓦特甚至還畫完了。那些評審拒收，是因為裡頭有兩個裸體。是替某個地方的郵局畫的。」貝納德笑了起來，好像現在一點都不重要了。

奇怪的是，韋布斯特的臉嚴肅而若有所思。

「我唸這個，是要向你證明德瓦特是個誠實的人，」貝納德勇敢地繼續說。「不誠實的人是不可能寫出這些——或寫出這本子裡其他談繪畫主題的句子，或只是談人生。」貝納德指背用力敲著他那本筆記。「我就是在他需要的時候，忙得沒時間去看他的其中一個朋友。你知道，我不曉得他當時狀況這麼糟。我們沒人知道。他甚至很缺錢，可是卻驕傲得從沒跟我們開口。這樣的人不會去偷竊，不會去做出——我的意思是，不會允許偽造的。」

湯姆以為韋布斯特督察會鄭重而適時地說，「我明白。」但他只是坐在那裡，雙膝張開，依然在思索，一手向內放在大腿上。

「我覺得很了不起——你唸的那些。」克里斯打破了一長段沉默。結果沒人回應，克里斯就低下頭，然後又抬起來，好像準備要為自己的意見辯護。

「還有往後的日記嗎？」韋布斯特問。「我對你唸的那些很感興趣，不過——」

「還有一則或兩則吧，」貝納德說，翻著那本筆記。「不過也是六年前的了。比方說，『唯有永遠覺得自己不足，才能去除掉創作行動中的恐懼。』德瓦特向來就是——很尊重自己的才華。我很難用言語形容。」

「我想我明白。」韋布斯特說。

湯姆立刻感覺到貝納德那種強烈的失望，簡直像是自己被批評似的。他看了安奈特太太一眼，她謹慎地站在拱門和沙發之間。

「你這回在倫敦跟德瓦特談過話嗎？或者講電話？」韋布斯特問貝納德。

「沒有。」貝納德說。

「或者德瓦特在倫敦的時候，你跟班伯瑞或康斯坦其中一個談過嗎？」

「沒有，我跟他們不常見面。」

湯姆心想，沒有人會疑心貝納德在撒謊。他看起來誠實極了。

「但是你跟他們關係很好吧？」韋布斯特問，昂起頭來，看起來好像有點對這個問題覺得歉意。「我知道幾年前德瓦特住在倫敦的時候，你就認識他們兩個了？」

「喔，是啊。當然認識。但我在倫敦不常出門。」

「你知道德瓦特有什麼朋友，」韋布斯特繼續以他相當柔和的聲音對貝納德發問，「有直升機或船，可以把他帶進英格蘭，然後又送走的——就像偷渡一隻邋遢貓或一個巴基斯坦人？」

「我不知道。完全沒聽說過。」

「另一個問題，你得知德瓦特還活著的時候，一定寫過信到墨西哥給他吧？」

「不，我沒寫。」貝納德吸了口大氣，頗大的喉結似乎很痛苦。「就像我剛剛說過的，我跟巴克馬斯特畫廊的傑夫和艾德很少連絡。就我所知，他們也不知道德瓦特住在哪個村子，因為那些畫是從維拉克魯茲船運過來的。我覺得如果德瓦特想連絡的話，他就會寫信給我。既然他沒寫，我就不想寫給他了。我覺得——」

「嗯？你覺得怎麼樣？」

「我覺得德瓦特受過夠多罪了。在精神上。或許在希臘，或是去希臘之前。我覺得那段經歷可能改變了他，甚至令他對朋友失望。而如果他不想跟我連絡——那就是他處理、看待這些友誼的方式。」

湯姆真想為貝納德流淚。他真的是痛苦地盡了全力。貝納德好慘，他就像一個不是演員的人，卻試圖在舞台上表演，而且痛恨每一刻。

韋布斯特督察瞥了湯姆一眼，然後又看著貝納德。「奇怪了——你的意思是，德瓦特是在這樣——」

「我認為德瓦特真的受夠了。」貝納德打斷他，「他去墨西哥的時候，已經對人類很厭煩了。如果他想隱居，我也不會花任何力氣去打破這個狀態。否則我可以去墨西哥到處找，一直找下去，直到找到他為止。」

湯姆簡直真心相信這番話。他一定要相信，湯姆告訴自己。所以他就開始相信了。他走到吧檯，為韋布斯特的杯子補滿杜柏內酒。

「我明白了。那現在——等德瓦特再度離開英國，要去墨西哥，也說不定他已經離開了，你也不知道該寫信去哪裡給他囉？」韋布斯特問。

「當然不知道。我只知道他還在畫，而且應該很快樂吧，我想。」

「那巴克馬斯特畫廊呢？他們也不知道該去哪裡找他？」

貝納德又搖頭。「據我所知，他們也不知道。」

「那他們怎麼寄錢給他？」

「我想——寄到一個墨西哥城的銀行，請他們轉交給德瓦特吧。」

真感謝他流暢的回答，湯姆心想，彎腰倒著杜柏內酒。他在杯子裡留下加冰塊的空間，然後從推車上拿了冰桶。「督察，要不要留下來和我們吃中飯？我已經告訴管家說你會留下了。」

安奈特太太已經回到廚房了。

「不，不了。很謝謝你。」韋布斯特督察微笑著說。「我和梅朗的警察約好了吃午餐。我想這是我唯一有空跟他們談話的時間。真是法國式，不是嗎？我約了十二點四十五分到梅朗，所以我該打電話叫計程車了。」

湯姆打電話給梅朗的計程車行叫了一輛車。

「我想逛逛貴府庭院四周，」督察說。「看起來真漂亮！」

這樣或許可以轉變心情，湯姆心想，就像一個人要求要看看玫瑰，以逃避無聊的閒談，但湯姆覺得不是那麼回事。

克里斯本來想跟著他們，他對這位英國警察非常著迷，但湯姆使了眼色示意他別跟，然後單獨和督察走出門。走下後院的那道石階，昨天湯姆才為了去追淋雨的貝納德，而差點在這裡摔倒。太陽半露，青草幾乎都乾了。督察雙手插在他鬆垮的長褲口袋裡。韋布斯特可能不完全懷疑他犯了罪，湯姆心想，但他感覺到自己也沒完全洗清嫌疑。我做了一些傷害國家的行為，而他們知道。——他腦中浮現出莎士比亞的句子，這個上午真是奇怪。

「蘋果樹。桃子。你住在這裡一定過得很愉快。你有職業嗎，雷普利先生？」

這個問題尖銳得像是出入境管理處的督察在問話，但湯姆到現在已經習慣了。「我做些園藝工作，畫畫，學些我想學的東西。我沒有那種必須每天得去巴黎、或甚至每星期去的職業。我很少去巴黎。」湯姆撿起草坪上一塊多餘的石頭，瞄準一棵樹幹。那顆石頭噠地一聲擊中樹幹，湯姆的腳踝因為轉動而一陣刺痛。

「還有樹林。那是你的產業嗎？」

「不。據我所知，那是市鎮所有的樹林。或是國有的。我有時會去裡面撿些枯枝，當柴火。要不要散步一下？」湯姆指著那條小路。

韋布斯特督察朝小路走了五、六步，踏在上面，但往前看了一下，轉身。「現在不要了，謝謝，我想我最好去看看計程車來了沒。」

他們回到宅裡時，計程車已經在門口等了。

湯姆向督察道別，克里斯也說了再見。湯姆祝他：「午餐愉快。」

「太好了！」克里斯說。「真的！你帶他去看了樹林裡的那個墳墓嗎？我沒看窗外，因為我想那樣不太禮貌。」

湯姆微笑。「沒有。」

「我正想提起，然後想到如果提了就太白癡了。給他們錯誤的線索。」克里斯大笑。就連他的牙齒都很像狄奇的，尖尖的犬齒，其他牙齒密密排列在嘴裡。「想像那位督察去挖掘，想尋找莫奇森？」克里斯又大笑起來。

湯姆也笑。「是啊，如果我都把他送到奧利機場了，他怎麼會跑回這裡來？」

「誰殺了他？」克里斯問。

「我不認為他死了。」湯姆說。

「綁架？」

「不曉得。或許吧。他的畫也跟著不見了。我不曉得該怎麼想。貝納德人呢？」

「他上樓了。」

湯姆上樓去看他。貝納德的門關著。湯姆敲了敲，聽到裡面傳來模糊的回應聲。

貝納德坐在床舖邊緣，雙手緊扣。他看起來因挫敗而筋疲力盡。

湯姆在自己膽敢的範圍之內盡可能歡樂地說，「剛剛進行得很好，貝納德。一切都很順利。」

「我失敗了。」貝納德說，雙眼悲傷。

「你在瞎說什麼啊？你表現得太棒了。」

「我失敗了。所以他才會問那些有關德瓦特的問題。有關於如何在墨西哥找到他。德瓦特失敗了，我也是。」

14

那是湯姆畢生最糟糕的午餐之一，簡直比得上他和赫綠思結婚後，兩夫婦跟她爸媽吃的那頓。但至少這回沒持續那麼久。貝納德陷入演員那種無望的沮喪之中，湯姆猜想，他認為自己剛剛的表演很差，所以什麼安慰的話都幫不上忙。湯姆知道，貝納德正遭受到一個演員拼盡全力後那種疲倦的折磨。

「你知道，昨天夜裡，」克里斯說，喝完了他配餐的那杯牛奶，他另外也喝了葡萄酒，「我看到一輛汽車從那條樹林裡的小徑倒車出來。一定是約一點的時候。我想這事情應該不重要。那輛車倒車時沒開什麼燈，好像不想讓人看到。」

湯姆說，「大概是情侶吧。」他很擔心貝納德不曉得會有什麼反應，但貝納德大概根本沒聽到。

貝納德告退，然後上樓去了。

「老天，真遺憾他這麼心煩。」一等貝納德走到聽不到的地方，克里斯就說。「我馬上就會離開了。希望我沒待得太久。」

湯姆想查下午的火車，但克里斯有不同的想法。他想在路上搭便車到巴黎。湯姆沒勸阻他。

克里斯相信那會是一場冒險。湯姆知道，如果要搭火車的話，就得搭將近五點那班。克里斯帶著行李下樓來，走進廚房跟安奈特太太道別。

然後他們出去到車庫。

「麻煩你，」克里斯說，「幫我跟貝納德說聲再見，好嗎？他的門關著。我覺得他不想被打擾，但我也不希望他覺得我沒禮貌。」

湯姆保證他會轉告貝納德。湯姆去把愛快羅密歐開出來。

「你在哪裡放我下車都行，真的。」克里斯說。

湯姆覺得楓丹白露鎮是最好的選擇，楓丹白露宮就在通往巴黎的高速公路旁。克里斯看起來就像他實際的身分，一個來度假的高個子美國青年，不窮也不富，湯姆覺得他要找到便車去巴黎，應該不會有任何困難。

「我過兩天可以打電話給你嗎？」克里斯問。「我很有興趣知道發生了什麼事。當然，我也會看報紙的。」

「可以。」湯姆說。「我打給你吧。路易斯安那飯店，塞納街，對吧？」

「沒錯。我真無法告訴你這一趟對我有多棒——光是能看看一棟法國房子裡面。」

是的，你可以。或者，也不必他說了，湯姆心想。回家的路上，湯姆開得比平常快。他覺得很擔心，但不曉得到底該擔心什麼。他覺得跟傑夫和艾德失去連絡，而不管他或他們，現在連絡對方都是不聰明的。他想最好是設法說服貝納德留下。可能會有困難。但回倫敦，就表示貝納德又要一再面對德瓦特的展覽，街上到處貼了海報，或許還會看到傑夫和艾德他們自己也陷入恐懼和慌張。湯姆把車開進車庫，直接上樓去貝納德的房間敲門。

沒人應。

湯姆打開門。床已經鋪過了，就像今天上午貝納德坐在上頭時一樣，現在湯姆看得出，床單上貝納德坐過的地方有個模糊的印子。不過貝納德的所有東西都不見了，他的旅行袋、他沒燙的西裝（湯姆已經放進衣櫃裡）。湯姆回自己房裡迅速看了一下。貝納德不在裡面。克呂佐太太正在他房間吸地，湯姆向她說，「妳好。」

湯姆下樓。「安奈特太太！」

安奈特太太不在廚房，已經回自己臥室了。湯姆敲了門，聽到她應了一聲，於是打開門。安奈特太太斜倚在她床上，身上蓋著一件淡紫色的針織被單，正在閱讀《美麗佳人》雜誌。

「不用起來，夫人！」湯姆說。「我只是想問問貝納德先生在哪裡？」

「沒在他房裡嗎？或許是出去散步了。」

湯姆不想告訴她說，他看起來是收拾東西離開了。「他沒跟妳說什麼嗎？」

「沒有，先生。」

「好吧——」湯姆擠出微笑。「那我們就別擔心了。有沒有人打電話來？」

「沒有，先生。今天晚上會有幾個人吃晚飯？」

「我想兩個吧，謝謝，安奈特太太，」湯姆說，想著貝納德可能會回來。他走出房間，把房門關上。

老天，湯姆心想，讀兩首德國詩人歌德的詩來撫慰自己吧。〈告別〉或是類似的，帶來一點德國的堅定感。歌德相信優越性和——或許天才吧。這正是他需要的。湯姆從書架上抽出那本《歌德詩集》，不知道是註定還是無意間，他翻到了〈告別〉。湯姆已經熟記這首詩，但是從來不敢背給任何人聽，怕自己的口音不夠完美。現在一開頭幾句，就讓他難受：

且讓我的雙眼，為無法啓口的嘴說再見。
告別何等沉重，而我——

湯姆被摔上的車門聲嚇了一跳。有人來了。貝納德搭著計程車回來了，湯姆心想。但不是，是赫絲思。她站在那兒沒戴帽子，長長的金髮在微風中飄揚，手裡翻找著皮包。湯姆衝到門邊打開。「赫絲思！」

「啊，湯姆！」他們擁抱。啊，湯姆。啊，湯姆！湯姆已經逐漸習慣別人用法國腔喊他的名字，由赫絲思來喊，他更是喜歡。

「妳都烤焦了！」湯姆用英文說，其實他的意思是晒黑。「我來幫妳打發這傢伙。多少錢？」

「一百四十法郎。」

「混蛋。從奧利他就要收——」湯姆忍下了他要罵的話，連英語都不敢用。湯姆付了車錢。

司機沒幫他們拿行李。

湯姆把所有東西搬進屋去。

「啊，回家真好！」赫綠思說，張開雙臂。她把一個像掛毯的大包包——希臘製品——扔在黃色沙發上。她穿著褐色的皮革涼鞋，粉紅色的喇叭褲，一件美國海軍的雙排釦短大衣。湯姆很好奇她去哪裡、怎麼弄到那件短大衣的？

「家裡一切都很好。安奈特太太在她臥室裡休息。」湯姆說，改講法語。

「好可怕的假期！」赫綠思重重坐在沙發上，點了根香菸。她得花幾分鐘才能平靜下來，於是湯姆就開始把她的行李箱往樓上搬。她朝著其中一個箱子尖叫，因為裡頭有東西是要放樓下的，所以湯姆就留下那個箱子，拿了別的東西。「你一定要這麼像美國人，這麼有效率嗎？」不然要怎麼辦？呆站在那裡等著她放鬆心情？「沒錯。」他把其他東西拿到她房間。

他回到樓下，安奈特太太正在客廳裡和赫綠思談希臘、談那艘遊艇、談希臘的那棟房子（顯然位於一個小漁村），不過湯姆注意到，還沒談到莫奇森。安奈特太太很喜歡赫綠思，因為安奈特太太喜歡服侍人，而赫綠思喜歡被服侍。赫綠思現在什麼都不想要，不過在安奈特太太的堅持下，她答應接受一杯茶。

然後赫綠思告訴她有關她在遊艇「希臘公主號」上的假期——遊艇主人就是那個叫柴波的，這名字老讓湯姆想到喜劇明星馬克斯兄弟。湯姆見過他的照片，露出毛茸茸的胸膛，據湯姆點滴聽來的，這個柴波就像一般希臘船運大亨那樣自負，而柴波只不過是個微不足道的小房地產商的兒子。根據柴波和赫綠思的說法，柴波的父親被那些法西斯軍閥壓榨，再去壓榨自己的人民，不過還是賺了很多錢，因此他的兒子可以開著遊艇到處遊玩，把魚子醬扔到海裡，把香檳裝進遊艇上的游泳池，然後再把游泳池加熱好在裡面游泳。「柴波不得不藏起那些香檳，所以他就放在泳池裡。」赫綠思解釋。

「那誰跟柴波上床？我想不會是美國總統的老婆吧？」

「任何人。」赫綠思用英語嫌惡地說，噴出了一口煙。

不是赫綠思，湯姆很確定。赫綠思以前有時會挑逗人，但也不常，不過湯姆確定自從他們結婚後，除了他之外，赫綠思就沒再跟其他人上床了。感謝老天，沒跟柴波那隻大猩猩。赫綠思從來不喜歡那一型的。柴波對待女人的方式聽起來很令人反感，但湯姆的態度是——這點他從不敢跟女人說——如果女人從一開始就容忍，好換得鑽石手鍊或法國南部的一棟別墅，那以後還有什麼好抱怨的？激怒赫綠思的，主要似乎是一個名叫諾麗塔的女人，因為遊艇上有某個男人很注意赫綠思。湯姆幾乎沒怎麼聽這段無聊八卦，因為他還在想著該怎麼告訴赫綠思一些自己的近況，而不會讓她心煩。

湯姆也半期待著貝納德憔悴的身影隨時會出現在門口。他緩緩走來走去，每次轉身就朝前門看一眼。「我去了倫敦一趟。」

「是嗎？好玩嗎？」

「我幫妳買了東西。」湯姆爬上樓梯——他的腳踝好多了——拿著那條卡奈比街的長褲下樓。赫綠思在餐室裡穿上，完全合身。

「我好喜歡！」赫綠思說，給湯姆一個擁抱，在他臉頰上吻了一記。

「我跟一個叫湯瑪斯・莫奇森的人回來。」湯姆說，然後開始告訴她發生的事情。

赫綠思還沒聽說他失蹤了。湯姆解釋了莫奇森懷疑他的《時鐘》是偽造的，湯姆說他相信德瓦特的畫作沒有假貨，所以他和警方一樣，不明白莫奇森為什麼會失蹤。赫綠思不知道整個造假的勾當，也不知道湯姆每年從德瓦特有限公司得到多少收入——其實約一萬兩千美元，大概跟他從狄奇・葛林里那邊所繼承的股票收入一樣。赫綠思對錢有興趣，但對怎麼來的興趣並不大。她知道有關家裡的開銷，她的家庭所出的錢跟湯姆出的一樣多，但她從沒跟湯姆提起過，而且湯姆也知道她根本不在乎，這是他欣賞赫綠思的另一點。湯姆告訴過她，德瓦特有限公司堅持要給他一小部分利潤，因為多年前他還不認識赫綠思時，曾幫忙他們開辦公司。湯姆從德瓦特有限公司得到的收入，都是由德瓦特美術用品公司在紐約的一個批發商轉給他的。其中一些湯姆投資在紐約，剩下的則全數匯到法國。德瓦特美術用品公司的老闆（剛好也是個希臘人）知道德瓦特不存在，也知道假畫的事情。

湯姆繼續說：「還有另一件事。貝納德・塔夫茲——我想妳沒見過他——來這邊住了兩天，今天下午看起來他是出門散步了，不過他東西都帶走了。我不曉得他還會不會回來。」

「貝納德・塔夫茲？英國人嗎？」

「對。我跟他不熟，他是朋友的朋友。是個畫家，最近因為女朋友的事有點心煩。他有可能去了巴黎。我想我該跟妳提一下，說不定他會回來。」湯姆笑了。他愈來愈相信貝納德不會回來了。或許他是搭了計程車，到奧利機場設法盡快搭飛機回倫敦？「還有——另一個消息是，我們明天晚上獲邀到貝特林夫婦家吃晚飯。他們看到妳回來一定很高興！啊，我差點忘了。我還有另一個客人——克里斯・葛林里，狄奇的堂弟。他在這裡住了兩夜。我那封信裡提到他了，妳沒收到嗎？」她並沒收到，因為他星期二才把信寄出的。

「老天，你可真忙！」赫綠思用英語說，帶著一點滑稽的醋意。「你想我嗎，湯姆？」

他雙手擁著她。「我想妳——真的好想。」

赫綠思帶回來要放在樓下的東西是一個花瓶，短而結實，有兩個把手，瓶身上頭有兩隻公牛低著頭對峙。這瓶子很有吸引力，湯姆沒問是不是很貴、年代是否久遠，或其他問題，因為此刻他根本不在乎。他放了一張韋瓦第的《四季》唱片。赫綠思在樓上整理行李，還說她想泡個澡。

到了傍晚六點半，貝納德還沒回來。湯姆覺得貝納德應該在巴黎，而非倫敦，但這只是個感覺，他也不敢保證。他和赫綠思吃晚餐時，安奈特太太跟赫綠思聊起早上來詢問有關莫奇森先生的那位英國紳士。赫綠思有興趣，但只是一點點，而且湯姆看得出來，她一點也不擔心。她對貝納德還比較有興趣。

「你想他今天晚上會回來嗎？」

「事實上——現在我覺得不會了。」湯姆說。

星期四上午平靜無事地過去，連一通電話都沒有，不過赫綠思打了電話給巴黎的三、四個人，其中一通是打到她父親在巴黎的辦公室。現在赫綠思穿著褪色的牛仔褲，赤腳在屋子裡活動。安奈特太太的《巴黎人報》裡今天沒有關於莫奇森的消息。下午安奈特太太出門去——表面上是去買東西，但八成是去找她的朋友伊芳太太，告訴她赫綠思回來，還有一個英國警探來訪的事情。湯姆和赫綠思躺在黃色沙發上，昏昏欲睡，他的頭枕在她胸口。早上他們做了愛，棒極了。這應該是件大事。對湯姆來說，做愛不像前一夜把赫綠思擁在懷裡入眠那麼重要。赫綠思常常說，「跟你睡覺真好，因為你翻身不像地震那樣把床搖晃得好厲害。真的，你翻身時我根本都不知道。」這點讓湯姆很開心。他從來沒問過誰翻身像地震。赫綠思存在，這對湯姆來說很奇怪。他猜不出她人生的目標。她就像牆上的一幅畫。有一天她或許會想要孩子，她說過。同時，她存在。湯姆也無法誇耀說自己有什麼目標，現在他已經擁有目前的生活，但湯姆有種強烈的熱情，想抓住眼前能抓住的愉悅，而赫綠思似乎欠缺這種熱情，或許是因為她生來就要什麼有什麼。跟她做愛時，湯姆有時會覺得好怪，因為他覺得有一半的時間自己是超然的，好像他是在跟一個沒有生命、不真實、沒有身分的身體在做愛。或者這是因為他自己的某種羞怯，或是清教徒的拘謹？或者是某種（心理的）恐懼逼他全力以赴，這種恐懼會告訴他，「如果我不擁有赫綠思，如果我失去赫綠思，我就再也不存在了。」湯姆知道自己可以相信這個話，即使是關於赫綠思的部分，但他不喜歡向自己承認，也不容許自己承認，而且他當然沒跟赫綠思說過，因為那是撒謊，就像很多事情一樣。他覺得，完全依賴她的狀況只不過是一種可能性。湯姆覺得，這種依賴跟性愛其實沒什麼關係。一般來說，赫綠思瞧不起的事物跟他一樣。在某種意義上來說，她是個同伴，不過是個消極而被動的同伴。如果這同伴是個男孩或男人，湯姆會開心些——或許這就是最大的不同。不過湯姆還記得有回跟她父母在一起，他說，「我很確定義大利黑手黨的每個成員都受洗過，不過又給他們帶來什麼好處？」赫綠思聽了大笑，他父母卻沒笑。她父母不知怎地查出湯姆在美國沒受洗過——這件事湯姆其實不太確定，但反正朵蒂姑媽當然從來沒提過。湯姆年紀還很小的時候，他父母就淹死了，所以他從沒打父母那邊聽說過這方面的事。他無法跟身為天主教徒的皮里松夫婦解釋，在美國，受洗和望彌撒和告解和穿耳洞和地獄和黑手黨，不知怎地，都是屬於天主教而非新教的；而湯姆倒不特定是什麼，但他很確定自己絕對不是天主教徒。

對湯姆來說，赫綠思最有活力的時候，就是她發脾氣。她的脾氣大得很。有的湯姆還沒計算在內，比方有時巴黎寄來的貨品遲到而引得赫綠思大發雷霆，她會發誓（不誠實地）說她絕對不會再光顧某某家商店。更嚴重的發脾氣是肇因於無聊，或自尊受到小小攻擊，有可能發生在一個客人在餐桌討論上辯贏她或反駁她。客人在場時，赫綠思不會當場失控——這點很了不起——但等到客人一走，她就會氣沖沖走來走去，大叫大嚷，把枕頭丟到牆上，吼著，「滾出去！混蛋！」湯姆是在場唯一的觀眾。湯姆會說些安慰她或不相干的話，赫綠思會緩下腳步，一滴淚滾出眼角，過了一會兒她就又笑得出來了。湯姆猜想拉丁民族就是這樣，英國人就絕對不會如此。

湯姆在花園裡工作了大約一小時，然後讀了一點阿根廷作家胡立歐・科塔薩爾（Julio Cortazar）所寫的《祕密武器》。然後他上樓畫完那幅安奈特太太的肖像——今天星期四，她休假。傍晚六點時，湯姆請赫綠思進來，看看這幅畫。

「不錯呢，你知道嗎？你沒修飾得太過分，我很喜歡。」

湯姆聽了很高興。「別跟安奈特太太說。」他把畫放在角落待乾，面對著牆。

然後他們準備去貝特林家。不必穿正式衣服，牛仔褲就行了。凡森也是平常在巴黎工作，週末才回鄉下的房子。

「爸爸說了什麼？」湯姆問。

「他很高興我回法國了。」

爸爸不太喜歡他，湯姆知道，但爸爸隱隱感覺到赫綠思不會聽他的。湯姆猜想，小資產階級的特點，就是交戰時對人的性格特別敏感。「那諾愛爾呢？」諾愛爾是赫綠思最要好的朋友，住在巴黎。

「喔，老樣子。無聊，她說。她向來就不喜歡秋天。」

貝特林家雖然相當富裕，鄉下的住宅卻刻意弄得比較粗陋，有個戶外廁所，廚房水槽沒有熱水。熱水是用一個水壺放在燒柴的爐子上。他們的客人還包括一對英國的克雷格夫婦，跟貝特林夫婦都是五十歲左右。凡森．貝特林聊起他兒子，湯姆以前見過，是個二十二歲的深色頭髮年輕人（凡森是在廚房告訴湯姆他的年齡，當時他和湯姆一起喝利加茴香酒，同時凡森在做菜），現在跟女友住在巴黎，同時正想放棄他在美術學院的建築學位，凡森因此很震驚。「那個女孩不值得！」凡森氣沖沖對湯姆說。「都是英國的影響，你知道？」凡森是戴高樂主義者。

晚餐很棒，有雞肉、米飯、蔬菜沙拉、乳酪，還有賈克琳做的蘋果塔。湯姆的心思在別的事情上頭。不過他很愉快，愉快到一直保持微笑，因為赫綠思的精神很好，談著自己的希臘冒險，最後他們一起品嚐赫綠思帶來的希臘茴香酒。

「噁心的味道，那個希臘茴香酒！比保樂還糟！」赫綠思回家後說，在她浴室的洗手台旁刷著牙。她已經換上了睡衣，是一件藍色的短連身裙。

湯姆回自己臥室，換上他在倫敦買的新睡衣褲。

「我要下去拿一些香檳！」赫綠思大聲說。

「我去拿。」湯姆匆匆穿上拖鞋。

「我得把這個味道沖掉。另外我也想喝點香檳。不曉得的人還會以為貝特林家很窮，他們配餐的酒糟透了。居然只是普通葡萄酒！」她走下樓梯。

湯姆攔住她。

「我去拿吧，」赫綠思說。「你去拿點冰塊。」

湯姆無論如何不希望她去酒窖。他進了廚房，才剛拿了一盒冰塊出來，就聽到一聲尖叫——像是悶住的，因為離得有點遠，但那是赫綠思在尖叫，而且叫得很慘。湯姆往前廳衝。

然後又是一聲尖叫，湯姆在備用廁所撞上她。

「老天！底下有人上吊。」

「啊，基督啊！」湯姆半撐著赫綠思，帶著她走上樓梯。

「別下去，湯姆！那裡好可怕！」

是貝納德，當然了。湯姆顫抖著扶她走上樓梯，她講法語，他講英語。
「答應我你不會下去！打電話報警，湯姆！」
「好，我會打電話報警的。」
「那是誰？」
「我不知道。」
他們進了赫綠思的臥室。
「待在這裡！」湯姆說。
「不，不要離開我！」
「聽我的話！」湯姆用法語說，然後跑出去，下了樓梯。一杯純蘇格蘭威士忌最好，他心想。赫綠思很少喝烈酒，所以應該馬上能幫她鎮靜下來。然後再給她一顆鎮靜劑。湯姆從推車上拿了一個酒瓶和一個杯子，又跑上樓。他倒了半杯，看到赫綠思猶豫沒喝，他就自己先喝了一點，然後把杯子湊到她嘴邊。她的牙齒在打顫。
「你會打電話給警察嗎？」
「會！」至少這是自殺，湯姆心想。應該可以證明。不是謀殺。湯姆嘆了口氣，顫抖著，抖得幾乎跟赫綠思一樣厲害。她坐在床的邊緣。「要不要喝香檳？多喝一點？」
「好。不行！你絕對不能下去那裡。打電話給警察！」
「好吧。」湯姆走下樓梯。

他進了備用廁所，在打開的門前只猶豫了一下——酒窖的燈還亮著——然後開始走下階梯。一看到那片黑暗，懸掛的人影，頭歪著，湯姆感覺到一股震驚竄遍全身。那條吊繩很短。湯姆眨眼。那人好像沒有腳。他走近些。

是個假人。

湯姆微笑，然後大笑。他一拍那兩隻腿——只有兩條空蕩的褲管而已，是貝納德・塔夫茲的長褲。「赫綠思！」他大喊，沿著樓梯跑上去，不在乎可能會吵醒安奈特太太。「赫綠思，是個假人！」他用英語說。「不是真人！那是個假人！妳不用怕了！」

他花了一些時間才讓她相信。那是個玩笑，可能是貝納德布置的——說不定甚至是克里斯弄的，湯姆補充道，無論如何，他摸了那兩條腿，很確定是假人。

緩緩地，赫綠思變得憤怒起來，這是復原的徵兆。「這些英國人開什麼蠢玩笑嘛！蠢！低能！」

湯姆放鬆地大笑。「我下去拿香檳！還有冰塊！」

湯姆又下樓。那個假人用一條皮帶懸著，湯姆認出是自己的皮帶。一個衣架撐著那套暗灰色西裝，長褲扣在外套的釦子上，頭部是一條灰色抹布，用繩子綁在脖子上。湯姆趕緊去廚房搬了一把椅子——很高興安奈特太太沒被這番風波吵醒——回到酒窖，把那個假人拿下來。皮帶從大椽上的一根釘子上垂下。湯姆把那些衣服扔在地板上。然後他趕緊挑了一瓶香檳。他把西裝外套裡的衣架拿出來，同時也拿走了皮帶。他又去廚房拿了冰桶，關了燈，然後上樓去。

15

快七點時，湯姆醒了。赫綠思還睡得很熟。湯姆輕柔地下了床，拿了掛在赫綠思臥室的睡袍。

安奈特太太可能已經起床了。湯姆悄悄下樓。他想趁安奈特太太發現之前，把貝納德的西裝從酒窖裡拿出來。進去之後，湯姆看到濺出的葡萄酒和莫奇森的血所造成的污漬並不嚴重。如果警方派技術人員來檢查血跡，當然會發現痕跡，但湯姆很樂觀，認為不會有這樣的事情發生。

他把扣在一起的西裝上衣和長褲解開。一張白紙飄下來，是貝納德留下的紙條，用他高瘦而稜角分明的字跡寫著：

我用自己的芻像在你家上吊。我吊死的是貝納德・塔夫茲，不是德瓦特。為了德瓦特，我以自己唯一能做的方式懺悔，那就是殺掉我過去五年的自我。現在我的餘生中，要繼續設法誠實做自己的工作。

貝納德・塔夫茲

湯姆有股衝動，想揉爛那張字條毀掉。然後他摺起來，塞在睡袍的口袋裡。他有可能需要它。誰曉得？誰曉得貝納德在哪裡、會做出什麼事？他抖了抖貝納德皺巴巴的西裝，把那條抹布扔在角落裡。這套西裝他會送去洗衣店，這麼做不會有壞處。湯姆正要把那套西裝拿到樓上自己房間裡，然後又決定放在前廳小几上，平常他都把打算送洗的衣服留在那兒，讓安奈特太太拿到洗衣店。

「早安，湯姆先生！」安奈特太太在廚房說。「你又起得好早！赫綠思夫人也起來了嗎？要不要端茶給她？」

湯姆進了廚房。「我想她早上想睡覺。盡量讓她睡。不過我倒是想喝咖啡，麻煩妳了。」

安奈特太太說她會端上去給他。湯姆上樓更衣。他想去看看樹林裡的那塊埋屍處。貝納德可能做了些奇怪的事情——挖開一部分什麼的，天曉得——搞不好會把自己活埋在裡頭。

喝過咖啡，他下樓去。太陽一片模糊，幾乎看不見，青草一片露溼。湯姆在灌木叢旁閒晃，不想馬上就朝那塊墳地直接走去，免得萬一赫綠思或安奈特太太會朝窗外看。湯姆沒回頭看屋子，因為他相信一個人的眼睛會吸引另外一個人的目光。

那塊墳地就跟他和貝納德當初離開時一樣。

赫綠思一直睡到十點才醒，安奈特太太告訴當時在畫室裡的湯姆，說赫綠思夫人想見他。湯姆進了她的臥室，她正在床上喝她的茶。

她嚼著葡萄柚說，「我不喜歡你朋友開的玩笑。」

「不會再有了。我已經把那些衣服拿走——不在酒窖裡了。別再多想那件事情。要不要找個好地方吃午餐？就在塞納河沿岸？晚點吃？」

她喜歡這個主意。

他們在南邊一個小鎮找到一家兩人都沒去過的餐廳，但不在塞納河邊。

「我們要不要去哪裡玩？西班牙的伊維薩島怎麼樣？」赫綠思問。

湯姆猶豫著。他喜歡搭船旅行，可以帶各種想要的行李上路，書、唱機、顏料和調色盤。但如果現在出門，感覺上像是在逃避，對貝納德，對傑夫和艾德，對警察來說都是——即使他們知道他要去哪裡。「我再想想看。或許吧。」

「希臘留下了一種討厭的味道，就像希臘茴香酒。」赫綠思說。

午餐後，湯姆想睡個舒服的午覺。赫綠思也是。他們會睡在她床上，她說，睡到自然醒，或者睡到晚餐時間。拔掉湯姆房間的電話線，這樣只有樓下會響，讓安奈特太太去接就好了。湯姆開著車悠閒地穿過森林，朝維勒佩斯駛去，心想：就是像這樣的時刻，他會很開心自己沒工作、相當富裕，而且已婚。

湯姆用鑰匙打開前門時，絕對沒想到眼前會看到的景象。貝納德坐在一張黃色直背椅上，面對著門。

赫綠思一開始沒看到貝納德，她還在說，「湯姆，親愛的，你能不能幫我拿點沛綠雅礦泉水和冰塊？啊，我好睏！」赫綠思倒進湯姆懷裡，驚訝地發現他的身體很緊繃。

「貝納德在這裡。妳知道，就是我提過的那位英國人。」湯姆走進客廳。「哈囉，貝納德。你還好吧？」湯姆沒辦法跟他握手，不過他努力擠出微笑。

安奈特太太從廚房走進來。「啊，湯姆先生！赫綠思夫人！我沒聽到汽車的聲音，一定是愈來愈耳背了。貝納德先生回來了。」安奈特太太似乎很慌張。

湯姆盡可能冷靜地說，「是的，很好。我正在等他呢。」不過他記得自己其實告訴過安奈特太太，說他不確定貝納德是否會回來。

貝納德站起來，滿臉鬍渣。「請原諒我沒先通知一聲，就這樣跑回來。」

「赫綠思，這位是貝納德・塔夫茲——住在倫敦的一位畫家。這是我太太，赫綠思。」

「妳好嗎？」貝納德說。

赫綠思還站在原來的地方。「你好嗎？」她用英語回答。

「我太太有點累了。」湯姆走向她。「妳要上樓嗎？還是想跟我們待在樓下？」

赫綠思頭一甩，要求湯姆跟她上樓。

「我馬上回來，貝納德。」湯姆說，跟著赫綠思上樓了。

等兩人回到赫綠思房間，她開口問，「開那個玩笑的，就是這個人嗎？」

「恐怕是。他很怪。」

「他在這裡做什麼？我不喜歡他。他是什麼人？你以前從沒提過他。而且他還穿著你的衣服？」

湯姆聳聳肩。「他是倫敦一些朋友的朋友。我很確定我可以說服他下午離開。他可能一時需要點錢，或衣服。我會問他的。」湯姆吻了她臉頰。「去睡覺吧，親愛的。我馬上回來。」

湯姆進入廚房，要安奈特太太幫赫綠思送沛綠雅礦泉水。

「貝納德先生會留下來吃晚飯嗎？」安奈特太太問。

「我想不會吧。但我和太太會在家，簡單一些的就好。我們午餐吃得很豐盛。」湯姆又轉向貝納德。「你去巴黎了嗎？」

「沒錯，巴黎。」貝納德還是站著。

湯姆不曉得該採取什麼策略。「我在樓下發現了你的芻像。把我太太嚇壞了。我們家裡有女人，你不該耍這種花招的。」湯姆露出微笑。「順帶提一聲，我的管家把你的西裝送去洗衣店了，我會寄回倫敦給你，或者看你會去哪裡。坐吧。」湯姆坐在沙發上。「你有什麼計畫？」那就像是在問一個精神錯亂的人感覺怎麼樣，湯姆心想。湯姆很不安，等他發現自己的心跳好快，感覺就更糟了。

貝納德坐下。「喔——」暫停好久。

「不回倫敦嗎？」絕望之餘，湯姆從茶几上的雪茄盒裡拿了一根。這樣就暫時可以不必開口。但有差別嗎？

「我是來找你談的。」

「好。談什麼？」

又是一段沉默，湯姆不敢打破。貝納德可能一直在雲霧間摸索，過去幾天一直陷在他自己思緒的無盡迷霧中。湯姆感覺，那就好像是他想在一大群綿羊中追捕一隻小綿羊。「我有的是時間，慢慢來。貝納德，你不缺朋友的。」

「事情很簡單，我得重新展開我的人生，乾乾淨淨的開始。」

「是，我知道。唔，你辦得到的。」

「你太太知道——我偽造的事情嗎？」

湯姆欣然接受這個合理的問題。「不，當然不知道。在法國沒有人知道的。」

「那關於莫奇森的事情呢？」

「我告訴她莫奇森失蹤了。說我把他載到奧利機場。」湯姆低聲說，免得萬一赫綠思有可能在前廳的樓上，正在聽他們講話。但他知道客廳的聲音傳不遠，更別說要往上繞過弧形的樓梯了。

貝納德暴躁地說，「屋裡還有其他人在，我真的沒法開口。比方你太太，或者那位管家。」

「好吧，我們可以出去談。」

「不行。」

「唔，我實在很難要求安奈特太太離開。家裡是由她管理的。要不要出去走走？有一家安靜的咖啡店——」

「不，謝了。」

湯姆往後靠坐在沙發上，手裡拿著雪茄，這會兒氣味像是屋子失火了。平常他很喜歡這個氣味。「順便講一聲，你離開之後，那位英國督察就沒再跟我連絡過，法國警方也沒消息。」

貝納德毫無反應。然後他說，「好吧，我們出去走走好了。」他站起來，望著落地窗。「或許從後面出去吧。」

他們走出去，來到草坪上。兩個人都沒穿大衣，外頭很冷。湯姆讓貝納德帶頭看要去哪裡，貝納德往樹林的方向，走向那條小路。貝納德走得很慢，有點不太穩。他是因為沒吃東西而太虛弱嗎？湯姆很納悶。不久，他們就走過了莫奇森原先的埋屍地點。湯姆覺得害怕，因而後頸毛髮直豎，耳後刺痛。不是怕那個地點，湯姆明白，而是怕貝納德。湯姆空著雙手，沒插口袋裡，走在貝納德後方側邊。

然後貝納德放慢腳步轉身，他們開始往屋子走回去。

「你有什麼心事？」湯姆問。

「啊，我——我不知道這件事怎麼樣才會結束。這已經害死一個人了。」

「唔——很遺憾，沒錯。我同意。但其實也跟你無關，不是嗎？既然你已經不再畫德瓦特了，新的貝納德・塔夫茲就可以重新開始——乾乾淨淨的。」

貝納德沒回答。

「你在巴黎的時候，打過電話給傑夫或艾德嗎？」

「沒有。」

湯姆可以毫無困難買到任何英國的報紙，貝納德或許也能輕易買到。貝納德的焦慮深藏在內心中。「如果你想要的話，可以從我家打電話給辛西雅。可以去我房間打。」

「我在巴黎打給她過。她不想見我。」

「啊。」這就麻煩了。湯姆猜想，這是壓垮他的最後一根稻草。「唔，你反正隨時可以寫信給她。這樣可能會更好。或者等你回倫敦去見她，殺到她門口去！」湯姆笑起來。

「她說不要。」

沉默。

辛西雅不想沾上這事情，湯姆猜想。她不是不相信貝納德打算停止偽造——只要貝納德宣布了，人人都會相信的——而是她受夠了。眼前，貝納德的傷心遠甚於湯姆所能理解。他們站在落地窗外的露台上。「我得進去了，貝納德。我快凍死了。進來吧。」湯姆打開門。

貝納德也進去了。

湯姆上樓去找赫綠思。他還是被凍得全身僵硬，或者是被嚇的。赫綠思在臥室裡，坐在床上，正在整理旅遊的照片和明信片。

「他什麼時候離開？」

「親愛的——是他在倫敦的女朋友。他從巴黎打電話給她，她不想見他。他很難過，我不能就這樣要求他離開。我不曉得他會做出什麼事來。親愛的，妳要不要去妳爸媽家玩兩天？」

「不要！」

「他想跟我單獨談話。我只希望他趕緊說出來。」

「你為什麼不能把他趕走？他又不是你的朋友。而且他瘋了！」

貝納德留下了。

前面門鈴響起時，他們還在吃晚餐。安奈特太太去應門，然後回來跟湯姆說：「是兩位警探，湯姆先生。他們想跟你談談。」

赫綠思不耐地嘆了口氣，扔下她的餐巾。她已經受不了坐在餐桌旁，這會兒她站起來。「又有人來打擾了！」她用法語說。

湯姆也站起身。

只有貝納德似乎不受干擾。

湯姆進了客廳。是星期一來過的那兩名法國警探。

「很抱歉打擾你，先生，」比較年長的那一名警察說。「不過你的電話不通。我們已經報修了。」

「是嗎？」電話有時會不通，事實上，大概每六個星期左右就會發生一次，但此時湯姆很好奇會不會是貝納德做了什麼奇怪的事情，比方把電話線剪掉。「我都不曉得，謝謝。」

「我們一直跟那位英國督察保持連絡。其實是他一直跟我們聯繫。」

赫綠思走進客廳，湯姆猜想，是出於好奇和憤怒。湯姆介紹了她，兩位警察也自我介紹。那位局長姓德羅內，另一個名字湯姆沒記住。

德羅內說，「現在不光是莫奇森先生失蹤了，連德瓦特都找不到人。那位英國的督察韋布斯特，他今天下午也試著打電話給你，他想知道你是否接到這兩個任何一位的消息？」

湯姆微笑，其實是有點被逗樂了。「我從沒見過德瓦特，他當然也不認識我，」湯姆說，此時貝納德走進客廳。「另外很遺憾，我也沒接到莫奇森先生的消息。我介紹一下，這位是我一位英國朋友貝納德・塔夫茲。貝納德，這兩位是法國警察。」

貝納德喃喃招呼了一下。

湯姆注意到，兩名警察對貝納德的名字都沒有反應。

「即使正在幫德瓦特開個人展覽的那兩個畫廊老闆，也都不知道德瓦特人在哪裡，」德羅內說。「真想不到，這事情。」

的確很奇怪，但湯姆完全幫不上忙。

「你會剛好認識那位美國人，莫奇森先生嗎？」德羅內問貝納德。

「不認識。」貝納德說。

「那您呢，夫人？」

「不認識。」赫綠思說。

湯姆解釋說他太太才剛從希臘回來，但他已經跟她說過莫奇森來訪後失蹤的事情。

那兩個警察看起來不曉得接下來該怎麼辦。德羅內說，「因為情況需要，雷普利先生，韋布斯特督察要求我們搜索您的房子。這是例行程序，你知道，不過是必要的。我們可能會查出什麼線索。當然，我指的是莫奇森先生的下落。我們得盡力協助我們的英國同業。」

「沒問題！現在你想從哪裡開始？」

現在外頭的天色已經頗暗了，但警察說他們現在就要開始搜索，然後明天上午繼續。兩個警察站在石頭露台上，湯姆覺得他們一臉渴望的表情，望著黑暗的院子和外頭的樹林。

他們在湯姆的指引下搜索屋內。首先是莫奇森的臥室，後來克里斯也住過的那間。安奈特太太已經倒空了垃圾桶。兩名警察搜過抽屜，裡頭全是空的，只有一個櫥子最底部的兩個抽屜裡放著床單和兩條毯子。房裡沒有莫奇森或克里斯的任何痕跡。他們接著去搜了赫綠思的房間（赫綠思待在樓下，湯姆知道她強忍著一肚子火）。然後是湯姆的畫室，甚至還拿走了他一把鋸子。屋子裡有個閣樓，裡頭的燈不亮，湯姆還去樓下拿了一個燈泡和一把手電筒。閣樓灰塵遍布，裡頭用布罩著幾張椅子，還有一個前任屋主留下的舊沙發，湯姆和赫綠思沒去動過。兩個警察也自己拿著手電筒檢查過桌椅背面。他們要找的東西絕對比線索要大。湯姆猜想，他們若是以為他會把屍體藏在沙發後面，那也太荒謬了。

然後是酒窖。湯姆同樣從容地帶他們去，站在那片污漬上，拿著手電筒照向各個角落，覺得光線很好。湯姆有點擔心莫奇森的血可能會流到酒桶後面。他沒有仔細檢查過那塊地方。不過如果有任何血，那兩個警察也沒看到，只是匆匆看了一眼地板而已。這不表示他們明天不會更徹底地搜索，湯姆心想。

他們說如果方便的話，明天上午八點他們會再來訪，希望不會太早。湯姆告訴他們八點很好。

「對不起。」湯姆關上前門後，對著赫綠思和貝納德說。湯姆感覺從頭到尾赫綠思和貝納德都沉默坐在那裡喝咖啡。

「他們為什麼想搜索這屋子？」赫綠思質問道。

「因為這個美國人失蹤了，一直沒找到，」湯姆說。「莫奇森先生。」

赫綠思站起來。「可以上樓跟你講一下話嗎，湯姆？」

湯姆向貝納德告退，跟著赫綠思上樓。

赫綠思走進她的臥室。「如果你不把這個瘋子趕走，我今天晚上就離開這棟房子！」

這是個兩難困境。他希望赫綠思留下，然而如果她留下，湯姆知道自己就沒地方安置貝納德。而且就像貝納德一樣，他無法想像赫綠思憤慨的雙眼瞪著他。「我再去試一次，看能不能請走他，」湯姆說。他吻了赫綠思的脖子，至少她沒拒絕。

湯姆回到樓下。「貝納德——赫綠思很不高興。你能不能今天晚上去巴黎過夜？我可以開車送你——去楓丹白露怎麼樣？那裡有兩家不錯的飯店。如果你想跟我談，我可以明天去楓丹白露——」

「不行。」

湯姆嘆了口氣。「那麼她今晚就會離開。我去跟她說吧。」湯姆又爬上樓梯，去告訴赫綠思。

「這怎麼回事，又是一個狄奇・葛林里？你沒辦法叫他滾出你的房子嗎？」

「我從來——狄奇當初沒待在我的房子裡。」湯姆停下來，啞口無言。赫綠思看起來氣得要命，甚至會自己去把貝納德攆走，但攆不走的，湯姆心想，因為貝納德固執得根本不顧一般慣例和禮貌了。

她從一個櫃子頂端拖下來一個小皮箱，開始打包。湯姆猜想，除非跟她說他覺得對貝納德有責任，但赫綠思會想知道為什麼。

「赫綠思，親愛的，我很抱歉。妳要自己開車，還是要我送妳到車站？」

「我自己開那輛愛快羅密歐到香堤邑。順便說一聲，電話一點問題都沒有。我剛剛才在我房間裡試過。」

「或許警方報修後，他們修好了。」

「我想或許他們是說謊。他們想出其不意突襲我們。」她正要把一件襯衫放進箱子內，半途停了下來。「你做了什麼，湯姆？你把這個莫奇森怎麼樣了嗎？」

「沒有！」湯姆說，嚇了一大跳。

「你知道，如果再碰到任何風波、任何醜聞，我爸是不可能忍受的。」

她剛剛提到了葛林里那件事。湯姆後來的確洗刷了名聲，但始終有人懷疑。拉丁民族很敢亂開玩笑，而奇怪的是，這些玩笑有時就會成為拉丁人的真理。湯姆可能殺了狄奇。而且儘管湯姆想隱瞞，但每個人都知道他從狄奇的死獲得一些錢。赫綠思知道他有一筆收入是從狄奇那邊繼承來的，赫綠思的父親也知道，他自己做生意的雙手也不是乾淨無瑕，但湯姆的手或許還沾了血。拉丁文諺語說，錢沒有氣味，但血……

「不會再有什麼醜聞的，」湯姆說。「但願妳知道，我正在盡力避免任何醜聞。這是我的目標。」

她關上皮箱。「我不曉得你在搞什麼鬼。」

湯姆拿起皮箱。然後又放下，他們擁抱。「我今天晚上想跟妳在一起。」

赫綠思也想跟他在一起，她不必說出口，雖然她表面上擺出「離我遠一點」的態度。現在她要走了。法國女人總是要離開一個房間、一棟房子，或者要求另外一個人換房間、去別的地方，只要能造成別人愈多不便，她們就愈高興，但無論有多麼不便，總比讓她們尖叫好。湯姆稱之為「法國式取代法則」。

「妳打電話回家過了嗎？」湯姆問。

「如果他們不在家，也會有傭人。」

開車過去要將近兩小時。「妳到了能不能打電話給我？」

「再見，貝納德！」赫綠思在前門喊。然後對跟著她走出門的湯姆說，「不要！」

湯姆難過地看著那輛愛快羅密歐的紅色尾燈在大門外左轉，然後消失不見。

貝納德坐在那邊抽菸。廚房傳來垃圾桶蓋子隱約的鏗鏘聲。湯姆從前廳小几拿了手電筒，進了備用廁所。他走下酒窖，檢查莫奇森躺過的那個酒桶後面。幸好沒有任何血跡。湯姆又上樓。

「你知道，貝納德，歡迎你今天晚上住這裡，但明天上午警察會來，搜查得更徹底。」他忽然想到，他們也要搜查樹林。「他們可能會問你問題，搞得你心煩。他們說早上八點要來，你要不要在這之前先離開呢？」

「可能吧，可能吧。」

現在已經快十點了。安奈特太太進來問他們還要不要咖啡。湯姆和貝納德都說不用了。

「赫綠思夫人出去了嗎？」安奈特太太問道。

「她決定去看她爸媽。」湯姆說。

「這麼晚了！啊，赫綠思夫人！」她把咖啡空杯之類的收拾走了。

湯姆感覺到她不喜歡貝納德，或者不信任他，就像赫綠思一樣。真可惜，湯姆心想，貝納德的真正性格沒有顯露出來，大部分人只看到他令人厭惡的表面。湯姆明白，赫綠思或安奈特太太都不可能喜歡他，因為她們對他的真性情一無所知，也不曉得他對德瓦特的貢獻——她們大概會認為那是「利用德瓦特」吧。最重要的是，赫綠思或安奈特太太儘管背景截然不同，卻都無法理解貝納德·塔夫茲從工人階級的家庭出身（根據傑夫和艾德的說法），憑藉著自己的一身才華，如今的成就堪稱是沾上了偉大的邊——儘管他在作品上簽的是另外一個人的名字。貝納德甚至不在乎其中的錢——這對安奈特太太和赫綠思也是難以理解的。安奈特太太很快離開客廳，而且還大著膽子表現出一副氣呼呼的模樣。

「有件事我想告訴你，」貝納德說。「德瓦特死後那一夜——他在希臘出事的二十四小時之後，我們就都聽說了他的死訊——我—我看到德瓦特站在我臥室裡。月光透進窗內。我記得，那天晚上我跟辛西雅取消約會，因為我想一個人靜一靜。我可以看到德瓦特在那兒，感覺到他的存在。他甚至在微笑。他說，『別擔心，貝納德。我走得不難過，一點痛苦都沒有。』你能想像德瓦特說這樣老套的話嗎？但我聽到他這麼說了。」

貝納德聽到的是他內耳傳來的聲音，湯姆尊重地聽著。

「我在床上坐起來，看著他或許有一分鐘吧。德瓦特有點像是在我房間裡面飄來飄去，就是我有時候畫畫和睡覺的那個房間。」

貝納德指的是畫他自己風格的作品，而非畫德瓦特的仿作。

貝納德繼續說，「他說，『繼續吧，貝納德，我並不遺憾。』我猜想他意思是他並不遺憾自殺。他的意思是要我繼續活下去。要我——」貝納德開始說話以後，首次看了湯姆一眼。「順其自然，繼續看能活多久。這種事情我們不太能控制的，不是嗎？命運會決定的。」

湯姆遲疑著。「德瓦特有幽默感。傑夫說他可能會很感激你把他的作品偽造得這麼成功。」

感謝老天，這話聽起來還不錯。

「在某種程度上。沒錯，偽造可能是個行內玩笑。德瓦特不會喜歡偽造的生意面。金錢很可能就像破產一樣，很容易害他自殺的。」

湯姆覺得貝納德的思緒又開始轉向了，變得混亂而敵意，衝著他來的敵意。他該採取行動，今夜就到此為止嗎？或者貝納德會認為這是個侮辱？「那些警察明天會很早到，我想我要睡覺了。」

貝納德身子前傾。「前幾天我說我失敗了，你不明白我的意思。在那個倫敦來的警探面前，我試著想跟他解釋德瓦特的為人。」

「因為你沒失敗。聽好，克里斯明白你的意思。而且我記得，韋布斯特說他的日記很感人。」

「韋布斯特還是認為有偽造的可能性，而且是德瓦特允許的。我根本沒法讓他明白德瓦特的人格。我已經盡力，但我失敗了。」

湯姆拼命想把貝納德瘋狂的思緒扯回來，他說，「韋布斯特在找莫奇森，這是他的任務。根本就不是德瓦特。我要上樓去了。」

湯姆回到房間，換上睡衣褲。他把窗子頂端開了條縫，上了床——今天晚上安奈特太太沒把暖氣關小——但他覺得緊張不安，想把門鎖上。這樣很蠢嗎？這樣明智嗎？感覺上好像太膽小了。他沒鎖上門。有一冊英國史學家崔衛連（G. M. Trevelyan）的《英國社會史》他原先讀到一半，正要拿起來看，又改拿起哈樂普法英字典。偽造（forge），古法文 forge 意思是工坊，faber 意思是工人。現代法文裡，forge 的意思只不過是金屬工坊。法文的偽造是 falsification 或 contrefaire。湯姆早就知道了。他闔上字典。

他躺了一個小時都睡不著。每隔幾分鐘，耳邊的心跳聲就愈來愈強，大得把他嚇一跳，而且他一直有種從高處掉下來的感覺。

湯姆看著手錶上發亮的指針，發現已經是半夜十二點半了。他該打電話給赫綠思嗎？他想打，但又不希望因為這麼晚打去，而引得她父親更反感。其他人真討厭。

然後湯姆發現有人朝他雙肩撲來，雙手圈住他的喉嚨。湯姆兩腳拼命踢著被單。他徒勞地用力扯著貝納德的雙臂，想拉開他掐住自己脖子的雙手，最後湯姆雙腳抵住貝納德的身體一蹬。那雙手放開他的脖子。貝納德往後重重摔在地板上，上氣不接下氣。湯姆打開床頭燈，差點把燈撞翻，結果倒是把一杯水撞落地，潑在藍色的東方地毯上。

貝納德痛苦地猛吸著氣。

湯姆也是，在某種意義上。

「老天，貝納德。」湯姆說。

貝納德沒回答，或是沒辦法。他坐在地板上，一手撐地，就像知名的古代雕像「垂死的高盧人」的姿勢。湯姆很好奇，等到他恢復力氣，會立刻又發動攻擊嗎？湯姆從床上起來，點了一根高盧牌香菸。

「真的，貝納德，這麼做真蠢！」湯姆爆笑出來，被香菸嗆得直咳。「你就算想逃，也一點機會都沒有！安奈特太太知道你住這裡，警方也知道。」湯姆看著貝納德站起來。這種事情可不常見，湯姆心想，一個差點死掉的被害人可以抽著菸，赤腳走來走去，朝一個才剛想殺死他的人微笑。「你不應該再試了。」湯姆知道自己的話很荒謬。貝納德才不在乎他自己會怎麼樣。「你沒有話要說嗎？」

「有，」貝納德說，「我厭惡你——因為這一切都是你的錯。我從一開始就不該答應的，沒錯。但都是你起的頭。」

湯姆知道，他是個神祕的起點，是邪惡的泉源。「我們都想結束這件事，不想再繼續了。」

「我結束了。辛西雅——」

湯姆吸著香菸。「你說過，有時你畫畫的時候，覺得自己像是德瓦特。想想你為他的名字做了多少事！因為他死的時候，一點都不有名。」

「整件事都走樣了，」貝納德的聲音彷彿末日審判或來自地獄。他走向房門出去了，臉上有種不尋常的堅決表情。

湯姆很納悶，他要去哪裡？貝納德還穿著一身外出的衣服，不過現在已經凌晨三點多了。他要在夜裡出去亂逛嗎？或者下樓去放火燒了這棟房子？

湯姆轉動他房門的鑰匙。如果貝納德回來，他就得敲門了，而當然湯姆會開門讓他進來，但有點警告總是比較好。

明天早上警察來的時候，貝納德會是個累贅。

16

十月二十六日星期六，上午九點十五分。湯姆站在落地窗前，朝樹林望去，警察正在那邊挖掘莫奇森的舊墳地。在湯姆身後，貝納德默默在客廳裡不停踱來踱去。湯姆手裡握著一封傑夫・康斯坦寄來的正式信函，代表巴克馬斯特畫廊詢問他是否知道湯瑪斯・莫奇森的下落，因為他們不知道。

這天早上有三名警探來，其中兩個湯姆沒見過，另一個是德羅內局長，湯姆認為他不會動手挖。「你知道樹林裡那個剛挖過的地方是怎麼回事嗎？」他們問過。湯姆說他完全不曉得，樹林不是他的。那個警察穿過草坪去跟他的同事講話。他們已經又搜過屋子一遍了。

湯姆也收到了一封克里斯・葛林里的信，但他還沒拆。

警方現在已經挖了大概有十分鐘了。

湯姆把傑夫的信更仔細看了一遍。傑夫寫這封信的態度，若不是認為湯姆的信會有別人看，就是在耍寶，不過湯姆相信是前者。

寄自：倫敦W1　龐德街巴克馬斯特畫廊

致：

湯姆．雷普利先生

維勒佩斯七十七號麗影

親愛的雷普利先生：

我們得知韋布斯特督察最近曾去拜訪您，詢問湯瑪斯．莫奇森先生的下落，他上星期三和您一起到法國。本信是要知會您，從十五日星期四莫奇森先生來過本畫廊後，我們就不曾再有他的消息。

我們知道莫奇森希望能在返回美國之前再與德瓦特見面。目前我們不知道德瓦特在英格蘭的哪裡，但我們希望他返回墨西哥前能和我們連絡。有可能德瓦特安排與莫奇森先生會面，但我們並不知情。［兩個鬼魂或許可以見面喝杯茶，湯姆心想。］

警方也詢問過我們有關德瓦特畫作《時鐘》遺失的事情。

如果您有任何資訊，請打對方付費電話給我們。

您誠摯的，傑夫．康斯坦

一九──年十月二十四日

湯姆轉身，這會兒精神振作起來了──至少眼前是如此，而且無論如何，貝納德的那張臭臉讓他覺得很厭煩。湯姆想說,「聽著,討厭鬼、笨蛋、操蛋,你他媽還賴在這裡幹嘛?」但湯姆知道貝納德在幹嘛,他在等待攻擊他的機會。所以湯姆眼前只能憋著氣,朝根本不看他的貝納德微笑,聽著幾隻藍山雀對著安奈特太太掛在一棵樹上的板油啁啾,聽著安奈特太太的收音機從廚房傳來的模糊聲音,同時他也聽到警探們鏟子發出的鏗鏘聲,從樹林裡遙遙傳來。

湯姆拿著傑夫的信,面無表情而冷靜地說:「唔,他們在那兒不會發現任何莫奇森的痕跡。」

「讓他們去打撈那條河吧。」貝納德說。

「你打算去跟他們這麼說嗎?」

「不。」

「總之,哪條河呢?連我都不記得了。」湯姆很確定貝納德也不記得。

湯姆等著警方從樹林裡回來,說他們什麼都沒找到。或者他們連說都懶得,或許他們什麼都不會說。或者他們可能走進樹林更深處搜索。這樣可能會耗掉一整天。天氣很好,對警察來說,這樣打發時間也不壞。中午就在村裡吃飯,或者去附近村子,或者更可能回附近的家裡吃,然後再回來樹林找。

湯姆拆開克里斯的信。

親愛的湯姆:

再次感謝在府上那幾天所度過的精緻生活。跟我現在所住的骯髒土磚屋真是明顯的對比，不過我還蠻喜歡這裡的。昨天晚上我有一樁奇遇。我在聖傑曼德佩區的一家咖啡店認識一個叫華樂希的女孩。我問她要不要到我旅館喝杯葡萄酒。（啊哈！）她答應了。我跟吉拉德住在一起，但他表現了有時會有的紳士風度，很機靈地消失了。華樂希比我晚幾分鐘上樓，這是她的主意，不過我覺得樓下的櫃台根本不會在乎。她問說她可不可以梳洗一下。我告訴她我房間沒有浴室，只有個洗手槽，所以我就說我離開房間，讓她在房裡梳洗。等我再度敲門時，她問旅館裡有沒有附浴缸的浴室。我說當然有，但我得去拿鑰匙。於是我就去拿了。好吧，她進了浴室至少十五分鐘，然後回來，又要我離開房間讓她梳洗。好吧，於是我照辦了，但這回我很納悶，她到底還能洗什麼。我在樓下的人行道上等。等我上樓，她不見了，房間是空的。我找過各條走廊，到處都找過。不見了，我心想，有個女孩把自己從我生命中洗掉了。或許我做錯了什麼事。下回會更好運的，克里斯！

接下來我可能會跟吉拉德一起去羅馬……

一九——年十月二十四日

湯姆看了窗外一眼。「不曉得他們什麼時候會結束？啊，他們回來了！瞧！揮著他們空蕩的鏟子。」

貝納德沒看。

湯姆舒服地在黃色沙發上坐下。

那些法國人敲著屋後的落地窗，湯姆示意他們進來，然後跳起來替他們打開。

「裡頭什麼都沒有，只有這個，」德羅內局長說，舉起一枚小硬幣。那是二十生丁的金色硬幣。「上頭的年代是一九六五。」他微笑。

湯姆也微笑。「真好玩，居然會找到這個。」

「這是我們今天挖到的寶藏。」德羅內說，把那枚硬幣放進口袋。「沒錯，那個洞最近才有人挖過。很奇怪。大小剛好可以放進一具屍體，可是裡面沒有屍體。你最近沒看到有人在那邊挖掘嗎？」

「真的沒看見。不過——從屋裡也看不到那個地方。被樹擋住了。」

湯姆去廚房要找安奈特太太，結果她不在裡頭。大概是出去買菜，這回會去得特別久，因為她會告訴三、四個熟人，有法國警察來到這棟大宅搜索，為了報上登過照片的那個莫奇森先生。

湯姆用托盤放了幾瓶冰啤酒和一瓶葡萄酒，拿到客廳去。那幾個法國警察在跟貝納德聊畫畫。

「誰會利用那片樹林呢？」德羅內問。

「喔，偶爾會有些農民進去吧，我想，」湯姆回答，「去撿柴火。我很少看到那條小路上有人。」

「最近有嗎？」

湯姆想了想。「不記得有。」

那三個警察要離開了。走前他們查清了幾件事：湯姆家的電話能通；他的女管家現在出門買菜（湯姆說，如果他們想找她談談的話，應該可以在村子裡找到她）；赫綠思到香堤邑的爸媽家去了。德羅內沒費事記她的地址。

「我想打開窗子。」他們離開後，湯姆說。他開了前門和後面的落地窗。

貝納德並不在意撲進室內的寒氣。

「我要去看看他們在那裡做了什麼。」湯姆說，穿過草坪走向樹林。讓執法人員離開他的屋子，真是鬆了口大氣！

他們已經把那個洞又填上了。比起旁邊有點高，紅褐色的泥土，不過收拾得相當乾淨。湯姆又走回屋子。老天，他心想，他還能承受多少討論、多少一再重複？或許有件事他該慶幸，那就是貝納德並不自憐，而是指控他。這至少有動力、積極，而且是明確的。

「好吧，」湯姆說，走進客廳。「他們收拾得很好。而且還賺了二十生丁。我們要不要離開——」

就在此時，安奈特太太從廚房開了門——湯姆聽到，但是沒看到——於是湯姆過去跟她說話。

「好了，安奈特太太，那些警察離開了。恐怕是沒找到什麼線索。」他不打算提起樹林裡的那塊墳地。

「好奇怪，對不對？」她講得很快，法國人說重要的事情時，往往講得又急又快，但湯姆覺得眼前這件事並不重要。「這裡真是個謎啊，對不對？」

「在奧利或巴黎是個謎。」湯姆回答。「這裡不是。」

「你和貝納德先生會留在家吃午餐嗎?」

「今天不了,」湯姆說。「我們應該會出去吃。至於今天晚上,妳不必麻煩了。如果赫綠思夫人打電話回來,麻煩告訴她我晚上會打給她好嗎?事實上——」湯姆猶豫著,「我下午五點前一定會回電話給她。無論如何,妳今天剩下的時間就休息吧?」

「我買了些肉排,如果需要可以做。沒錯,我跟伊芳太太約好了要——」

「這樣才對嘛!」湯姆打斷她。他轉向貝納德。「我們要不要出門了?」

但他們沒法馬上走。貝納德想回房做點事情,他說。接下來安奈特太太出門了,湯姆猜想她可能是跟維勒佩斯的一個朋友去吃午餐。湯姆最後終於去敲貝納德關上的房門。

貝納德正坐在他房裡的桌前寫東西。

湯姆說,「如果你想一個人離開——」

「事實上,我不想。」貝納德很快站起來。

湯姆一頭霧水。你到底要談什麼?湯姆想問他。你為什麼在這裡?但湯姆卻無法鼓起勇氣問出口。「我們下樓吧。」

貝納德跟著他走。

湯姆想打電話給赫綠思。現在是十二點半。湯姆可以在午餐前找到她,赫綠思一家通常是在下午一點吃午餐的。湯姆和貝納德走進客廳時,電話正在響。「或許是赫綠思。」湯姆說,拿起了電話。

「你是……嗚嗚……請別掛斷。倫敦打來的電話找你……」

然後傑夫在線上。「喂，湯姆。我在一家郵局打電話。你能不能再趕過來——有可能嗎？」

湯姆知道他的意思是要他過去假扮德瓦特。「貝納德在這裡。」

「我們也是這麼想。他還好吧？」

「他——別緊張。」湯姆說。貝納德正凝視著落地窗外，湯姆不認為貝納德會想聽，但湯姆不確定。「我現在沒辦法。」湯姆說。他們難道還是沒搞懂，是他殺了莫奇森嗎？

「能不能考慮一下——拜託？」

「可是我這邊也有些責任，你知道。發生了什麼事？」

「那個督察來過了。他想知道德瓦特人在哪裡，他想查看我們的帳簿。」傑夫吸了口大氣，他的聲音變得低沉，或許是無意間造成，為了想保密，但同時他的聲音充滿絕望，可能根本不在乎有人聽到或聽懂。「艾德和我——我們做了幾筆紀錄，最近的。我們跟那警探說，我們向來都安排得很不正式，反正那些畫從來沒有遺失過。我想他還算能接受。但他們對於德瓦特本人很好奇，如果你能再來假扮一次——」

「我不認為這麼做是聰明的。」湯姆打斷他。

「如果你可以出面確認我們的帳簿——」

去他的帳簿，湯姆心想。去他的收入。那莫奇森的謀殺案怎麼辦？這變成他一個人的責任了嗎？那貝納德和他的人生呢？在那奇異的一刻，湯姆根本沒思考，卻忽然領悟到貝納德會跑到某個地方自殺。而傑夫和艾德卻還在擔心他們的收入，擔心他們的聲譽，還擔心會去坐牢！「我這邊有一些責任。不可能去倫敦的。」傑夫失望地保持沉默，湯姆問道，「莫奇森太太會不會趕來？你曉得嗎？」

「完全沒聽說。」

「就讓德瓦特待在原來的地方，不管是哪裡。或許他有朋友有私人飛機，誰曉得呢？」湯姆笑了起來。

「順便問一聲，」傑夫說，稍微比較開朗些。「《時鐘》怎麼了？真的被偷了嗎？」

「是啊，真想不到，是吧？不曉得誰能享受那件寶貝？」

傑夫掛斷前的口氣還是很失望，因為湯姆不會去倫敦了。

「我們出去走走吧。」貝納德說。

要打電話給赫綠思還真困難，湯姆心想。湯姆正想要求給他十分鐘，好讓他上樓回房間打給她，然後又覺得最好順著貝納德的意思。「我去拿件外套。」

他們在村子裡散步。貝納德不想喝咖啡，也不想喝葡萄酒，或吃午餐。他們走在通往維勒佩斯外的兩條馬路之一，走了快一公里，然後又掉頭，有時讓到路邊讓大型農業卡車過去，或是佩爾什馬拉的馬車。貝納德談著梵谷和亞爾勒，貝納德去過亞爾勒兩次。

「……梵谷就像所有人一樣，能活多久是註定的，不可能再多。有人能想像莫札特活到八十歲嗎？我想再去薩爾斯堡。那裡有家老咖啡店，托馬塞利。咖啡棒極了……比方說，你能想像巴哈二十六歲就死掉嗎？這證明了一個人就是他的作品，不多也不少。我們談的從來就不是那個人，而是他的作品……」

看起來有下雨的危險。湯姆早就把外套的領子豎起來了。

「……德瓦特這一生活得很精彩，你知道。我去延長實在太荒謬了。但當然，我延長不了。這一切都可以修正的。」貝納德說得像個法官在宣判刑期，一個明智的刑期——以法官的看法而言。

湯姆插在口袋裡的兩手抽出來，呵了口氣，然後又插回口袋裡。

回到屋裡，湯姆泡了茶，拿出威士忌和白蘭地。酒可以讓貝納德冷靜下來，或是害他生氣而引發危機，那就會有事情發生了。

「我得打電話給我太太，」湯姆說。「你想要什麼就自己來吧。」湯姆跑上樓梯。即使赫綠思還在生氣，她的聲音也仍舊清醒而明智。

湯姆跟接線生說了香堤邑的電話號碼。雨開始下了，輕柔撲在窗玻璃上。現在還沒有風，湯姆嘆了口氣。

「喂，赫綠思！」她來接了電話。「是，我很好。我昨天夜裡想打給妳，但時間太晚了……我剛剛出去散步。（她試過打給他。）跟貝納德……沒錯，他還在這裡，不過我想他下午會離開，說不定晚上。妳什麼時候會回家？」

「等你擺脫那個瘋子！」

「赫綠思，我愛妳。我可能會去巴黎。跟貝納德，因為我想這樣他會比較願意離開。」

「你為什麼這麼緊張？發生了什麼事？」

「沒事！」

「等你到了巴黎，再告訴我好嗎？」

湯姆下樓，放了音樂來聽。他選了爵士樂。那是不好也不壞的爵士，他在一生的其他關鍵時刻注意到，爵士樂對他毫無影響。只有古典音樂有影響——它會撫慰你或讓你厭煩，會給你信心或奪走你的信心，因為古典音樂有秩序，你要嘛就接受這個秩序，否則就拒絕它。湯姆在他已經冷掉的茶裡放了一大堆糖，喝光了。貝納德好像已經兩天沒刮鬍子了。他是打算學德瓦特留起絡腮鬍嗎？

幾分鐘後，他們漫步走過後院的草坪。貝納德有一邊鞋帶鬆了，他穿的是沙漠靴，已經很舊了，鞋底和鞋幫的連接處就像剛出生小鳥的嘴喙般始終張著，看起來有種奇異的古老之感。貝納德到底要不要把他的鞋帶綁好？

「前兩天夜裡，」湯姆說。「我寫了一首五行打油詩。

曾有一對電腦配對伴侶

一個是空無，一個是中性

中性對空無說，

『我不應該如此無力，

但我們的後代還會更沒意義。』

麻煩出在，我寫得太乾淨了。不過或許最後一句你可以想出更好的。」湯姆想出了另一組不同的中段和末句，但是貝納德似乎根本沒在聽？

他們現在走上小路，正要進入樹林。雨已經停了，現在只有零星的雨點。「看那隻小青蛙！」湯姆說，彎腰撈起來，因為他差點踩上了，那隻小蛙不會比大拇指的指甲大。

湯姆的後腦挨了一記重擊，可能是貝納德的拳頭。湯姆聽到貝納德的聲音在說話，感覺到溼溼的青草，他的臉抵著一塊石頭，然後昏過去了——實際上是昏過去了，但他還感覺到頭側又挨了第二擊。這太過分了，湯姆心想。他想像自己兩隻空手愚蠢地摸索著地面，但他知道自己沒動。

然後他被翻滾著往前。一切都安靜無聲，只有他耳朵裡的耳鳴。湯姆試圖要移動，卻動不了。他是臉朝下還是朝上？他想著，在某種意義上，沒人看得到他在思考。他眨眨眼睛，覺得有砂礫。他開始明白，開始相信，有重量不斷壓在他的脊椎、他的雙腿上。不過耳邊除了耳鳴之外，又出現了鏟子插入土裡的窸窣聲。貝納德正在掩埋他。湯姆現在很確定自己的眼睛張開了。

這個洞有多深？這是莫奇森的墳墓，湯姆很確定。過了多久時間了？

老天，湯姆心想，他不能讓貝納德把他埋在數呎之下，否則他就出不去了。儘管還懷著些微的幽默感，但湯姆模糊地覺得，要安撫貝納德也該有個限度，這個限度就是他自己的命。聽著！好吧！——湯姆想像著，相信自己吼出了這些話，但其實沒有。

「……不是第一個。」貝納德說，聲音濁重，而且被湯姆身上包裹的泥土悶住了。

那是什麼意思？自己真聽見了嗎？湯姆可以稍稍轉動頭，明白了自己頭朝下。頭只能轉動一點點。

落下來的重量停止了。湯姆專心呼吸，一部分是透過嘴。他的嘴好乾，他啐掉一些泥沙。如果他不動，貝納德就會離開。現在湯姆夠清醒了，足以明白貝納德一定是趁他昏過去的時候，從工具小屋拿來了鏟子。湯姆覺得頸背有一股暖暖的細流，大概是血。

大概兩分鐘，或是五分鐘過去了，湯姆想爬起來，或至少是試圖如此，但貝納德會站在那邊監視嗎？

他什麼都聽不到，比方腳步聲。或許貝納德幾分鐘前就離開了。而且無論如何，如果貝納德看到他掙扎著爬出墳墓，會再度攻擊他嗎？這有點好笑。稍後——如果還有稍後的話——湯姆心想，他回想起來會大笑的。

湯姆決定冒險。他移動膝蓋，把雙手放在可以把自己撐起來的位置，結果發現自己毫無力氣。於是他開始用手指往上挖，像隻鼴鼠似的。他先把臉部前面清出一塊空間，然後往上想挖出一條通氣的管道，但沒有成功。泥土又溼又鬆，但是很黏。壓在他脊椎上的重量根本擺脫不掉。他開始用雙腳頂，同時雙手和雙臂往上探，像是在未乾的水泥裡游泳似的。湯姆樂觀地想，他上方的泥土不可能超過三呎深，或許連三呎都不到。要挖到三呎深得花很多時間，即使泥土這麼鬆軟，而且貝納德一定沒花多少時間挖掘。湯姆很確定自己上方的泥土很淺，如果貝納德就站在旁邊而沒反應，沒填入更多泥土或把他挖出來再重擊他的頭，那麼只要花點時間，他就可以使勁往上一頂，掙脫這個牢籠。湯姆用力撐舉起身子，爭取了更多呼吸的空間。他又吸了二十口墓穴般潮溼的空氣，然後再試一次。

兩分鐘後，他像個醉鬼般搖搖晃晃站在莫奇森的──現在是他的了──墓穴旁，渾身從頭到腳都是泥巴和土塊。

天色暗了。屋裡沒有燈光，湯姆腳步顛簸地走上小路。他不自覺地想到那個墓穴很顯眼，想著要把泥土填回去，不曉得貝納德用過的鏟子放在哪裡了，然後又想著管他去死。他還不斷在擦掉眼睛和耳朵裡的泥土呢。

或許他會發現貝納德坐在有點暗的客廳裡，如果是這樣，湯姆會說，「嗶！」貝納德開了一個很嚴重的玩笑。湯姆在露台上脫掉鞋子，留在原地。落地窗微開。「貝納德！」湯姆喊道。他實在無力再反抗另一次攻擊了。

沒有回應。

湯姆走進客廳，又轉身暈眩地走到外頭，把沾滿泥巴的外套和長褲脫下來，扔在地上。他只穿著短褲進門，打開了燈，上樓到他的浴室。他洗了個澡恢復精神，在脖子上圍了條毛巾。湯姆頭上的傷口還在流血，他只用毛巾碰了一次，好擦掉上頭的泥巴，然後就試圖忘掉，因為眼前沒人幫忙，他一個人也沒法處理那個傷口。他穿上睡袍，下樓到廚房，用火腿片做了個三明治，又倒了一杯牛奶，就在廚房的餐桌上吃掉。接著他把外套和長褲掛在自己的浴室裡。令人肅然起敬的安奈特太太看了會說，把泥巴刷掉，送去洗衣店，還好她今天不在家，不過她晚上十點會回來，湯姆心想，或者如果她去楓丹白露或梅朗看電影的話，那就是十一點半了，但他可說不準。現在差十分就八點了。

貝納德現在怎麼辦？湯姆很納悶，跑到巴黎去？不知怎地，湯姆無法想像貝納德回到倫敦，所以他排除了這個可能。不過貝納德眼前太瘋狂了，實在無法依照任何準則去預測。比方說，貝納德會通知傑夫和艾德，說他殺了湯姆・雷普利嗎？貝納德現在有可能公開宣布任何事。事實上，湯姆感覺到貝納德打算自殺，可能就像他也會感覺到謀殺的意圖一樣，因為說到底，自殺就是謀殺的一種形式。而為了讓貝納德去做他打算做的事情，湯姆知道，自己得繼續假裝死掉。

但令人心煩的是，還要顧慮安奈特太太、赫綠思、鄰居、警察的想法。他怎有辦法讓這些人全都相信他死了？

湯姆穿上牛仔褲，從備用廁所拿了提燈，回到小路上。現在確定了，鏟子就放在小路通往那個挖過多次的墓穴途中。湯姆拿起鏟子，把墓穴重新填好。來日這個地方將會長出一棵美麗的樹，湯姆心想，因為這塊泥土已經充分掘鬆了。湯姆甚至把原先蓋住莫奇森的一些枯枝散葉拖過來蓋住。

願你安息，湯姆・雷普利，他心想。

他可能需要另一本護照，而除了瑞夫斯・米諾，他還能找誰弄到呢？現在也該是拜託瑞夫斯幫個小忙的時候了。

湯姆用打字機寫了一封短簡給瑞夫斯，為了保險起見，裡面還放了兩張他的大頭照。湯姆已經決定要去巴黎，他可以在那邊躲幾個小時，好好思考。然後湯姆拿了他沾滿泥巴的鞋子和衣服，放進閣樓，安奈特太太大概不會去那兒。湯姆又換了衣服，開出車庫裡的雷諾旅行車，到梅朗車站。

十點四十五分時，他來到巴黎，把那封寄給瑞夫斯的短簡扔進里昂火車站的一個郵筒。然後他到麗池飯店，用丹尼爾・史蒂文斯的名字要了一個房間，跟櫃台說他身上沒帶護照，掰了一個美國護照號碼登記。地址：盧昂市多特卡威街十四號，據湯姆所知，這條街道並不存在。

17

湯姆從他飯店的房間打電話給赫綠思。她不在，女傭說她跟父母出去吃晚餐了。湯姆又請接線生幫他打去漢堡找瑞夫斯。這回二十分鐘就接通了，找到了瑞夫斯。

「你好，瑞夫斯。我是湯姆。我在巴黎。你一切都還好吧？……你能不能馬上替我弄本護照？我已經把照片寄給你了。」

瑞夫斯聽起來很慌張。老天，這個要求會不會太過分了？一本護照？沒錯，這種基本必備的小東西常有人搞丟，到處都有。湯姆禮貌地問瑞夫斯要多少錢。

瑞夫斯暫時還說不上來。

「帳單我來付就是了，」湯姆自信地說。「重點是馬上弄來給我。如果你星期一上午收到我的照片，能不能星期一晚上就弄好？……對，很急。比方說，你會不會有朋友星期一夜裡飛到巴黎？」如果沒有，就設法找一個，湯姆心想。

好，瑞夫斯說，有個朋友可以飛去巴黎。不能是運貨人（或貨主），湯姆堅持，因為他這回絕對不能去扒別人的口袋，或者偷開別人的行李箱。

「任何美國人的名字都行，」湯姆說。「最好是美國護照，英國的也可以。我現在住凡登廣場的麗池飯店……丹尼爾・史蒂文斯。」湯姆把麗池的電話告訴瑞夫斯，以方便連絡，又說屆時他會親自去奧利機場，跟瑞夫斯的信差碰面。

這時赫綠思已經回到香堤邑的家裡，湯姆跟她通了電話。「對，我在巴黎。妳今天晚上想過來嗎？」

赫綠思想，湯姆很開心。他想像再過大概一個小時，就可以跟赫綠思隔桌對坐，共飲香檳——如果她想喝香檳的話，通常她都會想的。

湯姆站在灰色的人行道上，看著眼前圓弧形的凡登廣場。圓圈讓他心煩。他該走哪個方向？往左到歌劇院，還是往右到希沃里街？湯姆比較喜歡以正方形或長方形思考。貝納德人在哪裡？你為什麼想要一本護照？他問自己，當成一張備用的王牌？讓自己更有自由行動的機會？我沒辦法畫得像德瓦特那樣——貝納德今天下午說。——我就是根本沒辦法畫了，就連為自己畫都很難。貝納德此刻正在巴黎的某個飯店，在浴缸裡割破自己的手腕嗎？或者正靠在塞納河上的某座橋，打算趁沒人注意的時候跳下去？

湯姆朝希沃里街直走。在這麼晚的時間，四下一片昏暗，商店的櫥窗都拉下鐵柵、拴上鎖鏈，以防有人來偷那些專賣觀光客的垃圾——印著「巴黎」字樣的絲巾，太貴的絲質領帶和襯衫。他考慮叫個計程車到第六區去，在聖傑曼德佩那種最怡人的氣氛中散步，然後去力普小店喝杯啤酒。但他不希望有碰上克里斯的機會。他走回飯店，打了個電話到傑夫的工作室。

接線生說，這通電話要四十五分鐘才能接通，線路很忙，但結果半個小時就接通了。

「喂？——巴黎？」傑夫的聲音像是溺水的海豚所發出的。

「我是湯姆，我在巴黎！你聽得見嗎？」

「很不清楚！」

還沒有不清楚到再讓湯姆試著接通第二次。他繼續：「我不曉得貝納德現在人在哪裡，你有沒有他的消息？」

「你為什麼去巴黎？」

以目前幾乎聽不見的狀況，要解釋也沒什麼用。湯姆設法問出傑夫和艾德都沒接到貝納德的消息。

然後傑夫說，「他們想找到德瓦特……」（喃喃用英語詛咒。）「老天，如果我根本聽不見你講什麼，我不相信中間的人能聽到什麼……」

「好吧！」湯姆回答。「把你的麻煩都告訴我吧。」

「莫奇森的太太可能……」

「什麼？」老天，電話這玩意兒真會逼得人發瘋。大家應該回到用紙和筆和郵船的時代。

「我一個字都聽不見！」

「我們賣掉了《浴缸》……他們問起……德瓦特！湯姆，如果你可以……」

電話突然斷線了。

湯姆把話筒重重摔回話座，又拿起來，準備要跟樓下的接線生發火。但他又放回去。不是接線生的錯。不是任何人的錯，找誰發脾氣也沒用。

好吧，莫奇森太太要趕來了，湯姆已經預料到這點。或許她知道那個淺紫色的理論。而《浴缸》賣掉了，賣給誰？另外，貝納德——在哪裡？雅典？他會步上德瓦特的後塵，在希臘的某個小島淹死嗎？湯姆想像自己去希臘。德瓦特死掉的那個小島叫什麼？伊卡利亞？在哪裡？明天找家旅行社問問。

湯姆坐在寫字檯前，匆忙寫了一封短信：

親愛的傑夫：

萬一你見到貝納德，請讓他以為我死了。貝納德認為他殺了我。我稍後會再解釋。這封信不要讓任何人看到，我寫這信只是以防萬一你見到貝納德，聽他說他殺了我——請假裝相信他，不要輕舉妄動。先設法拖住他，拜託。

祝　一切順利

湯姆

湯姆下樓，跟櫃台買了七十生丁的郵票，然後把信寄出。傑夫大概要到星期二才會收到。但這種事情他不敢打電報。或者他應該打？——我得躲著貝納德，甚至躲到地下去。不，這樣不夠清楚。他還在思索時，赫絲思進門了。湯姆很高興看到她帶著那個古馳的小旅行箱。

「晚安，史蒂文斯太太，」湯姆用法文說。「今天晚上妳是史蒂文斯太太。」湯姆本來想帶她去櫃台登記，然後又決定不必費事了，於是領著赫綠思轉向電梯。

有三個人看著他們。她真是他太太嗎？

「湯姆，你好蒼白！」

「我今天很忙。」

「啊，那是什麼——」

「噓——」她指的是他的後腦。沒有什麼能逃過赫綠思的眼睛。湯姆心想可以告訴她幾件事，但不能全講。墳墓的事情就太恐怖了。此外，那就讓貝納德變成了兇手，但他不是。電梯服務生堅持要替赫綠思提行李，湯姆賞了他小費。

「你的頭怎麼了？」

湯姆本來圍了一條墨綠與藍色交錯的圍巾，在脖子上圍得很高，蓋住流血的傷口。這會兒他摘下圍巾。「貝納德打了我。現在先別擔心，親愛的。脫掉鞋子，脫掉衣服，讓妳自己舒服點。要不要喝香檳？」

「當然要，有何不可？」

湯姆打電話要了一瓶香檳。他覺得頭暈，好像發燒一樣，但他知道那只是因為疲勞和失血。他檢查過屋裡有沒有血滴嗎？有，他記得臨出門前還上樓一趟，去看看各個地方有沒有血。

「貝納德人呢？」赫綠思脫掉鞋子，現在光著兩隻腳。

「我真的不知道。或許就在巴黎。」
「你們打架了？因為他不肯離開？」
「啊——打得不嚴重。他情緒正緊張。一點也不嚴重，真的。」
「那為什麼你跑來巴黎？他還在屋裡嗎？」
這倒是有可能，湯姆這會兒才想到，不過貝納德的東西都已經帶走了。湯姆去檢查過。而且貝納德進不去，除非打破後面的落地窗。「他不在屋裡了。」
「我要檢查一下你頭上的傷。進來浴室吧，那邊燈光比較亮。」
門上傳來敲擊聲。香檳送來得好快。那個灰髮肥胖的侍者笑咪咪打開軟木塞，然後把瓶子放進了冰桶。
「謝謝，先生。」那個侍者說，接過了湯姆的鈔票。
湯姆和赫綠思舉杯，赫綠思有點猶豫，然後喝了。她非得要檢查他的頭。湯姆屈服了。他脫掉襯衫，彎腰閉上眼睛，讓赫綠思在洗手台上用溼的小毛巾清洗他後腦的傷。他閉上耳朵，或者是試圖閉上，不去聽他預料之中的驚叫聲。
「傷口不大，否則血就會流個不停了。」湯姆說。可是清洗傷口時，血當然又開始流了。「我去拿另一條毛巾——找點東西來擦。」湯姆說，回到臥室，身子一軟倒在地板上。他沒昏迷，所以他又爬回浴室的瓷磚地板上。
赫綠思在說什麼膠帶。

湯姆暈過去一會兒，但他沒提。他爬到馬桶邊吐了一下，再用赫綠思的溼毛巾擦擦臉和額頭。然後過了兩分鐘，他站在洗手台前，啜著香檳，同時赫綠思用一條小手帕做成包紮的綁帶。

「妳為什麼要帶著膠帶？」湯姆問。

「用來黏我的指甲。」

怎麼黏？湯姆很納悶。他拿著膠帶讓她剪斷。「粉紅色的膠帶，」湯姆說。「這是種族歧視的標誌。美國的黑人力量應該要抗議並阻止。」

赫綠思聽不懂。湯姆是用英語講的。

「我明天再解釋吧——或許。」

然後他們上床睡覺，那個奢華的大床上有四個厚厚的枕頭，赫綠思還自願把她的睡衣褲墊在湯姆的頭底下，免得萬一他又流血。赫綠思沒穿衣服，她的皮膚光滑得難以置信，像磨光的大理石，只不過當然她是柔軟的，甚至還是溫暖的。這一夜不宜做愛，但湯姆覺得好幸福，而且毫不擔心明天——他這樣或許不聰明，但那一夜，他打算放縱自己一下。在黑暗中，他聽到赫綠思啜香檳時，杯中氣泡的嘶嘶聲，還有她把玻璃杯放在床頭几上的叮噹聲。然後他的臉頰抵著她的胸脯。赫綠思，妳是世上唯一會讓我只想到眼前的女人，湯姆想說，但他太累了，而且這句話大概也不重要。

到了早上，湯姆有很多事情要跟赫綠思解釋，而且他必須解釋得很小心。他說貝納德・塔夫茲因為他那位英國的女朋友而心亂，可能會自殺，所以湯姆想找到他。他可能在雅典，而既然因為莫奇森失蹤，警方就希望能掌握湯姆的去處，所以最好讓警方認為他在巴黎，或許讓他們以為他和朋友在一起。湯姆解釋說，他在等一本護照，最快也得星期一晚上才能拿到。湯姆和赫綠思在床上吃早餐。

「我不懂你為什麼要為這個瘋子費事，他還打了你。」

「朋友嘛，」湯姆說。「現在，親愛的，妳要不要回麗影，跟安奈特太太作伴？或者——我們可以打電話跟她講一聲，妳今天就可以陪著我了，」湯姆講得更開心。「不過我們今天最好換個飯店，只是為了安全起見。」

「啊，湯姆——」但赫綠思的口氣並不失望，湯姆知道。她喜歡做有點詭詐、保密的事情，雖然有時沒必要保密。她曾告訴湯姆一些她青春期跟女同學的密謀故事，也有男生加入，以逃避父母的監視，精彩程度不輸考克多的虛構創作。

「今天我們要換個名字。妳想姓什麼？一定要美國姓或英國姓，因為我的關係。妳只是我的法國太太，懂吧？」湯姆用英語說。

「嗯。葛雷斯東？」

湯姆笑了起來。

「葛雷斯東有什麼好笑的？」

赫綠思好恨英語，因為她認為裡頭充滿了她永遠搞不清的下流雙關語。「不，只不過這個人發明了一種行李箱。」

「他發明了行李箱！我才不相信！誰能發明行李箱？太簡單了！真的，湯姆！」

他們換到大使飯店，在第九區的奧斯曼大道上。保守而尊貴。湯姆用威廉・坦尼克與妻子蜜瑞兒的名字登記。湯姆又打了電話給瑞夫斯，常常替他接電話那個德國腔的男人接的，湯姆留了他的新名字、地址，還有電話 PRO72-21。

下午湯姆和赫綠思去看了場電影，六點回到飯店。還沒有瑞夫斯的留話。在湯姆的建議之下，赫綠思打回家給安奈特太太，然後湯姆也跟她講了話。

「對，我們在巴黎，」湯姆說。「很抱歉沒留字條給妳……或許赫綠思夫人明天夜裡晚些會回去，我不確定。」他把話筒又遞給赫綠思。

貝納德顯然一定沒回麗影，否則安奈特太太會提起的。

他們很早就上床睡覺。湯姆想勸赫綠思把後腦那些愚蠢的膠帶剪掉，但是沒成功，她還買了一些淡紫色的法國消毒水，沾在包紮的繃帶上。她在麗池已經把他的圍巾洗乾淨，到早上就乾了。快要午夜十二點時，電話響了。瑞夫斯說有個朋友星期一晚上會把他需要的東西帶過去，搭德國航空三一一號班機，夜裡十二點十五分抵達奧利機場。

「他的名字呢？」湯姆問。

「是一位女士。葛爾妲・史耐德。她知道你長什麼樣子。」

「好。」湯姆說，很滿意瑞夫斯其實還沒收到他的照片，就已經搞定了。然後湯姆掛了電話，問赫綠思：「明天晚上要跟我一起去奧利機場嗎？」

「我開車載你去。我想確定你平安無事。」

湯姆告訴她，家裡那輛旅行車還在梅朗火車站。或許她可以找他們家偶爾會雇用的園丁安德烈，跟她一起去把車開回來。

他們決定在大使飯店再住一晚，以防萬一星期一晚上該到的護照又有什麼變故。湯姆考慮過要搭星期二凌晨的夜班飛機到希臘，但護照還沒拿到手，暫時還無法決定。另外他還得熟悉護照上自己的簽名。他明白，這一切努力，都是為了救貝納德一命。湯姆真希望可以跟赫絲思談自己的想法和感覺，但他怕她無法明白。如果她知道偽造假畫的事情，能夠理解嗎？理智上有可能，只要他講得有道理。但赫絲思會說，「為什麼這一切都要由你來承擔？不能讓傑夫和艾德去找他們的朋友嗎？貝納德是他們的生財工具啊。」湯姆沒把這事情告訴她。最好還是單獨行動，就某種意義而言，就是去除不必要的牽絆。別想要找人傾訴感覺，即使是來自家人的柔情。

一切進行得很順利。湯姆和赫絲思在星期一半夜十二點到奧利機場，班機準時抵達，湯姆到樓上的出口等，葛爾妲・史耐德——或者是用這個名字的女人——過來跟他打招呼。

「湯姆・雷普利嗎？」她微笑著說。

「是的，史耐德小姐嗎？」

她年約三十，金髮，相當健美，一臉聰明相，而且沒化妝，好像她只是用冷水洗過臉，穿上衣服就出門了。「雷普利先生，很榮幸認識你，」她用英語說。「久仰大名了。」

湯姆被她的有禮和愉快的口吻逗得笑出聲來。他很驚訝瑞夫斯居然能叫得動這麼有趣的人替他做事。「我跟我太太來的，她在樓下。妳今天晚上要在巴黎過夜嗎？」

她說是。已經訂好房了，在蒙塔隆貝街的皇家橋飯店。湯姆把她介紹給赫綠思，然後去取車，赫綠思和史耐德小姐則在人行道上等，就離當初湯姆放下莫奇森行李箱的地方不遠。他們一路開到巴黎的皇家橋飯店，然後史耐德小姐說：「我該把東西交給你了。」

他們還在車裡。葛爾妲・史耐德打開她的大手提包，拿出一個厚厚的白色信封。

湯姆停下車，光線有點暗。他拿出那本綠色的美國護照，塞進外套口袋。護照外頭顯然包著好幾張白紙。「謝謝，」湯姆說。「我會再跟瑞夫斯連絡。他還好嗎？……」

幾分鐘之後，湯姆和赫綠思駛向大使飯店。

「以德國人來說，她算很漂亮了。」赫綠思說。

回到房間，湯姆檢查了護照一下。看起來很舊，而且為了不要顯得突兀，瑞夫斯也把他的照片磨舊了。名字是羅柏・費德勒・馬凱，三十一歲，生於猶他州鹽湖城，職業工程師，沒有撫養的家眷。簽名字跡高而修長，所有的字母都連在一起，這種字跡讓湯姆聯想到他認識的兩個美國人，很無趣。

「親愛的——赫綠思——現在我是羅柏了。」湯姆用法語說。「容我告退一下，我得去練習我的簽名了。」

赫綠思靠著衣櫃，望著他。

「啊，親愛的！別擔心！」湯姆手臂擁著她。「我們來喝點香檳吧！一切都很順利！」

到了星期二下午兩點，湯姆來到雅典——比他五、六年前來訪時更多汽車，也更乾淨。湯姆登記住進了大不列塔尼飯店，在面對著憲法廣場的房間裡稍事梳洗，然後出門逛了一圈，去其他幾家飯店詢問是否有一位客人貝納德・塔夫茲。貝納德不太可能住在大不列塔尼，湯姆心想，這是雅典最昂貴的飯店。湯姆甚至有六成的把握，確定貝納德不在雅典，但反正他得先到雅典，再設法去德瓦特的那個小島，或者去哪個小島；即使如此，湯姆還是覺得不去幾家飯店問一下，也未免太笨了。

湯姆的說法是，他和一位講好要碰面的朋友貝納德・塔夫茲失聯了。不，他自己的名字不重要，但如果有人問起，湯姆就說是羅柏・馬凱。

「那些小島現在情況怎麼樣？」湯姆在一個相當體面的旅館問起，他覺得這旅館的人可能懂一些觀光的事情。湯姆在這裡講法語，不過在其他旅館可以通一點英語。「尤其是伊卡利亞島。」

「伊卡利亞？」對方有點驚訝。

那個小島位於相當東邊，是多德卡尼斯群島最北端的島嶼之一。沒有機場。有船，但那個人不曉得多久有一班。

湯姆星期三到了那裡。他從密克諾斯島雇來一艘當地的快艇和船主。在湯姆短暫而片刻的樂觀之後，伊卡利亞島令人徹底失望。島上的小城阿門米斯提（或者類似的名字）看起來昏昏欲睡，湯姆沒看到任何西方人，只有一些漁夫在修補魚網，還有坐在小吃店裡的當地人。湯姆從小吃店開始詢問，看是否有人見過一個叫貝納德・塔夫茲的英國人，說他深色頭髮、瘦瘦的等等。

湯姆打了個電話到另一個聖基里克斯島的小鎮詢問。一名旅館主人幫他查了，說他會再去問另一家旅館，再回電給他。結果他沒回電。湯姆放棄了。這是大海撈針，湯姆心想。或許貝納德選了另一個小島。

不過，這個小島，因為曾是德瓦特自殺的地方，對湯姆仍有一種模糊而微弱的神祕感。在那些黃白色的沙灘上，菲力普・德瓦特曾走過其中一處，走向大海，再也沒有回來。湯姆不太相信有任何伊卡利亞的居民還會記得德瓦特這個名字，但他還是問了那個小吃店的老闆，結果沒成功。德瓦特當年來這裡還不到一個月，湯姆心想，而且那是六年前了。湯姆在一家小餐館吃了一盤番茄羊肉燉飯，恢復了精神，然後去另一家賣酒的餐廳，載他來的那個船主之前告訴過湯姆，說如果要找他的話，他會在那裡待到下午四點。

湯姆搭了船回到船主居住的密克諾斯島，他隨身帶了行李箱，覺得自己坐立不安、筋疲力盡，而且很挫敗。他決定今晚回到雅典。他坐在一家小吃店，沮喪地喝著一杯甜咖啡。然後湯姆回到碼頭找那個希臘船主，發現他回家吃過晚飯後，又回到船上了。

「今天晚上載我回雅典的派瑞厄斯港要多少錢？」湯姆問。湯姆身上還有一些美國的旅行支票。

那船主大驚小怪，列舉了一大堆困難，但有錢好辦事。途中湯姆睡了一下，就在小小船艙裡的木凳子上，身上綁著安全帶。到了清晨五點左右，他們到達派瑞厄斯港。那個叫安提奴的船長昏頭昏腦的，可能是因為開心或錢或累壞了，也可能是喝多了希臘茴香酒。安提奴說他派瑞厄斯港的朋友看到他一定會很高興。

凌晨的空氣冰冷刺骨。湯姆硬威脅一個計程車司機（動口不動手），載他到雅典的憲法廣場，答應要給他很多錢，來到了大不列塔尼飯店的門口。

湯姆要了一個房間，不是他原來住過那間。那個值夜班的服務生很老實地告訴他，那個房間還沒打掃完畢。湯姆把傑夫工作室的電話號碼寫在一張紙上，請那位服務生幫他接到倫敦。然後他上樓到房間，洗了個澡，從頭到尾都留意等著電話鈴聲。到了七點四十五分，電話接通了。

「我是湯姆，我在雅典。」湯姆說。他在床上都快睡著了。

「雅典？」

「有貝納德的消息嗎？」

「沒有，沒聽說。你去雅典做——」

「我要去倫敦了。我是說，今天晚上。準備好那些化裝用品，好嗎？」

18

星期四下午，湯姆在雅典一時衝動下買了件綠色雨衣，那是他自己絕對不會買的款式——也就是說，以湯姆・雷普利的身分，絕對不會碰它的。上頭有很多有蓋子的口袋和繫帶，有些上頭有兩個繫環，有些上頭有小釦子，彷彿這件雨衣是打算用來裝很多公文急件、軍用水壺、子彈、一套野營餐具、刺刀，外加警棍。這件雨衣的品味很差，湯姆覺得有助於他進入倫敦——以防萬一那個入境檢查員真記得湯瑪斯・雷普利長什麼樣子。湯姆也把頭髮的分邊從左邊改到右邊，儘管他的大頭照上看不出頭髮分邊。幸好他的旅行箱上頭沒有姓名縮寫。現在錢是個問題，因為湯姆只有旅行支票，上頭是他的本名，他不能像交給那位希臘船長那樣在倫敦使用，不過湯姆身上的希臘幣（用法郎跟赫絲思換來的）還夠他買張到倫敦的單程機票，而到了倫敦，就可以跟傑夫和艾德拿錢了。湯姆把皮夾裡的卡片和所有身分相關的東西都拿出來，塞在長褲後頭有釦子的口袋。但他其實不認為有人會來搜他的皮夾。

他順利通過倫敦希斯洛機場的入境檢查處。「你要在這裡待多久？」「我想頂多四天吧。」「來出差嗎？」「對。」「你會住在哪裡？」「倫敦人飯店——威貝克街。」

再一次，湯姆搭車到倫敦的巴士總站，然後找了個電話亭，打電話到傑夫的工作室，現在是晚上十點十五分。

「康斯坦先生在嗎？」湯姆問。「或者班伯瑞先生？」

「他們現在都不在。請問你是哪一位？」

「羅柏——羅柏・馬凱。」沒有反應，因為湯姆沒把新名字告訴過傑夫。湯姆知道傑夫和艾德一定會找個人留守在工作室，等著湯姆・雷普利，這個留守的人一定是同盟。「妳是辛西雅嗎？」

「是—是的。」那個相當高的嗓音說。

湯姆決定冒個險。「我是湯姆，」他說。「傑夫什麼時候會回來？」

「啊，湯姆！我本來不確定是你。他們應該再半個小時就回來了。你能不能過來這裡？」

湯姆叫了計程車，來到那個位於聖約翰森林區的工作室。

辛西雅・葛瑞諾開了門。「湯姆——哈囉。」

湯姆幾乎忘了她長什麼樣子了：中等身高，直直的褐髮及肩，灰色的眼睛相當大。眼前的她比他記得的要瘦。而且她現在快三十歲了。她似乎有點焦躁不安。

「你看到貝納德了嗎？」

「對，不過我不曉得他後來去哪兒了。」湯姆微笑。他猜想傑夫（和艾德）都遵照他的吩咐，沒告訴任何人有關貝納德企圖殺了他的事情。「他大概在巴黎吧。」

「請坐，湯姆！要不要喝杯酒？」

湯姆微笑，拿出他在雅典機場買的那袋東西，是白馬牌蘇格蘭威士忌。辛西雅相當友善——表面上。湯姆很高興。

「他們跟我說，每次展覽的時候，貝納德心情都會很煩。」辛西雅說，幫他倒了酒。「你可能也知道，我最近跟他很少見面。」

湯姆絕對不打算提起貝納德跟他說過辛西雅拒絕了他——不想見他。或許辛西雅不是真心的。湯姆沒法猜。「唔，」湯姆開心地說，「他說他不會再畫了——德瓦特的畫。我相信，這對他是好事。他說他痛恨畫那些。」

辛西雅把酒遞給湯姆。「這門生意太可怕了。太可怕了！」

的確是，湯姆知道。太可怕了。辛西雅的顫抖讓湯姆深有所感。謀殺、謊言、詐欺——的確是一門可怕的生意。「唔——很不幸還發展到這個地步，」湯姆說，「但是不會再有了。可以說，這將是德瓦特最後一次出現。除非傑夫和艾德決定——決定不要我再扮演下去了。我指的是，連這次都不必了。」

辛西雅似乎沒注意到他在說什麼。真奇怪，湯姆坐下了，但辛西雅緩緩走來走去，似乎聽著階梯上是否有傑夫和艾德的腳步聲。「那個姓莫奇森的人怎麼了？他太太好像明天會到，傑夫和艾德說的。」

「不曉得。我幫不了妳，」湯姆很冷靜地說。他可不能讓辛西雅的問題困擾他。他有事情要做。老天，莫奇森太太明天會到。

「莫奇森知道那些畫是偽造的。他的理由到底是什麼？」

「他的意見啊，」湯姆說，聳聳肩。「啊，他談到一幅畫的精神，其中的人格——我不太相信他能說服倫敦的專家。坦白說，現在誰曉得德瓦特和貝納德之間的差別？討厭的混蛋，這些人自封為藝術評論家。聽他們講話，就像看藝評文章一樣——什麼空間概念啦，造型價值啦，還有那些鬼扯。」湯姆笑了起來，他想炫耀，這回成功了。「莫奇森在我家看到我那兩幅德瓦特了，一幅是真跡，另一幅是貝納德的。當然了，我想勸阻他，而且容我這麼說，我想我辦到了。我不認為他去見那位泰德畫廊的專家時，會隱藏自己的失望。」

「可是他失蹤了，人跑到哪裡去了呢？」

湯姆猶豫著。「這是個謎。貝納德又跑到哪裡去了呢？我不曉得。莫奇森可能有他自己的一些想法。他失蹤可能有他自己的原因。或者就是他在奧利機場離奇地被人綁架了！」湯姆很緊張，他痛恨這個話題。

「事情並不單純。看起來莫奇森好像是因為知道偽造的事情，所以被除掉了還什麼的。」

「我就是想補救這點，然後下台一鞠躬。偽造的事情還沒有證實。啊，沒錯，辛西雅，這是個骯髒的遊戲，不過既然已經走到這一步，我們就得有始有終——多多少少吧。」

「貝納德說他想承認一切——去找警察。或許他會這麼做吧。」

這個可能性太恐怖了，湯姆想到不禁輕顫了一下，就像辛西雅剛剛那樣。他把酒一飲而盡。沒錯，如果明天他第二度扮演德瓦特之時，英國警察面帶微笑衝進來，那可真是個大災難了。

「我不認為貝納德會這麼做。」湯姆說，但他其實沒有把握。

辛西雅看著他。「你也試過想說服貝納德嗎？」

湯姆忽然被她的敵意刺痛了，湯姆知道，那股敵意已經持續多年了。因為這整個騙局當初就是他想出來的。「沒錯，我試過，」湯姆說，「原因有兩個。第一——這會毀了貝納德自己的事業，第二——」

「我想貝納德的事業已經完蛋了，如果你指的是畫家貝納德・塔夫茲這個人的繪畫事業。」

「第二，」湯姆盡可能溫和地說，「很不幸，貝納德不是唯一牽涉在內的人。如果他揭穿這件事，也會毀掉傑夫和艾德，還有那些製造美術用品的人，除非他們否認對造假的事情知情，但我不太相信能成功。還有義大利的那所美術學校——」

辛西雅緊張地嘆了口氣。她好像說不出話來，或許是不想再說了。她又繞著那個方形的工作室裡走來走去，看著傑夫靠在牆上一幅放大的袋鼠照片。「我已經兩年沒來這個房間。現在傑夫把這裡弄得更高級了。」

湯姆沒吭聲。讓他鬆了一口氣的是，他聽到了模糊的腳步聲，還有隱約的男子說話聲。有人敲門。「辛西雅？是我們！」艾德說。

辛西雅開了門。

「啊，湯姆！」艾德喊道，然後衝過來握住他的手。

傑夫提著一個黑色的小手提箱，湯姆知道裡頭放了化裝用品。

「又得去找我們蘇荷區的朋友借化裝用品了，」傑夫說。「你好嗎，湯姆？雅典怎麼樣？」

「沒希望，」湯姆說。「喝杯酒吧，兩位。希臘被那些軍閥搞得，你知道。再也聽不到布祖基琴了。喔，今天晚上不會要我露面吧。」傑夫正在打開手提箱。

「不必。我只是看看東西都齊了沒。你有貝納德的消息嗎？」

「大家都在問這個問題，」湯姆說。「沒有。」他不安地看了辛西雅一眼，她雙臂交抱，靠在工作室另一頭的一個櫥子上。她知道自己專程跑到希臘去找貝納德嗎？這件事有必要告訴她嗎？不。

「那莫奇森呢？」艾德回頭問。他正在倒酒。

「也沒消息，」湯姆說。「我聽說莫奇森太太明天要來？」

「有可能，」傑夫回答。「韋布斯特今天打電話來通知的。你知道，韋布斯特督察。」

辛西雅在屋裡，湯姆就是沒法開口講話。他沒吭聲。他希望說些輕鬆的話，比方，「誰買了《浴缸》？」但他連這樣都做不到。辛西雅很有敵意。她可能不會背叛他們，但她抱著反對的態度。

「順便講一聲，湯姆，」艾德說，端了杯酒給傑夫（辛西雅還在喝她原來那杯），「你今天晚上可以在這裡過夜，我們希望你就住這裡。」

「我很樂意。」湯姆說。

「至於明天上午的事情，傑夫和我打算十點半左右打電話給韋布斯特，如果找不到他，就留話，說你今天上午——就是指明天——到了倫敦，打了電話來給我們。說你一直跟朋友待在沙福克郡的伯里聖艾德蒙，諸如此類的，還說你不——呃——」

「你沒想到警方找你找得那麼認真，所以也沒通知他們你在哪裡，」傑夫接話，好像在背鵝媽媽的兒童故事似的。「事實上他們也沒到處動員人馬去找，只是問過我們兩次德瓦特在哪裡，我們說你大概是跟朋友去了鄉下。」

「沒問題。」湯姆說。

「我要走了。」辛西雅說。

「啊，辛西雅——不把酒喝完嗎？」傑夫問。

「不了。」她正要穿上大衣，艾德過去幫忙。「你知道，我其實只是想知道有沒有貝納德的消息。」

「謝了，辛西雅，幫我們守住這個堡壘。」傑夫說。

真是不幸的比喻，湯姆心想。他站起身。「如果我有他消息的話，一定會通知妳的，辛西雅。我很快就會回巴黎——說不定明天就走。」

辛西雅、傑夫和艾德在門口互相道別。然後傑夫和艾德回來。

「她真的還愛著貝納德嗎？」湯姆問。「我原先以為不是。貝納德說過——」

傑夫和艾德的臉上都有幾分痛苦的表情。

「貝納德說他上星期從巴黎打電話給她，她說她不想見他。或者貝納德講得太誇張了，不曉得。」

「我們也不曉得。」艾德說，把一頭直直的金髮往後拂，再去倒酒。

「辛西雅不是有個男朋友嗎？」湯姆說。

「喔，還是同一個。」艾德在廚房說，一副厭煩的口氣。

「叫史蒂芬什麼的，」傑夫說。「他沒燃起她的熱情。」

「他不是那種熱情如火型的！」艾德說，笑了起來。

「她的工作還是沒變，」傑夫繼續說。「薪水很高，而且她是那個大人物底下的第一紅人。」

「她安定下來了，」艾德插嘴。一副達成結論的口吻。「那現在貝納德人在哪裡？你說他應該以為你死了，那又是什麼意思？」

湯姆解釋了，很簡短。也講了他被活埋的事情，設法講得很好笑，聽得傑夫和艾德都被吸引住了，或許還有病態的著迷，同時又大笑。「只是在頭上輕輕敲一下。」湯姆說。他已經偷了赫綠思的剪刀，在前往雅典的飛機上就把後腦的膠帶剪掉了。

「讓我碰碰你！」艾德說，伸手抓住湯姆的肩膀。「傑夫，這個人從墓穴裡爬出來呢！」

「換了我們絕對辦不到，我就辦不到。」傑夫說。

湯姆脫下外套，在傑夫那張鏽紅色的沙發上坐得更舒服一點。「我想你們已經猜到了，」湯姆說，「莫奇森已經死了。」

「我們的確是這麼想，」傑夫嚴肅地說。「發生了什麼事？」

「我殺了他。在我家的酒窖裡——用一個葡萄酒瓶。」在這怪異的一刻，湯姆忽然想到自己應該送花給辛西雅。她如果不要，可以扔進垃圾桶或壁爐裡。湯姆很自責對辛西雅不夠殷勤。

傑夫和艾德震驚得好一會兒說不出話來。

「那屍體呢？」傑夫問。

「沉在一條河底。在我家附近，我想是盧萬河吧。」湯姆說。他該說出貝納德幫他的事嗎？不。何必呢？湯姆揉揉前額。他累了，一肘撐著垮下的身子。

「老天，」艾德說。「然後你把他的東西拿到奧利機場去？」

「沒錯，他的東西。」

「你不是有個管家嗎？」傑夫問。

「對，這一切我都得祕密進行。瞞著她，」湯姆說。「在凌晨時間，還有諸如此類的。」

「可是你提到樹林裡的那個墓穴——貝納德用過的。」艾德說。

「是的，我——我先把莫奇森埋在樹林裡，然後警方來調查，所以趁他們去樹林搜索之前，我想我應該把他——弄出樹林，於是我就——」湯姆比了個手勢，是個模糊的棄屍動作。不，最好別提貝納德幫過他。如果貝納德想要——他到底想做什麼？為自己贖罪？——那麼他共謀的部分愈少愈好。

「老天，」艾德說。「上帝啊。你有辦法面對他太太嗎？」

「噓——」傑夫趕緊說，緊張地擠出一個微笑。

「當然可以，」湯姆說。「我不得不殺他，因為莫奇森識破我了——事實上，就在酒窖裡。他看穿了是我在倫敦扮演德瓦特。所以我一定得擺脫他不可。你們明白嗎？」湯姆站起來走動，想設法擺脫一些睡意。

他們的確明白，而且非常佩服。同時，湯姆可以感覺到他們的腦袋在轉動：湯姆・雷普利以前殺過人。狄奇・葛林里，不是嗎？或許還有另外那個叫佛雷迪什麼的。當時只是有嫌疑，但難道真相不就是如此嗎？湯姆把這樁殺人看得有多嚴重？事實上，他希望德瓦特有限公司多感激他？感激、忠誠、金錢？這些不都歸結到同一回事嗎？湯姆夠樂觀，知道不要去想、不要去期望。湯姆本來對傑夫・康斯坦和艾德・班伯瑞期待更多的。畢竟，他們是偉大的德瓦特的朋友，甚至是他的摯友。德瓦特有多偉大？湯姆避開了這個問題。貝納德有多偉大？唔，以一個畫家而言，事實上非常偉大。想到了貝納德（為了顧及友誼，他這幾年都躲著傑夫和艾德），湯姆站得更直，然後說，「唔，兩位朋友，跟我簡報一下明天的狀況吧？還有誰會來？我承認我累了，很想早點上床睡覺。」

艾德站在那裡面對著他。「湯姆，關於莫奇森，有什麼對你不利的線索嗎？」

「據我所知是沒有，」湯姆微笑。「除了事實之外。」

「《時鐘》真的被偷了嗎？」

「那幅畫跟莫奇森的行李箱一起——不過另外包著——放在奧利機場。有人偷走了，就這麼簡單。」湯姆說。「不曉得現在掛在誰的家裡？不曉得拿走的人識不識貨？如果識貨的話，大概就不會掛出來。我們繼續簡報吧？能不能來點音樂？」

他們開了收音機，轉到盧森堡電台。為了加強效果，湯姆建議來個半正式彩排。黏在薄紗上的絡腮鬍還是原來的樣子，他們試了一下，但是沒黏上。貝納德沒把德瓦特的那套暗藍色舊西裝拿走，湯姆把外套拿來穿上。

「你們對莫奇森太太知道些什麼嗎？」湯姆問道。

他們其實不清楚，不過提供了一些點滴片段，因此據湯姆所推估的，她不好鬥也不膽小，不聰明也不笨。各種資訊彼此矛盾。她打過電話到巴克馬斯特畫廊，跟傑夫談了一些。

「她沒打給我，還真是奇蹟。」湯姆說。

「啊，我們說不知道你的電話號碼，」艾德說，「而且因為你住法國，我想她就比較猶豫了吧。」

「我可以從這裡打電話回我家嗎？」湯姆問，裝出德瓦特的聲音。「順便講一聲，我身上沒錢了。」

傑夫和艾德都熱心得不得了。他們手邊有一大堆現金。傑夫立刻請接線生打電話到麗影。湯姆想喝杯很濃的咖啡，艾德・班伯瑞趕緊去沖。湯姆沖了個澡，穿上睡衣褲，腳上穿了傑夫的室內拖鞋，感覺好多了。湯姆要睡在工作室的沙發上。

「希望我剛剛講清楚了，」湯姆說。「貝納德想放棄了。德瓦特要永遠退休，而且——或許在墨西哥會被螞蟻吃掉或被火燒死，往後再也不會有他的畫作了。」

傑夫點點頭，正要開始咬著指甲，然後手又放下。「你跟你太太怎麼說的？」

「沒說，」湯姆說。「沒講什麼重要的。」

電話響了。

傑夫叫艾德一起進他臥室。

「喂，親愛的，是我！」湯姆說。「不，我在倫敦……唔，我改變主意了……」

他什麼時候回家？……安奈特太太又犯牙痛了。

「叫她去看楓丹白露那個牙醫！」湯姆說。

在眼前的狀況下，沒想到一通電話能帶給他這麼大的安撫效果。湯姆簡直要愛上電話了。

19

「請問韋布斯特督察在嗎？」傑夫問道。「我是巴克馬斯特畫廊的傑夫・康斯坦……能不能麻煩你轉告督察，我今天上午接到德瓦特的電話，他今天會到畫廊來……我不確定到底幾點。十二點以前。」

現在是九點四十五分。

湯姆站在長鏡子前，檢查他的絡腮鬍和更濃的眉毛。傑夫打開工作室裡最亮的一盞燈，照著湯姆的雙眼，艾德打量他的臉。他頭髮的顏色比鬍子淺，但比他自己原來的髮色要深。艾德之前很小心地避開他後腦上的傷口，幸好沒有再流血。「傑夫老兄，」湯姆用德瓦特繃緊的聲音說。「能不能關掉那個音樂，找其他音樂來放？」

「你想聽什麼？」

「《仲夏夜之夢》。你有沒有唱片？」

「沒－沒有。」傑夫說。

「能不能弄一張來？我現在正想聽。這個音樂可以鼓舞我，我現在正需要鼓舞。」今天早上光是想像那個音樂，已經不太夠了。

傑夫不知道朋友間誰有這張唱片的。

「不能出去買一張嗎，傑夫？這裡和聖約翰森林路之間，難道沒有唱片行嗎？」

傑夫跑出去了。

「我想，你沒跟莫奇森太太講過話吧，」湯姆說，他暫時輕鬆下來，點了根高盧牌香菸。「我得買些英國香菸。我可不想冒險抽這些高盧牌。」

「這些你留著吧。如果抽完了，大家會請你抽的。」艾德迅速說，把一盒香菸塞進湯姆的口袋裡。「對，我沒跟莫奇森太太講過話。至少她沒派個美國偵探來。否則事情就真的很棘手了。」說不定她會帶著一個偵探飛過來，湯姆心想。他把手指上的兩枚戒指摘下。當然，那枚墨西哥戒指他沒帶在身上。湯姆拿起一枝原子筆，設法模仿傑夫桌上一個藍色橡皮擦上印的「德瓦特」粗黑簽名字樣。湯姆簽了三次，然後把那張紙揉掉，扔進垃圾桶。

傑夫回來了，跑得上氣不接下氣。

「開大聲一點，麻煩你。」湯姆說。

音樂開始了——很大聲。湯姆微笑。這是他的音樂。一種勇往直前的意念，而此時他正需要勇往直前。此時湯姆覺得容光煥發，站得更高了，這才想起德瓦特從來不會站直身子。「傑夫，可以再拜託一件事嗎？打電話到花店，請他們送些花給辛西雅。算我的帳。」

「算什麼帳？花——送給辛西雅。好。什麼花？」

「啊，劍蘭吧。如果沒有，那就送兩打玫瑰。」

「花，花，花店——」傑夫查著他的電話本。「說誰送的？署名就寫『湯姆』嗎？」

「愛妳的湯姆。」湯姆說，靜坐不動，好讓艾德用粉紅色唇膏塗抹他的上唇。德瓦特的上唇比較厚。

唱片的上半張還沒放完，他們就離開了傑夫的工作室。傑夫說放完了唱機會自動關掉。傑夫獨自上了第一輛計程車，湯姆覺得可以自己一個人搭車去，但他感覺艾德不想冒這個險，或者不想離開他。於是兩人坐上了同一輛車。在離龐德街一個街區的地方下車。

「如果有人跟我們說話，就說我要走到巴克馬斯特畫廊時剛好碰到你。」艾德說。

「別緊張，我們應該可以成功的。」

再一次，湯姆從畫廊後方那扇漆成紅色的門進入。辦公室是空的，只有傑夫在講電話。他示意他們坐下。

「麻煩你盡快接通好嗎？」傑夫說，然後掛斷電話。「我要打電話到法國知會一聲，梅朗那邊的警察。告訴他們德瓦特又出現了。之前他們打過電話來給我們，你知道——問起德瓦特的下落，我答應過，如果你和我們連絡，就會通知他們。」

「我懂了，」湯姆說。「我在想，你告訴過任何報社嗎？」

「沒有，我看不出有這個必要，你呢？」

「不，別管他們了。」

那個負責接待、老是樂呵呵的經理雷納頭探進門。「哈囉！可以進來嗎？」

「不—行！」傑夫用氣音說，是開玩笑的。

雷納進來後關上門，對著再度復活的德瓦特笑容滿面。「要不是親眼看到了，我真不相信自己的眼睛！今天上午會有誰來？」

「首先，是倫敦市警局的韋布斯特督察。」艾德說。

「我可以讓任何人——」

「不，不能隨便讓任何人進來，」傑夫說，「先敲門，我會來開門，今天我不鎖門。現在你快走吧！」

雷納出去了。

韋布斯特到達時，湯姆正坐在安樂椅中。韋布斯特笑得像隻快樂的兔子，露出有污漬的大門牙。「你好嗎，德瓦特先生？唔，沒想到能有榮幸認識你！」

「你好嗎，督察？」湯姆沒真的起身。別忘了，他告訴自己，你比湯姆・雷普利老一點、重一點、慢一點，而且更駝背一點。「很抱歉，」湯姆輕鬆地說，一副他其實不是很抱歉，也絕對沒有不安的口吻，「聽說你在找我。我跟一些朋友待在沙福克郡。」

「我也聽說了，」督察說，挑了離湯姆大約兩碼的一張直背椅坐下。

湯姆注意到，窗子上的百葉窗拉下四分之三，關緊了一些。光線剛好夠，甚至可以寫信都沒問題，但不會太亮。

「唔，我想，你的下落其實只是附帶的，我們主要想找的還是湯瑪斯・莫奇森，」韋布斯特微笑著說。「我的任務是要找到他。」

「我在報上看到消息了，傑夫也跟我提過，說他在法國失蹤了。」

「沒錯，而且有一幅你的油畫也跟著他一起不見了。《時鐘》。」

「沒錯。這大概不是第一幅被偷走的畫。」湯姆說得很有哲理。「聽說他太太要來倫敦？」

「沒錯。」韋布斯特看了一下手錶。「她預定上午十一點到。搭了一整夜飛機，我敢說她到了之後，會想先休息兩小時。你今天下午會在這裡嗎，德瓦特先生？能不能在這裡等她？」

湯姆知道，他禮貌上必須說可以。他說了，帶著一點隱隱的不情願，說當然可以。「大概什麼時間？我今天下午還有點雜務要辦。」

韋布斯特站起來，彷彿自己很忙。「三點半可以嗎？萬一要改時間的話，我會通知畫廊的。」

他轉向傑夫和艾德。「很謝謝你們通知我德瓦特先生的事情。再見了，兩位。」

「再見，督察。」傑夫幫他開了門。

艾德看著湯姆，露出滿意的笑容，但嘴唇沒張開。「今天下午要有精神一點。德瓦特會稍微——活潑一點。緊張的活潑。」

「我有我的理由。」湯姆說。他兩手指尖相觸，瞪著一片空無，像是神探福爾摩斯在沉思，或許是不自覺的動作，因為他正想到某個福爾摩斯的故事，很類似眼前的情境。湯姆希望自己的偽裝不要被輕易識破。無論如何，現在的狀況總比某些福爾摩斯的情節要強——比方某個貴族紳士忘了把鑽戒取下，或諸如此類的。

「你的理由是什麼？」傑夫問。

湯姆跳起來。「晚點再告訴你吧。現在我想喝杯蘇格蘭威士忌。」

他們在艾吉維爾路一家義大利餐廳「諾魯蓋」吃中飯。湯姆很餓，這家餐廳正合他的心意——安靜，看起來很舒適，而且義大利麵做得非常好。湯姆點了義大利麵疙瘩佐乳酪醬汁，非常美味，他們喝了兩瓶維迪齊歐義大利白葡萄酒，附近有一桌客人是皇家芭蕾舞團的名人，他們顯然認出德瓦特了，就像湯姆也認出他們一樣，不過他們都照英國的習慣禮貌，很快就沒再多看對方了。

「我想我下午最好是單獨到畫廊，而且走前門進去。」湯姆說。

餐後他們一起抽雪茄，喝了點白蘭地。湯姆感覺自己有能力面對一切，甚至是面對莫奇森太太。

「讓我在這裡下車吧，」湯姆在計程車上說。「我想走點路。」他用德瓦特的聲音說，整頓午餐他也都是這麼說話。「我知道有點遠，但這裡至少不像墨西哥有那麼多山丘。啊哈。」

牛津街看起來繁忙而迷人。湯姆想到他忘了問傑夫或艾德是否又編造了其他的油畫收據。或許韋布斯特不會再問起。或許莫奇森太太會。誰曉得？牛津街上的人群中，有幾個朝他多看了一眼，或許是認出他了——雖然湯姆其實不太相信——也說不定是被他的鬍子和他緊張的眼神吸引了。湯姆猜想自己的眼神很緊張，因為眉毛的關係，德瓦特總是微微蹙眉，不過艾德跟他保證過，這並不表示他脾氣很壞。

今天下午是不成即敗，湯姆心想。一定會成功的，非成功不可。湯姆開始想像如果今天下午失敗了，會有什麼後果，然後想到赫綠思和她的家人，就想不下去了。他現在的一切將會結束，麗影的美好生活將會告終，再也享受不到安奈特太太周到的服務了。簡單說，他會去坐牢，因為顯然他除掉了莫奇森。他不能想像去坐牢。

湯姆迎面看到那個胸前和背後都掛著證件快照廣告板的老頭。他好像瞎了似的，沒閃到一旁。湯姆讓了路，然後又跑到他面前。「你好？記得我嗎？」

「嗯？呃？」他雙唇間還是啣著一根沒點燃的香菸。

「這個給你，討個吉利吧。」湯姆說，把身上剩的那包菸塞進老人的花呢舊大衣口袋裡。然後湯姆匆匆繼續往前走，沒忘了要駝背。

湯姆悄悄走進巴克馬斯特畫廊，裡頭德瓦特的所有畫作，除了借展的之外，全都貼上了代表賣出的小紅星。雷納朝他微笑，點了個頭，近乎鞠躬。展場裡還有五個觀眾，一對年輕男女（那個女郎赤腳踩在米色地毯上），一位老先生，兩名男子。湯姆走向展場後方的那扇紅門時，他感覺到所有人的眼睛都轉過來看著他——直到他走進門內為止。

傑夫開了門。「德瓦特，哈囉。請進，這位是莫奇森太太，這位是菲力普・德瓦特。」

湯姆向坐在安樂椅的那位女士微微欠身。「妳好嗎，莫奇森太太？」湯姆也朝坐在一張直背椅上的韋布斯特督察點頭。

莫奇森太太年約五十，一頭削得短短的暗金色頭髮，明亮的藍色眼珠，嘴巴相當闊。湯姆心想，如果換了不同的狀況，這可能是一張歡樂的臉。她穿了一套剪裁精緻的花呢套裝，一條玉項鍊，一件淺綠色針織上衣。

傑夫在自己的辦公桌後，可是沒坐下。

「你在倫敦見過我先生。」莫奇森太太對著湯姆說。

「是的，見了幾分鐘。沒錯，或許十分鐘吧。」湯姆走向艾德示意的一張直背椅。他覺得莫奇森太太的眼睛看著他的鞋子，這雙快爛掉的鞋子的確是德瓦特的舊鞋。湯姆輕手輕腳地坐下，好像自己有風溼病，或更糟的什麼病。現在他離莫奇森太太大約五呎遠，而且她得把頭往右稍微轉動，才能看到他。

「他寫信跟我說，他要去法國拜訪一位雷普利先生。」莫奇森太太說。「他沒跟你約好之後要見面嗎？」

「沒有。」湯姆說。

「你認識雷普利先生嗎？我知道他有一些你的作品。」

「我聽過他的名字，但沒見過面。」湯姆說。

「我打算去見他。畢竟——我先生可能還在法國。我想知道的是，德瓦特先生，你想是不是有個偽造你畫作的集團——這些話真難啟齒。這些人可能認為有必要除掉我先生，免得他揭穿一件偽造的油畫？或者是好幾件？」

湯姆緩緩搖頭。「我不曉得有這種事。」

「可是你一直住在墨西哥。」

「我跟他們談過——」湯姆看了傑夫一眼，然後是靠在辦公桌旁的艾德。「這家畫廊沒聽說過任何偽造的集團或群體，也沒聽說過有任何偽造的油畫。我見過妳先生帶來的那幅畫，妳知道。《時鐘》。」

「那幅畫被偷了。」

「沒錯，我聽說了。但重點是，那幅畫是我的沒錯。」

「我先生打算拿去給雷普利先生看。」

「沒錯，」韋布斯特插嘴說。「雷普利先生跟我說過他們的談話——」

「我知道，我知道。我先生有一套理論。」莫奇森太太帶著一種驕傲或勇敢的神態說。「他可能錯了。但假設他是對的呢？」她等著回答，任何人都可以。

湯姆希望她不知道她先生的理論，或者即使知道了，也並不理解。

「他的理論是什麼，莫奇森太太？」韋布斯特一臉熱心的表情。

「有關德瓦特晚期油畫中的紫色——晚期的幾幅。他當然跟你討論過吧，德瓦特先生？」

「是的，」湯姆說。「他說我早期畫作中的紫色比較暗。那是有可能。」湯姆微微一笑。「我倒是沒注意，如果現在顏色比較淺，我想也不只一件。看看外頭的那件《浴缸》，就可以證明了。」湯姆沒細想，就提到《浴缸》這幅莫奇森曾認為跟《時鐘》一樣顯然是偽作的畫——兩幅畫中的紫色都是純鈷紫，都是多年前的舊技法。

大家都沒反應。

「順帶問一下，」湯姆對傑夫說，「你今天早上想打電話給法國警方，通知他們我回倫敦了。結果電話接通了嗎？」

傑夫說，「還沒。剛剛我問了喬治，還沒有接通。」

莫奇森太太說，「德瓦特先生，我先生去法國除了拜訪雷普利先生之外，有沒有提到過還要去見誰？」

湯姆思索著。要放假線索讓他們去白忙一場？或者是說實話。湯姆很坦白地說，「我不記得有。其實呢，他根本沒跟我提到過雷普利先生。」

「要不要喝杯茶，莫奇森太太？」艾德和氣地問道。

「啊，不必了，謝謝。」

「有人要喝茶嗎？或者來點雪莉酒？」艾德問。

沒有人想要，或者是不敢。

事實上，這好像是在暗示莫奇森太太該離開了。她想打電話給雷普利先生——她已經從韋布斯特督察那邊問到了電話號碼——約時間去見他。

傑夫非常冷靜地開了口，正是眼前湯姆需要的，他說：「莫奇森太太，妳要不要從這裡打過去給他？」指著他辦公桌上的電話。

「不了，很謝謝你，我回飯店打就行了。」

莫奇森太太離開時，湯姆站起來。

「你在倫敦住哪裡，德瓦特先生？」韋布斯特督察問。

「住在康斯坦先生的工作室。」

「可以請教你是怎麼到英格蘭的嗎？」一個大大的微笑。「出入境管理處那邊沒有你入境的紀錄。」

湯姆一副刻意模糊而思索的表情。「我現在有墨西哥護照了。」湯姆早料到了這個問題。「而且我在墨西哥用另一個名字。」

「你是搭飛機來的嗎？」

「搭船，」湯姆說。「我不喜歡飛機。」湯姆等著他會問是不是在南安普敦或哪裡登陸的，但韋布斯特只是說：「謝謝，德瓦特先生。再見。」

如果他去查的話，湯姆心想，他會發現什麼？十四天前有多少從墨西哥來的人進入倫敦？大概不會太多。

傑夫再度關上門。儘管訪客已經走遠而聽不到了，但三個人仍有好幾秒鐘保持沉默。傑夫和艾德都聽到他最後講的那句話。

「如果他想去查，」湯姆說，「我會再想辦法生出其他東西來。」

「什麼東西？」艾德問。

「啊——比方一本墨西哥護照。」湯姆回答。「不過我確定，我得趕緊飛回法國。」他用德瓦特的口吻說話，但聲音小得近乎耳語。

「今天晚上不行，你看呢？」艾德說。「當然不行。」

「今天晚上我不走。因為我說過會待在傑夫這兒，不是嗎？」

「老天，那就好。」傑夫說著鬆了一口氣，不過他還是用手帕擦擦頸背。

「我們成功了。」艾德說，假裝很鄭重，一隻手在臉前劃了半個十字。

「基督啊，真希望我們可以慶祝！」湯姆忽然說，「臉上有這個要命的鬍子，我要怎麼慶祝？害我今天中午就怕鬍子沾上乳酪醬汁，現在還得整晚戴著這鬍子！」

「還要戴著睡覺！」艾德嚷著，笑倒在地上。

「兩位——」湯姆把他拉起來，忽然又精神一垮。「我得冒個險，因為有必要，我要打電話給赫綠思。可以嗎，傑夫？我打直撥電話，不用接線生，希望這樣你的電話帳單看起來不會太明顯。」湯姆拿起電話。

傑夫泡了茶，又在托盤上放了一瓶威士忌。

接電話的是安奈特太太，這是湯姆不希望的。他裝出女人的聲音，又刻意把法語講得很爛，問雷普利太太在不在。「噓！」湯姆對大笑的傑夫和艾德說。「喂，赫綠思。」湯姆用法語說。「我得長話短說，親愛的。如果有人打電話找我，就說我跟朋友待在巴黎……我想會有一位女士打給妳，只會講英語，不曉得。妳要給她一個我在巴黎的假電話……隨便編一個……謝謝，親愛的……我想明天下午吧，不過可別告訴那位美國女士……也別告訴安奈特太太我在倫敦……」

湯姆掛上電話後，問傑夫能不能看一下他們編造的帳冊，傑夫拿出來給他。是兩本會計帳，一本有點舊，另外一本比較新。湯姆湊在上頭看了幾分鐘，閱讀油畫的畫名和日期。傑夫把那些帳寫得字大行稀，而且不單是以德瓦特畫作為主，因為巴克馬斯特畫廊也代理其他畫家。傑夫用不同的墨水、在不同的日期記下了一些畫名，因為德瓦特不見得會給他的畫作取標題。

「我喜歡有茶漬這一頁。」湯姆說。

傑夫滿面笑容。「艾德貢獻的。兩天前。」

「提到慶祝，」艾德說，兩手一拍，「今天晚上去麥可的派對怎麼樣？他說十點三十分。荷蘭公園路。」

「等一下再考慮吧。」傑夫說。

「進去二十分鐘？」艾德充滿希望地說道。

湯姆看到帳上把《浴缸》正確地列為較晚寄到的油畫，這大概是無法避免的。那些帳冊上主要記載了買主的姓名和地址、支付款項，湯姆猜想，這些購畫交易都是真的，畫送達的時間有時是假的，但整體而言，他覺得傑夫和艾德做得相當不錯。「那位督察看過這兩本帳冊了？」

「啊，沒錯。」傑夫說。

「他沒提出任何問題，對吧，傑夫？」艾德說。

「對。」

維拉克魯茲……維拉克魯茲……南安普敦……維拉克魯茲……

既然已經通過檢查，那就是過關了，湯姆心想。

他們向雷納說再見——反正現在也快到打烊時間了——然後搭計程車到傑夫的工作室。湯姆覺得他們兩個看他的眼光，好像他是某種魔幻人物：湯姆覺得好笑，不過並不喜歡這樣。他們可能把他想像成一個聖人，可以碰觸垂死的植物就使之復活，可以揮揮手就消除頭痛，可以行走在水上。但德瓦特無法行走在水上，也或許並不想。不過湯姆現在就是德瓦特。

「我想打電話給辛西雅。」湯姆說。

「她七點才下班。那個公司很可笑。」傑夫說。

湯姆先打電話到法國航空公司，訂了明天下午一點的機位。他可以在機場取機票。湯姆已經決定明天上午待在倫敦，免得萬一出現了什麼難題。這回可不能又搞得德瓦特像是盡快逃離現場的樣子。

湯姆喝了些加糖的紅茶，斜倚在傑夫的沙發上，現在他脫掉西裝外套和領帶了，但臉上還黏著那個討人厭的鬍子。「真希望我可以讓辛西雅重新接納貝納德。」湯姆沉思地說，好像他是上帝，正處在軟弱的時候。

「為什麼？」艾德問。

「我擔心貝納德可能會毀掉自己。真希望知道他人在哪裡。」

「你是說真的，他會自殺？」傑夫問。

「沒錯，」湯姆說。「我以為我告訴過你了。我沒跟辛西雅說。我覺得這樣不公平。那會像是勒索——逼著她重新接納他。我很確定貝納德不會想要這樣的。」

「你的意思是，怕他會在哪裡自殺？」傑夫問。

「對，我的意思就是這樣。」湯姆之前不打算提他家的那個芻像，但現在他想，有何不可？有時真相雖然危險，但也可以轉為某種優勢，用來揭露某些新的、其他的事物。「他在我的酒窖上吊——用了一個他的芻像。我應該說他是吊死了自己，因為他只是一堆衣服。他在上頭貼了標籤寫著『貝納德・塔夫茲』。你知道，指的是舊的那個貝納德，偽造畫作的。也或許是指真正的他。這些全在貝納德的腦袋搞得一團亂。」

「哇！他真的發瘋了，對吧？」艾德說，看著傑夫。

傑夫和艾德都睜大眼睛，傑夫還是那副略帶精明的模樣。他們到現在才明白貝納德・塔夫茲不會再畫任何德瓦特了嗎？

湯姆說，「我是在推測。事發之前沒必要慌張。不過你們要知道——」湯姆站起來。他正想說，重點是貝納德認為他殺了我。但湯姆又想，這真的很重要嗎？如果是，有多重要？湯姆想到，他很高興今天沒有記者出席，明天報紙上就不會有「德瓦特又出現了」的新聞，因為如果貝納德在報上看到了，他就知道湯姆不知怎地活著爬出那個墳墓了。在某種意義上，這樣可能對貝納德有好處，因為貝納德如果認為自己沒殺掉湯姆・雷普利，那麼可能就不會那麼想自殺。或者以貝納德目前混亂的思緒，湯姆死不死有關係嗎？什麼才是對的，什麼又才是錯的？

七點之後，湯姆打到貝斯瓦特區的一個號碼給辛西雅。「辛西雅——在我走之前，我想說

——萬一我再碰到貝納德，不管在什麼地方，我可不可以告訴他一件小事情，說——」
「說什麼？」辛西雅迅速問，一副很防備的口吻，或至少是自我保護的口吻。
「說妳同意再跟他見面。在倫敦。妳知道，如果我可以告訴他一些正面的話，那就太好了。他現在很沮喪。」
「但我看不出再跟他見面有什麼用。」辛西雅說。
從她的聲音裡，湯姆聽到了有如城堡或教堂般厚厚的防禦壁壘，中產階級。灰色和米黃色的石頭築成，難以攻陷。但行為舉止非常有禮。「在任何情況下，妳都不願意再跟他見面了？」
「恐怕是如此。我不要繼續拖拉下去，這樣事情比較簡單。對貝納德也會比較簡單。」
這是最終結論了。強忍著不要表露傷心。但也好小家子氣，要命的小家子氣。至少湯姆現在知道自己的處境了。一個女孩被忽略、趕走、驅逐、拋棄——三年前了。當初分手是貝納德提出的。最好還是讓貝納德自己去想辦法補救吧。「好吧，辛西雅。」
湯姆納悶，如果跟她說貝納德會為了她而再度上吊，對她的自尊會有什麼好處嗎？
傑夫和艾德在傑夫的臥室裡講話，完全沒聽到他和辛西雅的談話內容，但他們後來跟湯姆問起辛西雅怎麼說。
「她不想再跟貝納德見面了。」湯姆說。
傑夫和艾德似乎也沒料到會有這樣的結果。
湯姆最後說，「當然了，我自己說不定也一樣，再也見不到貝納德了。」

20

他們去參加了麥可的派對。不曉得麥可姓什麼。他們在午夜十二點左右到達。一半的客人都有點醉了，就湯姆來看，裡頭也沒有任何人看起來像個重要人士。湯姆坐在一張矮椅上，其實幾乎就在一盞燈下，拿著一杯蘇格蘭威士忌加水，跟幾個對他似乎有些敬畏、或至少很尊敬他的人聊天。傑夫在房間另一頭，始終留神注意他。

這個房間的室內一片粉紅色，充滿了大流蘇。椅子就像白色的杏仁蛋白餅。一個個年輕女郎穿著超短的裙子，短得湯姆的眼睛很不習慣，老是不自覺被吸引到各色緊身褲的精細接縫上——然後又趕緊掉轉目光。真蠢，湯姆心想。完全瘋了。或者他看這些的眼光就像德瓦特？有人會想像那些緊身褲底下彷彿可以觸摸到的肌膚，其實什麼也沒露出來，只有縫得很緊的接縫，有的底下還穿了褲襪？那些女郎彎腰點菸時秀出乳房，是故意要讓人看的嗎？湯姆的目光抬高一些，被一對褐框眼睛嚇一跳。眼睛底下一張沒有顏色的嘴說：

「德瓦特——能不能告訴我你住在墨西哥哪裡？我不要求你說實話，半真半假就行了。」

湯姆戴著平光眼鏡，一副沉思而迷惑的表情看著她，好像正努力思索她剛剛問的問題，但事實上他只是覺得無聊。湯姆心想，他更喜歡赫絲思的裙子，長度到膝蓋上方，完全不化妝，睫毛看起來不像是一叢小魚叉指著他。「啊，這個嘛，」湯姆說，假裝在思考。「杜蘭戈南邊。」

「杜蘭戈，這在哪裡？」

「墨西哥城的北邊。不，我當然沒法說出我住在哪個村子。那是個很長的阿茲特克名字。啊哈哈。」

「我們想找個沒受到破壞的地方。我和我先生柴克，我們有兩個小孩。」

「你們可以試試瓦亞塔港，」湯姆說，然後隔著一段距離的艾德・班伯瑞救了他，或至少是招手示意他過去。「失陪一下，」湯姆說，然後從那個白色的杏仁蛋白餅椅子上站起身。

艾德覺得該走了。湯姆也覺得。傑夫還在屋裡流暢地打轉，臉上帶著輕鬆的笑容，到處聊兩句。了不起，湯姆心想。不少年輕人和稍微年長的男子望著湯姆，或許不敢走近，也或許不想。

「可以閃人了嗎？」傑夫過來之後，湯姆問。

湯姆堅持要找到派對的主人，來了一個小時都一直沒見到。主人麥可穿著一件黑色的防寒厚夾克，帽兜垂在後頭。他不很高，黑髮剪成平頭，「德瓦特，今夜你是我項鍊上的寶石！我無法告訴你我有多開心又多感激……」

接下來的話淹沒在噪音中。

大家握手，最後終於門關上了。

「好吧，」傑夫回頭說，此時他們已經安全走下一層樓。接下來他用氣音說。「我們來參加這個派對的唯一原因，是因為這些人都不重要。」

「不過呢，他們畢竟也是人，」艾德說，「今夜又是另一個成功！」

湯姆由著他們說。的確，沒人扯下他的鬍子。

他們一起搭計程車，中途放艾德下車。

到了早上，湯姆在床上吃早餐，這是傑夫的主意，當成他必須戴著鬍子吃東西的小小安慰。然後傑夫出門到照相器材店拿些東西，說他十點半會回來——不過他當然不能陪湯姆到西肯辛頓巴士總站。後來他拖到十一點還沒回來。湯姆就進了浴室，開始小心翼翼拆掉假鬍子。

電話鈴響了。

湯姆第一個想法是不要接。但這樣看起來不是有點奇怪嗎？或許像在閃躲？

湯姆振作起來，準備去接韋布斯特打來的電話，他扮出德瓦特的聲音。「喂？」

「請問康斯坦先生在嗎？……您是德瓦特嗎？……喔，很好。我是韋布斯特督察。你有什麼計畫，德瓦特先生？」韋布斯特用他平常的愉快口氣問。

湯姆沒有計畫可以告訴韋布斯特警探。「喔——我打算這星期離開。回到那個鹽礦區。」湯姆低笑起來。「重拾我的寧靜生活。」

「能不能麻煩你——或許走前給我個電話，德瓦特先生？」韋布斯特說了自己的電話，還有分機號碼，湯姆記了下來。

傑夫回來了。湯姆已經收拾好行李箱提在手上，急著要走了。他們的道別很簡短，湯姆這邊甚至是有點敷衍，不過他們彼此知道，他們往後的禍福都得仰賴彼此了。

「再見。上帝保佑你。」

「再見。」

韋布斯特滾他去的吧。

不久之後，湯姆就置身於合成材質的機艙，繫著安全帶，看著滿臉微笑的空中小姐，填那些愚蠢的黃色和白色卡片，穿西裝的鄰座男子手肘湊得離他好近，湯姆不舒服地猛縮回手肘。他真希望自己訂了頭等艙。

他得跟誰交代他以湯姆・雷普利的身分待在巴黎的哪裡嗎？比方至少昨天晚上？湯姆有個朋友可以幫他擔保，但他不想扯進其他人，因為現在扯進來的人已經夠多了。

飛機起飛了，抬起機尾。真無聊，湯姆心想，一個小時就飛行幾百哩，飛機上的人沒聽到什麼，卻讓住在下頭的不幸居民忍受那些噪音。只有火車才能讓湯姆興奮。直達火車從巴黎飛馳往前，在平滑的鐵軌上經過梅朗的月台——火車開得好快，無法看到沿路經過的那些法文和義大利文。有回湯姆差點穿越一道禁止穿越的鐵軌。鐵軌是空的，車站也一片安靜。但湯姆還是決定不要冒險，十五秒鐘之後，兩班銘鋼車身的特快火車飛速交錯而過，湯姆想像自己被這兩班車輾碎，身體和行李箱在鐵軌兩側散落數碼，無法辨認。現在湯姆想到這件事，在噴射機上皺了一下臉。至少他很高興莫奇森太太沒在這班飛機上。他登機時還四下打量過一圈。

21

現在到了法國了，飛機降落，樹頂看起來開始像是繡帷上的墨綠和褐色小團，或者像湯姆家裡那件睡袍上的裝飾青蛙。湯姆穿著他好醜的新雨衣坐著。到了奧利機場，出境人員看了他一眼，又看了一下他那本馬凱護照上的照片，但什麼章都沒蓋——他之前離開奧利到倫敦也沒蓋章。好像只有倫敦的出入境才要蓋章。湯姆走過「無申報項目」的通道，跳上計程車回家。

下午快三點時，他抵達麗影。在計程車上，他已經把頭髮分邊梳回原狀，雨衣搭在手上。赫綠思在家。暖氣開著。家具和地板發出打過蠟的光芒。安奈特太太把他的行李提上樓。然後湯姆和赫綠思親吻。

「你去希臘做什麼，」她有點焦慮地問道。「然後又跑去倫敦？」

「去四處看看。」湯姆說，滿面微笑。

「去找那個瘋子。你看到他了嗎？你的頭怎麼樣了？」她扶著他的肩膀把他轉過去。

傷口幾乎不痛了。湯姆鬆了口氣，貝納德沒跑來，免得赫綠思擔心。「那位美國女士打過電話來嗎？」

「啊，打過了。莫奇森太太。她會講一點法語，不過講得很好笑。她今天早上從倫敦打來，說下午三點會到奧利機場，還說想見你。啊，該死，這些人是誰啊？」

湯姆看了一下手錶。莫奇森太太的飛機應該再十分鐘就會降落了。

「親愛的，要不要喝杯茶？」赫綠思帶著他走向黃色沙發。「你找到這個貝納德了嗎？」

「沒有。我想洗個手，先等一下。」湯姆走進樓下的洗手間，洗了手臉。他希望莫奇森太太不會想來麗影，希望她約在巴黎見面就好了，雖然湯姆實在很不想今天還要趕去巴黎。

安奈特太太下樓時，湯姆剛好走回客廳。「安奈特太太，妳的牙齒怎麼樣了？希望好些了吧？」

「是的，湯姆先生。我今天早上去看了楓丹白露的那位牙醫，他抽掉了神經。真的拿掉了。我星期一還得再去。」

「我們全都可以把神經抽掉了！全都抽光光！這樣就可以保證以後再也不會痛了！」湯姆幾乎不曉得自己在說些什麼。之前他該打電話給韋布斯特嗎？湯姆覺得今天離開倫敦之前，好像不打給他比較好，因為一打了，好像就顯得他太聽從警察的命令。湯姆的判斷是，無辜的人就不會打這個電話。

湯姆和赫綠思喝了茶。

「諾愛爾在問，我們星期二晚上要不要去參加派對，」赫綠思說，「星期二是她生日。」

諾愛爾・哈斯樂是赫綠思在巴黎最要好的朋友，她的派對總是很愉快。可是湯姆一直在想薩爾斯堡，想著要馬上趕去，因為他判定貝納德可能去了薩爾斯堡。那是另一個早死的藝術家莫札特的故鄉。「親愛的，妳去好了。我不確定我會在家。」

「為什麼？」

「因為——我可能馬上得趕去薩爾斯堡。」

「跑去奧地利？別又是要去找那個瘋子了！接下來你就要去中國了！」

湯姆緊張地看了電話一眼。莫奇森太太會打電話來。什麼時候？「妳是不是給了莫奇森太太一個巴黎的電話號碼，讓她可以打給我？」

「給了，」赫絲思說。「一個編出來的號碼。」她還在講法語，而且開始有點生他的氣。

湯姆想著自己敢跟赫絲思解釋多少？「妳告訴他我什麼時候會回家呢？」

「我說我不知道。」

電話鈴響了。如果是莫奇森太太，那就是從奧利機場打來的。

湯姆站起來。「重要的是，」他快速地用英文說，因為安奈特太太進來了，「我沒去倫敦。非常重要，親愛的。我只在巴黎。如果見到莫奇森太太的話，千萬別提倫敦。」

「她要來這裡嗎？」

「希望不會。」湯姆拿起電話。「喂……是的……您好，莫奇森太太。」她想來見他。「這樣很好，當然，不過如果我去巴黎，對您不是比較方便嗎？……是的，是有些距離，比奧利到巴黎要遠……」他沒交上好運。他本來可以故意把路線講得很複雜，好讓她打消念頭；但這個女人已經夠不幸了，他不想再增加她的不便。「那麼最簡單的方法就是搭計程車。」湯姆告訴她該怎麼走。

湯姆試著跟赫綠思解釋。莫奇森太太會在一個小時後抵達，想跟他談有關她先生的事情。安奈特太太已經離開客廳了，所以湯姆就可以跟赫綠思講法語，雖然安奈特太太想偷聽也聽得到。莫奇森太太打電話來之前，湯姆想過要告訴赫綠思自己去倫敦的原因，解釋自己曾兩度假扮已故的畫家德瓦特。但現在實在不是講這些的時候。只要他們先順利應付完莫奇森太太的來訪，湯姆只要求赫綠思做到這點。

「但她先生到底怎麼了？」赫綠思問。

「我不知道，親愛的。不過她來到法國，自然會想找——」湯姆不想說「最後一個見到她丈夫的人」。他又繼續，「她想看看這棟房子，因為她先生最後就是從這裡離開的。我從這裡載她先生到奧利機場。」

赫綠思站起來，身子不耐地扭動著。但她沒蠢到跟湯姆當場大鬧。她不打算失控或失去理智。晚些再來鬧也不遲。

「我知道妳打算說什麼，妳不希望她在這裡過夜。沒問題。我不會邀她留下來吃晚餐。我們可以說我們有約了，不過我得請她喝杯茶或喝杯酒。我估計——她待在這裡不會超過一小時，我們會非常有禮貌、非常得體地接待她。」

赫綠思平靜下來。

湯姆到樓上的臥房。安奈特太太已經幫他把行李箱的東西拿出來，收好了箱子，但有幾樣東西沒放在平常的位置，所以湯姆把東西擺回他習慣的地方。湯姆沖了個澡後，穿上灰色法蘭絨長褲、襯衫和毛衣，然後從衣櫥裡拿出花呢外套，以備莫奇森太太可能會想到後院走走。

莫奇森太太到了。

湯姆到前門迎接她，幫忙確認付給計程車司機的車資沒問題。莫奇森太太給了法郎，還給了太多小費，但湯姆也隨她了。

「這位是我太太，赫綠思。」湯姆說，「這位是莫奇森太太，從美國來的。」

「妳好嗎？」

「妳好嗎？」赫綠思說。

莫奇森太太同意喝杯茶。「請原諒我這麼匆忙就不請自來，」她對著湯姆和赫綠思說，「不過因為事情很重要——而且我希望能盡快見到你。」

他們現在都坐下了，莫奇森太太坐在黃色沙發，湯姆跟赫綠思都坐在直背椅上。赫綠思的神態絕佳，一副只是為了禮貌而現身，對眼前狀況不太感興趣的模樣。但湯姆知道，她其實很感興趣。

「我先生——」

「湯姆，他要我喊他湯姆，」湯姆說，露出微笑。他站起來。「他看了這兩幅畫。在我右邊的這幅《椅中男子》。還有妳後頭的那幅《紅色椅子》，是早期的作品。」湯姆勇敢地說著，不成功便成仁，管他什麼禮貌、道德、仁慈、真相、法律，或甚至是命運——意味著未來。他要嘛就現在一舉成功，否則就一敗塗地。如果莫奇森太太想參觀這房子一圈，湯姆甚至可以帶她到酒窖。湯姆等著莫奇森太太提問，或許會問起她丈夫認為這兩幅畫是不是真跡。

「你的畫是跟巴克馬斯特畫廊買的嗎？」莫奇森太太問。

「沒錯，兩幅都是。」湯姆看了赫綠思一眼，她正在抽一根平常不抽的「吉普賽女郎」牌的香菸。「我太太懂英語。」湯姆說。

「我先生來訪的時候，妳也在嗎？」

「不，我那時候在希臘，」赫綠思回答。「我沒見過妳先生。」

莫奇森太太站起來，看著那兩幅畫，湯姆又多開了兩盞燈，好讓她看得更清楚。

「我最喜歡《椅中男子》，」湯姆說。「所以才會掛在壁爐上方。」

莫奇森太太似乎也很喜歡這幅。

湯姆等著她開口，說起她先生認為德瓦特畫作被偽造的理論。但她沒有。她沒有批評兩幅畫中的淺紫色或紫色。莫奇森太太只問了韋布斯特督察問過的那些問題，她先生離開時是否覺得不適，他是不是跟誰有約。

「他當時好像精神不錯，」湯姆說，「沒提到任何約，這點我也告訴過韋布斯特督察。奇怪的是，妳先生的畫被偷了。當時他把畫帶去奧利機場，包得好好的。」

「是的，我知道。」莫奇森太太抽著她的切斯菲德牌香菸。「那幅畫一直沒找到。不過我先生或他的護照也沒找到。」他微笑。她有一張愉快而和善的臉，有點豐滿，也因此暫時防止了歲月造成的縐褶。

湯姆又幫她倒了一杯茶。莫奇森太太看著赫綠思。是在打量她嗎？好奇赫綠思對這一切怎麼想？好奇赫綠思知道多少？好奇到底有沒有什麼內情可以知道？或者如果湯姆有什麼罪的話，赫綠思會站在哪一邊？

「韋布斯特督察告訴過我，那位在義大利被殺害的狄奇・葛林里，是你的朋友。」莫奇森太太說。

「沒錯，」湯姆說。「他沒被殺害，是自殺的。我當時認識他大概五個月——或許六個月。」

「如果他不是自殺——我覺得韋布斯特督察好像不太相信他是自殺的——那麼會是誰殺了他？為什麼？」莫奇森太太問。「或者你對這事情有什麼想法嗎？」

湯姆已經站起來，兩腳穩穩踩在地上，啜著紅茶。「這事情我沒有什麼想法。狄奇・葛林里自殺了。我想他找不到未來的出路——他想當畫家，而且絕對不想接他父親的造船事業。狄奇有很多朋友，但都不是會害人的。」湯姆暫停一下，其他兩個人也都沒吭聲。「狄奇實在不可能有敵人。」湯姆補充。

「我先生也是——除非可能真有人在偽造德瓦特的作品。」

「這個嘛——我住在法國這裡，也不會知道。」

「可能有個集團，」她看著赫綠思。「希望妳明白我們在講什麼，雷普利太太。」

湯姆用法語對赫綠思說，「莫奇森太太很想知道，是不是有一幫不誠實的人——在偽造德瓦特的油畫。」

「我聽懂了。」赫綠思說。

赫綠思對狄奇的事情一直就半信半疑，湯姆知道。但湯姆也知道自己可以仰賴她。赫綠思自己對壞人也有點好奇。但無論如何，在一個陌生人面前，赫綠思對湯姆所說的話絕對不會表現出絲毫懷疑。

「妳要不要去樓上看看？」湯姆問莫奇森太太。「或者天黑前去看看院子？」

莫奇森太太說好。

她和湯姆上樓。莫奇森太太穿了一件淺灰色的羊毛料洋裝。她的體格健美——平常或許騎馬或打高爾夫——但不會有人說她胖。這類結實的體育健將型女人，大家絕對不會說她們胖，但要說她們是什麼呢？赫綠思婉拒和他們同行。湯姆帶著莫奇森太太到客房，敞開房門，開了燈。然後以一種隨意而輕鬆的態度，帶她看了樓上的其他房間，包括赫綠思的臥室，開了門，可是沒開燈，因為莫奇森太太似乎沒興趣看。

「我要謝謝你。」莫奇森太太說，他們下樓去。

湯姆替她覺得難過，也很遺憾自己殺了她先生。不過，他提醒自己，眼前可不是指責自己的時候：否則那他就跟貝納德沒有兩樣了——貝納德想坦白一切，不惜犧牲其他好幾個人。「妳在倫敦見到德瓦特了嗎？」

「見到了。」莫奇森太太說，又坐回沙發上，不過坐在相當邊緣。

「他是什麼樣的人？畫展開幕那天，我差點就見到他了。」

「啊，他有絡腮鬍——人很和氣，但是不健談。」她沒興趣多談德瓦特。「他倒是說過，他不認為有人在偽造他的作品——還說他也這麼告訴湯米的。」

「是啊，我想妳先生也提到過這個。那妳相信德瓦特的說法嗎？」

「應該吧。德瓦特好像很誠懇。我們還能怎麼說呢？」她在沙發上往後靠坐。

湯姆往前跨了一步。「還要喝點茶嗎？還是來杯蘇格蘭威士忌？」

「我想我要一杯蘇格蘭威士忌，謝謝。」

湯姆到廚房拿冰塊。赫絲思跟進來幫他。

「這事情跟狄奇有什麼關係？」赫絲思問道。

「沒有關係，」湯姆說。「如果有關的話，我早就告訴妳了。她知道我是狄奇的朋友。妳要不要喝點白葡萄酒？」

「好。」

他們拿了冰塊和玻璃杯。莫奇森太太想叫一輛計程車到梅朗。她為自己沒先預約好而道歉，但她不知道這回拜訪會要多久。

「如果妳要搭火車去巴黎的話，」湯姆說，「我可以開車載妳去梅朗。」

「不，我想去梅朗跟那邊的警察談談。我在奧利機場打過電話給他們了。」

「那我送妳過去好了，」湯姆說。「妳的法文怎麼樣？我的法文不完美，但是——」

「啊，我想我還應付得來。非常謝謝你。」她微微一笑。

湯姆猜想，她想私下跟警方談，不希望他在場。

「我先生來拜訪的時候，府上還有其他人嗎？」莫奇森太太問。

「只有我的管家安奈特太太。赫綠思，安奈特太太人呢？」

或許在她自己房裡，或許廚房裡臨時缺了什麼出去買，赫綠思說，湯姆去敲安奈特太太的房門。安奈特太太正在縫什麼東西，湯姆問她能不能來客廳，見一下莫奇森太太。

過了一會兒，安奈特太太進入客廳，一臉感興趣的表情，因為莫奇森太太就是那名失蹤男子的妻子。「我最後一次看到他，」安奈特太太說，「是吃午餐的時候，然後他就跟湯姆先生離開了。」

安奈特太太顯然忘了，湯姆心想，她其實沒親眼看到莫奇森先生走出屋子。

「還需要什麼嗎，湯姆先生？」安奈特太太問。

但他們什麼都不需要，莫奇森太太顯然沒有其他問題要問了。安奈特太太有點不情願地離開客廳。

「你想我先生發生了什麼事？」莫奇森太太問，看著赫綠思，然後眼神又轉回湯姆身上。

「如果要我猜，」湯姆說，「那就是有人知道他帶著一幅值錢的畫。當然了，不是頂值錢，但那是一幅德瓦特。我猜想他在倫敦跟一些人提到過。如果有人想綁架他，搶走那幅畫，他們可能一時失手殺了他。然後他們得把他的屍體藏起來。或者，他有可能還活著，被關在哪裡。」

「但聽起來，我丈夫認為《時鐘》是偽作的想法，似乎沒有錯。就像你剛剛說的，那幅畫不是頂值錢，可能因為尺寸並不大。但或許他們想讓他閉嘴，不要讓德瓦特有假畫的說法傳出去。」

「可是我不認為妳先生的那幅畫是假畫。而且他離開的時候，其實也半信半疑。我跟韋布斯特提到過，我不認為湯米還會想把《時鐘》拿給倫敦的專家看。我不記得問過他，但我有個感覺，他看過我的兩幅畫之後，有了新的想法。說不定是我誤會了。」

大家好一會兒都沒說話。莫奇森太太正在想著接下來該說什麼或問什麼。湯姆猜想，唯一重要的就是巴克馬斯特畫廊的那些人。但她怎麼好開口跟他打聽他們呢？

計程車來了。

「謝謝，雷普利先生，」莫奇森太太說。「還有夫人，等我事情處理完了，或許會再來拜訪兩位——」

「隨時歡迎。」湯姆說。他送她出去上了車。

湯姆回到客廳時，緩緩走到沙發前，跌坐在上頭。梅朗的警方沒有什麼新消息可以告訴莫奇森太太，否則他們早就告訴他了，湯姆心想。這兩天他不在，赫綠思說他們也沒打電話來過。如果警方發現了莫奇森的屍體在盧萬河或任何——

「親愛的，你好緊張，」赫綠思說。「喝杯酒吧。」

「好，」湯姆說，倒了一杯。湯姆在飛機上看過倫敦的報紙，都沒提到德瓦特再度出現的消息。英國人顯然認為這消息並不重要。湯姆很高興，因為不論貝納德人在哪裡，湯姆都不希望貝納德知道他已經設法爬出墳墓了。到底為什麼不希望貝納德知道，湯姆也說不清。但這跟湯姆所感覺到貝納德的未來命運有關。

「你知道，湯姆，貝特林夫婦希望我們今天晚上七點過去喝開胃酒。你去一下會有好處的。我跟他們說你晚上可能會在。」

貝特林夫婦住的小鎮離他們家七公里。「我可不可以——」電話鈴聲打斷了湯姆的話。他示意赫絲思去接。

「我可以說你在家嗎？」

他微笑，很高興她這麼關心。「可以。或許是諾愛爾打來，問她星期二該穿什麼衣服。」

「喂，是的，日安。」她朝湯姆微笑。「請稍等。」她把話筒遞給他。「一個英國人在講法語。」

「喂，湯姆，我是傑夫。你還好吧？」

「喔，好得很。」

但傑夫不太好，他又開始結巴了，聲音很小又講得很快。湯姆不得不請他大聲點。

「我說，韋布斯特又問起德瓦特了，問他在哪裡，是不是離開了。」

「那你怎麼跟他說？」

「我說我們不曉得他是不是離開了。」

「你可以告訴韋布斯特，說德瓦特似乎很沮喪，可能想一個人靜一靜。」

「我想韋布斯特可能想再去拜訪你一次。他趕過去巴黎跟莫奇森太太會合了，所以我才會打電話給你。」

湯姆嘆了口氣。「什麼時候？」

「可能是今天。我不曉得他到底打算做什麼……」

掛斷電話時，湯姆覺得震驚，同時又氣憤，或者是心煩。為什麼還要面對韋布斯特？湯姆寧可離開這棟房子。

「親愛的，怎麼了？」

「我不能去貝特林家了，」湯姆說，然後大笑起來。貝特林夫婦的問題是他最不必擔心的。「親愛的，我今天晚上得去巴黎，明天到薩爾斯堡。如果有飛機的話，說不定今天晚上就趕到薩爾斯堡。那位英國的韋布斯特今天夜裡可能會打電話來。妳務必說我有事去巴黎，去找我的會計師，或隨便說什麼都行。說妳不知道我住在哪裡。說應該是住飯店，但妳不知道是哪家。」

「但你在逃避什麼，湯姆？」

湯姆嘆了口氣。逃避？逃避什麼？或者是追逐什麼？「我不曉得。」他開始流汗了，他想再沖個澡，但又怕耽誤時間。「麻煩也告訴安奈特太太，我有事得趕去巴黎。」

湯姆上樓，從櫃子裡拿出行李箱。他又要穿上那件很醜的新雨衣，把頭髮換邊分，再度變成羅柏・馬凱了。赫綠思進房來幫忙。

「我想沖個澡，」湯姆說，同時就聽到赫絲思打開他浴室的蓮蓬頭。湯姆匆忙脫掉衣服，站到蓮蓬頭下，水溫不冷也不熱，剛剛好。

他真希望可以！「親愛的，問題出在護照。我不能以羅柏・馬凱的身分帶著雷普利太太進入法國或奧地利。馬凱，那隻豬！」湯姆淋浴完出來。

「我可以跟你去嗎？」

「那個英國督察要來，是為了莫奇森的事情嗎？你殺了他嗎，湯姆？」赫絲思看著他，蹙起眉頭，很焦慮，但湯姆看得出來，她一點也不歇斯底里。

湯姆當下明白，她知道狄奇的事。赫絲思從來沒有多說，但她知道。那倒不如索性把事情告訴她，湯姆心想，因為她可能幫得上忙，而且眼前情勢太危急了，如果他賭輸了，或是失了手，一切就都完了，包括他的婚姻。他忽然想到，他不能以湯姆・雷普利的身分到薩爾斯堡嗎？帶著赫絲思同行？儘管他很想，但他不曉得自己在薩爾斯堡必須做些什麼，也不曉得還會去什麼地方。無論如何，他兩本護照都得帶著，他自己的和馬凱的。

「湯姆，你殺了他嗎？就在這兒？」

「我不得不殺了他，為了救其他一堆人。」

「德瓦特那幫人嗎？為什麼？」她開始講法語。「那些人為什麼這麼重要？」

「因為德瓦特死了——好幾年前就死了，」湯姆說。「莫奇森打算要——揭穿這件事。」

「他早就死了？」

「沒錯，我在倫敦假扮過他兩次。」湯姆說。這話用法語說，聽起來好純真又好歡樂：他在倫敦「表演」過他兩次。「現在他們在找德瓦特——也許暫時還沒找得那麼急。但反正他們根本沒搞清狀況。」

「他的假畫不是你畫的吧？」

湯姆大笑。「赫綠思，妳太瞧得起我了。畫假畫的是那個瘋子貝納德。他想停止。啊，解釋起來太複雜了。」

「那你為什麼非得找到那個瘋子貝納德不可？啊，湯姆，別碰這些事情……」

湯姆沒聽她接下去講的話。他忽然明白自己一定得找到貝納德。他忽然預見到未來的遠景。湯姆拿起行李箱。「再見，我的天使。妳能不能載我到梅朗？要避開警察局，拜託？」

到了樓下，安奈特太太人在廚房裡，湯姆匆匆在前廳說了再見，轉開頭免得被她注意到他頭髮分邊換了。那件很醜、但或許能帶來幸運的雨衣則搭在手臂上。

湯姆答應赫綠思會保持連絡，但說會用別的名字打電報。他們在愛快羅密歐上吻別，然後湯姆離開赫綠思溫暖的懷抱，搭上往巴黎火車的頭等車廂。

到了巴黎，他發現沒有直飛薩爾斯堡的飛機，而且只有一班白天的航班，中間得在法蘭克福轉機。到法蘭克福的飛機是每天下午兩點四十分起飛。湯姆在里昂火車站附近一家旅館過夜，接近午夜十二點時，他冒險打電話給赫綠思。他一想到她孤單一個人在家就受不了，說不定還要面對韋布斯特，又不知道他人在哪兒。她之前說她不去貝特林家了。

「親愛的，喂。如果韋布斯特在那裡，就說我打錯電話，然後掛斷。」湯姆說。

「先生，我想你打錯了。」赫綠思的聲音說，電話掛斷了。

湯姆心往下一沉，雙膝發軟，往後坐在旅館的床上。他很自責打電話給她。最好是單獨行動，一向如此。韋布斯特一定明白是他打的，或者很疑心。

現在赫綠思會碰上什麼難關？他告訴她實情，到底是不是比較好呢？

22

湯姆上午去買了機票，下午兩點二十分趕到奧利機場。如果貝納德不在薩爾斯堡，那會在哪裡？羅馬？湯姆希望不會。在羅馬要找人太難了。在奧利機場，湯姆低著頭，不敢東張西望，因為韋布斯特可能從倫敦調人過來幫忙找他。要看這案子發展得有多嚴重，這點湯姆不會曉得。韋布斯特為什麼又要來找他？韋布斯特懷疑他假扮德瓦特嗎？若是如此，他第二次假扮時用另一本護照進出英國，就對他稍微比較有利了：至少第二度假扮期間，湯姆・雷普利並不在英國。

湯姆在法蘭克福機場轉機時等了一個小時，然後搭上了那架四引擎的奧地利航空班機，機身上漆了迷人的名字「約翰・史特勞斯」。到了薩爾斯堡機場，他開始覺得比較安全了。湯姆搭巴士到米拉貝爾廣場，因為他想住在金鹿飯店，覺得最好先打電話訂房，因為那是薩爾斯堡最好的飯店，常常客滿。結果訂到了一個附浴室的房間。湯姆用湯瑪斯・雷普利的名字登記，然後決定走路到飯店，因為距離不遠。他之前來過薩爾斯堡兩次，其中一次是跟赫綠思來的。走在行人道上，他碰到幾個男人身穿吊帶短褲、頭戴插羽毛的窄邊氈帽，全套當地的傳統服飾，及膝的長襪裡還塞了獵刀。湯姆還模糊記得，前兩次來旅行時，幾家很大的老飯店會在門口豎起大廣告板，列出他們的菜單：維也納炸小牛肉片全餐，每份二十五元三毛奧地利先令。

然後眼前是薩爾斯河和最主要的那座橋——是叫邦國橋嗎？——旁邊視野可及之處還有幾座比較小的橋。湯姆上了主橋。他四處張望，尋找貝納德憔悴且八成駝著背的身影。橋下的灰色流水很急，綠色河岸的大石頭上激起白色水沫。此時已是黃昏，剛過六點。過了橋就是舊城，此時可以看到各處陸續亮起燈；更高處，舊城防禦城堡所在的那座大山丘以及修道士山上，那一盞盞燈則彷彿星座一般。湯姆走入一條窄窄的短巷，前往熱鬧的穀物街。

湯姆的房間面對著飯店後方的席蒙得廣場：往右是「馬浴」噴泉，中央的飛馬雕像聳立在一小座岩石峭壁上；前方是一個裝飾華麗的水井。湯姆記得，早晨會有小販推著手推車來這裡販賣蔬菜和水果。湯姆花了幾分鐘稍微喘個氣，打開行李箱，穿著襪子走在房裡乾淨無瑕且擦得發亮的松木地板上。室內陳設主要是奧地利綠，牆壁是白色的，外窄內寬的斜面牆上裝了兩道玻璃窗。啊，奧地利！現在就下樓走幾步路，到托馬塞利咖啡店喝杯雙份濃縮咖啡。這個主意可能不壞，因為那是個很大的咖啡店，貝納德有可能在裡面。

但湯姆在托馬塞利咖啡店改喝了杯梅子白蘭地，因為這個時間不宜喝咖啡。貝納德沒在裡面。旋轉架上有好幾種語文的報紙，湯姆瀏覽了倫敦的《泰晤士報》和巴黎的《國際前鋒論壇報》，沒發現任何新聞是有關貝納德的（其實他並不期待《國際前鋒論壇報》上會報導），也沒有關於湯瑪斯・莫奇森或他太太來到倫敦或法國的報導。很好。

湯姆到處閒逛，再度走過邦國橋，來到主要大街林策街。現在已經過了晚上九點了。湯姆心想，如果貝納德在薩爾斯堡，應該會住在中等價位的旅館，而且比較可能是在薩爾斯河的這一岸而非對岸。另外，他應該來了兩、三天了。誰曉得？湯姆望著商店櫥窗，裡頭陳列著獵刀、大蒜擠壓器、電動刮鬍刀，還有充滿薩爾斯堡所屬蒂羅爾地區的傳統服飾——有縐褶邊的白色女性襯衫、農家少女裙裝。所有商店都打烊了。湯姆又試了幾條比較小的街道。有些不是街道，只是沒有燈光的窄巷，兩邊有一扇扇關著的門。快十點時，湯姆餓了，於是走進林策街前方右邊一家餐廳。吃完之後，他走另外一條路線到托馬塞利咖啡店，打算在裡面耗一個小時。他的飯店位於穀物街，莫札特出生的故居也在這條街上。如果貝納德在薩爾斯堡，或許常會到這一帶。湯姆告訴自己，就先給自己二十四小時找找看吧。

在托馬塞利咖啡店沒有交上好運。此時的顧客似乎都是常客，薩爾斯堡的當地人，一家人來這裡享受大塊蛋糕和濃縮咖啡加鮮奶油，或者大杯的粉紅色覆盆子果汁。湯姆不耐煩了，看報紙看得無聊，又因為沒看到貝納德而挫折，再加上疲倦造成的憤怒，於是就回自己飯店去了。

次日上午九點半，湯姆又出門來到薩爾斯堡的「右岸」，也就是比較新的城區，他曲折漫遊，留意著找貝納德，偶爾停下來看看商店櫥窗。然後湯姆開始回頭往河邊走，想著要去他飯店那條街拜訪莫札特博物館。湯姆經過三一街進入林策街，正朝邦國橋走去時，看到貝納德剛走下橋，正走在這條街的另一邊。

貝納德頭低低的，差點被一輛汽車撞上。湯姆回頭跟著他，被一個紅燈擋了好久，但是無所謂，因為他可以清楚看到貝納德，不會跟丟。貝納德的雨衣更髒了，繫帶少穿了一個繫環，都快垂到地上了。他看起來簡直像個遊民。湯姆過街，跟在他後頭約三十呎的地方，打算如果貝納德轉彎，就要加快腳步跟上去，因為這附近的小巷裡可能有幾家小旅館，他擔心貝納德轉彎後進入旅館，就此不見蹤影。

「你今天早上忙嗎？」一個女人的聲音用英語問道。

湯姆嚇了一跳，轉頭瞥見一張臉，是個金髮妓女，站在一戶門口。湯姆趕緊繼續往前走。老天，他穿著這件綠色雨衣，看起來有那麼慘、或那麼怪嗎？現在才上午十點啊！

貝納德繼續沿著林策街往前走。然後貝納德過街，往前走了半個街區，進了一道門，門上有個招牌：房間與旅舍。灰黃色的門口。湯姆停在對街的人行道上。這地方叫「藍色」什麼的。招牌磨損了。至少湯姆知道貝納德住哪裡了。他沒猜錯！貝納德的確在薩爾斯堡！湯姆很慶幸自己的直覺正確。或者貝納德才剛到，要進去訂房？

不，顯然他是住在這個藍色什麼的小旅舍，因為他接下來幾分鐘都沒再出現，而且剛剛他也沒帶著他那個旅行袋。湯姆慢慢等下去，枯燥極了，因為附近沒有咖啡店能讓他看到這個門口的。同時，湯姆又得保持隱密，免得萬一貝納德的窗子剛好面對著建築正面，可能會看到他。雖然像貝納德這副模樣的人不太可能訂到視野太好的房間。但湯姆還是躲著，一路等到快十一點。

然後貝納德出來了，現在刮過鬍子，出了門右轉，好像有特定的目的地。

湯姆小心跟在後頭，點了一根高盧牌香菸。他們又走過了邦國橋。經過昨天下午湯姆走過的那條街，然後貝納德在穀物街右轉。湯姆匆匆看到他輪廓鮮明而頗為俊美的側影，嘴巴緊抿著，橄欖色的臉頰凹陷成一片陰影，腳上還穿著那雙破爛的沙漠靴。貝納德走進莫札特博物館。門票是十二先令。湯姆豎起雨衣的衣領，走了進去。

上了二樓，先在樓梯口的一個房間買門票入場。這裡有一些展示的玻璃櫃，裡面陳列著手稿和歌劇節目單。湯姆望著主廳裡頭，沒看到貝納德，猜想他上三樓了，湯姆記得上頭是莫札特一家的故居，於是爬了樓梯上去。

貝納德正低頭看著莫札特的大鍵琴，琴鍵外頭罩了玻璃，以防有人會去按。湯姆很好奇，貝納德來看這個大鍵琴幾次了？

博物館裡只有五個或六個人在閒逛，至少這層樓是這樣，所以湯姆得小心。事實上，有一度他還躲在一扇門框後頭，免得貝納德往這個方向會看到他。湯姆心裡明白，其實他監視貝納德，是想搞清他的心理狀態如何。或者——湯姆想對自己誠實點——他只是好奇又覺得好玩，因為這一小段時間裡，他可以暗中觀察一個他不太了解的人陷入危機，而對方卻不知情？貝納德慢慢逛進了這層樓的客廳。

最後，湯姆跟著貝納德上了四樓，也是頂樓。又是一些展示的玻璃櫃。（放大鍵琴的練琴室一角標示說，當年莫札特的搖籃就放置在這裡，但卻沒有陳列搖籃。真可惜，他們應該至少放個複製品的。）樓梯一側有細長的鐵欄杆。窗子的某些邊角是傾斜的，而向來敬畏莫札特的湯姆很納悶，莫札特一家人望出去的景象是什麼樣子。當然不會是四呎之外另一棟建築的飛簷。屋裡陳列的那些縮小的舞台模型——永遠的《依多美尼歐》、《女人皆如此》——很乏味，而且製作得很粗，不過貝納德仍然逛過去，一一仔細看著。

貝納德突然朝湯姆的方向轉頭——湯姆就站在門口。他們四目交會。然後湯姆後退一步，往右移動，於是離開門口，進入另一個房間，是客廳。湯姆這才開始呼吸。那一瞬間真好笑，因為貝納德的臉——

湯姆不敢停下來再想，立刻走向樓梯。他覺得不舒服，雖然不嚴重，直到下樓來到繁忙的穀物街，置身於開放空間中，他才覺得好些。湯姆轉入那條往薩爾斯河的短短小街。貝納德會試著跟蹤他嗎？湯姆低著頭走得更快了。

貝納德剛剛的表情好像不敢置信，還掠過一剎那的恐懼，彷彿看到了鬼。

湯姆突然領悟到，貝納德的確認為他看到了鬼。被他殺掉的湯姆・雷普利的鬼魂。

湯姆忽然回頭又往莫札特故居走，因為他想到貝納德可能會想離開薩爾斯堡，湯姆希望知道他要去哪裡。如果他這會兒在人行道上碰到貝納德，該跟他打招呼嗎？湯姆在莫札特博物館對街等了幾分鐘，沒看到貝納德出現，便開始走向貝納德寄住的小旅舍。一路上都沒有貝納德的蹤影，快走到那家旅舍時，湯姆終於看到貝納德在對街，就是靠旅舍那一邊的林策街上，走得相當快。貝納德走進他住的旅舍。湯姆在外頭等，過了將近半個小時，判定貝納德暫時不會出來了。或許湯姆願意冒著貝納德離去的危險，他自己也不知道。他很想喝杯咖啡，便走進一家有附設咖啡店的旅館。他同時也做了個決定，等離開咖啡店時，他便直奔貝納德住的旅舍，打算請櫃台告訴塔夫茲先生，說湯姆・雷普利在樓下想找他談談。

但湯姆無法走進那個灰黃的簡樸門口。他一腳都踏上門階了，卻一時之間覺得暈眩，又退回人行道。他告訴自己，這只是因為一時猶豫不決罷了，沒別的。但湯姆還是回到河對岸自己的飯店。他走進金鹿飯店舒適的大廳，身穿灰金二色制服的服務生立刻把鑰匙遞給他。湯姆搭了沒人服務的電梯到三樓，進了自己的房間。他脫掉那件可怕的雨衣，把口袋裡的東西全拿出來——香菸、火柴、奧地利和法國的硬幣。他把兩種硬幣分開，把法郎扔進行李箱頂端的一個口袋。然後他脫掉衣服上床睡覺。之前他一直沒發現自己這麼累。

醒來時，已經過了下午兩點了，陽光燦亮。湯姆出門散步。他沒找貝納德，而是像一般觀光客那樣在城裡閒逛，或者其實也不太像個觀光客，因為他沒有目標。貝納德在這裡做什麼？他打算待多久？現在湯姆感覺很清醒了，但不知道自己該怎麼做。去找貝納德，設法跟他說辛西雅想見他？他應該去跟貝納德談，設法說服他嗎——說服什麼？

下午四點和五點之間，湯姆陷入沮喪。他在某個地方喝了咖啡和一杯德國琴酒，然後往薩爾斯河上游走，已經遠離舊城的防禦城堡了，不過還是在老城區的河岸。他一路想著，自從德瓦特騙局之後，幾年來傑夫、艾德的種種改變，現在則是貝納德。而且辛西雅也被害得很不快樂，她的人生方向因為德瓦特有限公司而改變——湯姆覺得這似乎比其他三個男人的人生更重要。要不是因為德瓦特騙局，辛西雅現在已經嫁給貝納德，可能已經有兩個小孩了。儘管貝納德也同樣牽涉在另一個版本的人生中，但湯姆就是認為辛西雅的人生比貝納德的更重要，原因湯姆也說不上來。只有傑夫和艾德一臉好氣色，過得很富裕，從外表看，他們的人生變好了。貝納德才三十三或三十四歲，看起來卻被榨乾了。

湯姆本來打算在他飯店的餐廳裡面吃晚餐的，那裡也是薩爾斯堡最好的餐廳之一，但他發現自己沒心情在那麼精緻的地方吃好菜，於是就在穀物街上閒逛，經過養老院廣場（湯姆看到了路牌的標示），穿過狹窄得只能單向行車的格施塔騰托城門——薩爾斯堡位於不遠處朦朧可見的修道士山腳下，而格施塔騰托就是原始老城門之一。過了城門後的街道幾乎同樣狹窄，而且很暗。附近應該有餐廳，湯姆心想。他看到兩家餐廳外頭的菜單幾乎一模一樣：二十六奧地利先令的套餐，包括本日例湯、維也納炸小牛肉片佐馬鈴薯、生菜沙拉、甜點。湯姆進了第二家，這家門口有個小燈籠形的招牌，叫「愛格勒餐館」什麼的。

兩個穿著紅色制服的黑人女侍跟男性顧客坐在同一桌。餐廳裡有點唱機播放著音樂，燈光黯淡。這是妓院、尋歡的夜店，或只是個廉價的餐館而已？湯姆只朝裡走了一步，就看到貝納德獨自坐在一個卡座裡，低頭喝著他那碗湯。湯姆猶豫了。

貝納德抬起頭看到他。

湯姆看起來就像他自己，穿著花呢外套，脖子上有圍巾禦寒——就是赫綠思在巴黎的飯店內洗掉血跡的那條。湯姆正打算要走得更近、微笑著伸出一手，此時貝納德半站起身，一臉驚恐的表情。

那兩個豐滿的黑人女侍看向貝納德，目光再轉到湯姆身上。湯姆看到一名女侍站起來，帶著那種非洲特有的緩慢節奏，顯然打算去找貝納德問一聲，看到底有什麼不對勁，因為貝納德的表情好像吃錯東西快死掉了。

貝納德否定地揮揮手——湯姆很納悶，是對著那個女侍，還是對著他？

湯姆轉身穿過內門（外頭還有一扇防風擋雨的外門），然後出來到人行道上。他兩手插進口袋，低著頭，很像貝納德，又循著來時路走回格施塔騰托城門，步向城裡比較光亮的區域。他做錯了嗎？湯姆自問。他是不是應該走上前去找貝納德？但湯姆感覺貝納德會當場大喊起來。

湯姆經過他的飯店，到了下一個街角右轉。托馬塞利就在前面幾碼處。要是貝納德跟著他——湯姆很確定貝納德會離開那家餐館——要是貝納德想在這裡跟他一起用餐，非常好。但湯姆知道不是這麼回事。其實貝納德以為他看到幻象了。於是湯姆找了張位於中間、很顯眼的餐桌坐下，點了一個三明治和一瓶白葡萄酒，讀了兩份報紙。

貝納德沒有進來。

那個大大的木頭門框上方有個拱形的黃銅門簾桿，垂下一面綠色的門簾，每回門簾一動，湯姆就望過去，但進來的人始終不是貝納德。

如果貝納德真的進門走向他，那也是因為貝納德想確定湯姆是真人。這很合邏輯。（麻煩出在，貝納德大概不會做任何合邏輯的事情。）湯姆會說，「坐下來，跟我一起喝點葡萄酒吧。你看，我不是鬼。我跟辛西雅談過了。她想再跟你見面。」把貝納德從沮喪的狀態中拉出來。

但湯姆不太相信自己辦得到。

23

到了第二天，星期二，湯姆做了另一個決定：去找貝納德講話，用拐用騙的都行，必要時甚至衝過去把他撲倒在地上。他也會試著勸貝納德回倫敦。貝納德在那邊一定有朋友，除了傑夫和艾德之外——貝納德大概會躲著他們。貝納德的母親不是還住在倫敦嗎？湯姆不確定。但他覺得自己必須做點事情，因為貝納德那種悲慘的神態太可憐了。每看他一眼，湯姆就很奇怪地一陣心痛：那就像是看到一個人在做垂死的掙扎，自己卻袖手旁觀。

所以到了上午十一點，湯姆到那家藍色什麼的旅舍，跟一樓櫃台那名年約五十的黑髮女人講話。「打擾一下，請問是不是有個叫貝納德・塔夫茲的人——是個英國人——住在這裡？」湯姆用德語問道。

那個女人的眼睛瞪大了些。「是的，不過他剛剛才結帳離開。大約一個小時前。」

「他說了要去哪裡嗎？」

結果貝納德沒說。湯姆謝了她，感覺她的目光在後頭盯著他一路離開那家旅舍，好像只因為他認識貝納德，所以他也一樣奇怪。

湯姆搭了計程車到火車站。薩爾斯堡機場很小，離境的飛機大概沒幾班。而且搭火車比搭飛機便宜。湯姆在火車站的各個月台和餐廳都找過，沒看到貝納德。然後他回到薩爾斯河畔的市中心找，四處留意穿著鬆垮米色雨衣、手拿旅行袋的男子。大約下午兩點，湯姆又搭了計程車到機場，以備萬一貝納德有可能會飛到法蘭克福，結果也沒交上好運。

剛過下午三點，湯姆看到他了。貝納德站在一座橫跨薩爾斯河的橋上，是一座比較小的橋，兩旁有欄杆，只能單向通車。貝納德兩隻前臂靠在欄杆上，低頭凝視著河水，他的旅行袋放在腳邊。湯姆還沒上橋，遠遠就看到貝納德了。他正想要跳河嗎？貝納德的頭髮被風吹起，又落在前額。湯姆明白了，貝納德已經決定要自殺了。或許不是馬上。或許他會到處亂走，一、兩個小時後回來。或許是今天夜裡。兩個女人經過貝納德旁邊，好奇地望了他一眼。等那兩個女人走遠之後，湯姆開始走向貝納德，腳步不快也不慢。橋底下的水滔滔流過，在沿岸的岩石邊迅速形成泡沫。湯姆記憶中從沒見過這條河上有船。薩爾斯河或許相當淺。湯姆走到離貝納德四碼處，正打算要喊他名字，此時貝納德頭往左轉，看見了他。

貝納德忽然站直身子，湯姆感覺他看到自己後，凝視的表情並沒有改變，但拿起了腳邊的旅行袋。

「貝納德！」湯姆說，剛好一輛很吵的摩托車連著拖車經過他們旁邊，湯姆擔心貝納德沒聽到。「貝納德！」

貝納德跑掉了。

「貝納德！」湯姆撞上一個女人，要不是後頭有橋欄杆擋著，她就會被撞倒地了。「啊！真是太對不起了！」湯姆說，他又用德語講了一次，撿起那個女人掉地的包包。

她朝他回了句什麼「足球員」之類的。

湯姆快步往前，現在還是看得到貝納德。湯姆皺起眉，難為情又生氣，忽然恨起貝納德。這讓他緊繃了一會兒，然後那個情緒過去了。貝納德走得很快，沒有回頭看，而且他走路的方式有種瘋狂的意味，步伐緊張但規律，讓湯姆覺得他可以繼續走上幾個小時，直到最後倒下為止。或者貝納德會倒下嗎？真奇怪，湯姆心想，他覺得貝納德像個鬼，如同貝納德顯然認為他才是鬼一樣。

貝納德開始在各條街道間毫無意義地胡亂轉彎，但始終離河不遠。他們走了半個小時，現在已經完全走出城區了。這裡的街道比較不那麼密集，偶爾會有一家花店、一片樹林、一座花園、一戶住宅，或是一家小型的甜點咖啡店，這個時分臨河的露台一片空蕩。貝納德終於走進其中一家店。

湯姆放慢腳步。急走了半天，他並不累，也沒有喘不過氣來。感覺好奇怪。只有吹在額頭上宜人的涼風，讓他覺得自己還活著。

那家小咖啡店有玻璃牆，湯姆看得見貝納德坐在那裡，面前放了一杯紅葡萄酒。店裡沒其他客人，只有一個很瘦且年紀相當大的女侍，身穿黑色制服，繫著白圍裙。湯姆微笑，鬆了口氣，想都沒想就打開店門走進去。現在貝納德看著他，好像有點驚訝，又迷惑（貝納德皺著眉頭），但原先的驚恐已經沒有了。

湯姆微微一笑，點了個頭。他不知道自己為什麼要點頭。這算是打招呼嗎？或者是確認？如果是，是要確認什麼？湯姆想像自己拉開椅子，跟貝納德坐在同一張桌子旁，開口說，「貝納德，我不是鬼。你在我身上沒堆多少土，我爬了出來。真滑稽，對不對？我剛去過倫敦，我見到辛西雅，她說……」然後他想像自己也舉起一杯酒，拍拍貝納德穿著雨衣的手臂，貝納德就會曉得湯姆是真人了。但這一切都沒發生。貝納德的表情變得很疲倦，而且湯姆覺得其中懷著敵意。湯姆又有點生氣了，他站直身子，打開背後的門，流暢而優雅地走出去，不過是倒退著走的。

湯姆是故意的，他心裡明白。

那個穿黑制服的女侍沒朝湯姆看，因為從一開始她似乎就沒看到他。她在湯姆右邊的櫃台正在忙別的。

湯姆過了街，離開貝納德待的那家咖啡店，同時也離薩爾斯堡市區更遠了。那家咖啡店就在河邊，但不是在臨河那一側，所以湯姆現在離河堤很近。人行道邊有個鑲滿玻璃的電話亭，湯姆躲在後頭，點了根法國香菸。

貝納德走出那家咖啡店，湯姆緩緩繞著電話亭轉，讓電話亭擋在他和貝納德之間。貝納德在找他，但只是緊張地東張西望一下而已，彷彿他其實並不期待能看到湯姆。無論如何，至少貝納德沒看到他，然後在街道不靠河的那一側往市區的反方向走。湯姆最後終於跟了上去。

前方的山脈隆起，狹窄的薩爾斯河從中切穿，山上長滿了墨綠色的樹，主要是松樹。他們此時仍然走在人行道上，但湯姆看得到前面沒有人行道了，馬路變成雙線的鄉村小路。貝納德打算就這樣瘋狂地走進山裡嗎？貝納德回頭看了一、兩次，所以湯姆始終躲在看不到的地方——至少瞥一眼是看不到的——而從貝納德的舉止看來，湯姆知道他沒看到自己。

他們現在離薩爾斯堡一定有八公里了，湯姆心想，停下腳步擦擦前額，拉鬆圍巾底下的領帶。貝納德沿著前面的路轉彎，現在看不見了，湯姆繼續往前走。事實上，湯姆是用跑的，就像之前在薩爾斯堡一樣，他心想貝納德有可能右轉或左轉後消失，湯姆就找不到他了。

湯姆看到他了。此時貝納德忽然回頭看了一眼，湯姆停下腳步，雙臂張開——更顯眼了。但貝納德又像前幾次那樣迅速回頭，湯姆忽然懷疑起來：貝納德看到他了嗎？但有差別嗎？湯姆繼續往前走。貝納德又轉了彎消失了，湯姆再度小跑往前。等到湯姆轉過彎，貝納德不見了，於是湯姆停下來傾聽，以防萬一貝納德走進森林了。湯姆唯一能聽到的，就是幾隻鳥的啁啾叫聲，還有遠處教堂的鐘聲。

然後在左邊，湯姆聽到一個樹枝折斷的微弱聲響，迅即停止。湯姆朝樹林走了幾步，又停下來仔細聽。

「貝納德！」湯姆大喊，他的聲音沙啞。貝納德一定聽得到。

四周似乎一片死寂。貝納德是在猶豫嗎？

然後是一個遙遠的轟響。或者是湯姆自己想像的？

湯姆朝森林更深處走去，大約二十碼後，有一道朝向河流的斜坡，斜坡後方是一片淡灰色岩石構成的懸崖，往下似乎有三、四十呎深，或者更多。懸崖頂放著貝納德的旅行袋，湯姆立刻知道發生了什麼事。湯姆湊得更近，傾聽著，但此時就連鳥兒都安靜下來了。湯姆站在懸崖邊緣往下看。下頭並不陡，貝納德一定得先走幾步，或跌下一片岩石斜坡，才能跳下去或翻滾到最底部。

「貝納德？」

湯姆往左移，那邊往下看比較安全。他抓住一棵小樹，同時確認不遠處還有另外一棵樹，以防萬一他往下滑有個東西可以抓，然後他往下看，看到下頭的石頭堆上有個灰色的瘦長形體，一隻手臂張開來。這大概等於是從四樓掉下去，而且摔在石頭堆上。貝納德沒動，湯姆又移回安全的地面上。

他拿起那個旅行袋，輕得可憐。

有好一會兒，湯姆腦袋一片空白。他手裡還拿著那個旅行袋。有人會發現貝納德嗎？從河流那邊，會有人看到他嗎？但誰會在河上？一般健行者也不會看到他或碰上他，反正短期之內不會。眼前湯姆無法想像要更接近貝納德，要去看著他。湯姆知道他已經死了。

這是一種奇怪的謀殺。

湯姆回頭，沿著下坡路朝薩爾斯堡的方向走，一路上都沒碰到人。途中接近市區時，湯姆看到了一輛巴士，於是招了手。他不太清楚自己身在何處，但那輛巴士似乎是開往薩爾斯堡的方向。

巴士司機問湯姆是不是要去某某地方，湯姆沒聽過那個地名。

「更靠近薩爾斯堡。」湯姆說。

那個司機跟他收了幾先令。

一認出路上的景物，湯姆就下車，繼續往前步行。最後，他終於來到主教宮廣場，然後走進穀物街，帶著貝納德的旅行袋。

他進入金鹿飯店，忽然聞到家具蠟的宜人氣味，那種舒適而寧靜的芳香。

「晚安，先生。」服務生說，然後把湯姆房間的鑰匙遞過來。

24

湯姆從一個挫折的夢境中醒來，夢中的那棟房子裡有大約八個人（其中只有一個人他認得，是傑夫・康斯坦），大家在嘲弄他，低聲竊笑著，因為他一切都不對勁，他有個什麼遲了，他付不出一筆帳單，他應該穿長褲時卻穿著短褲，又忘了一個重要的約會。夢中引起的沮喪在他夢醒坐起身後，又持續了幾分鐘。湯姆伸手碰觸光滑而厚實的木製床頭几。

然後他點了一份歐陸式早餐。

喝了幾口咖啡後頗有幫助。他本來在猶豫，是要替貝納德做些事情——但是做什麼？——還是打電話給傑夫和艾德，告訴他們發生的事情。傑夫可能表達能力比較好，但湯姆不太相信他或艾德能想出他下一步該怎麼走。湯姆覺得很焦慮，就是那種不知所措的焦慮。他之所以急著想跟傑夫和艾德講話，只是因為他感覺害怕和孤單。

湯姆決定不去嘈雜擁擠的郵局，而是直接拿起飯店房間裡的電話，說了傑夫在倫敦的電話號碼。接下來等著電話接通的半個小時左右，是一段奇怪但並不難受的過渡時間。湯姆開始明白，他一直希望且期待貝納德自殺。而同時，因為早知道貝納德會自我了斷，所以湯姆也無法歸咎是自己逼得貝納德自殺。相反地，湯姆很清楚跟他表明自己還活著，而且是好幾次，但貝納德似乎寧可以為自己看見了鬼。此外，就算湯姆自以為害死了他，但事實上貝納德的自殺跟他關係不大，甚或一點關係都沒有。貝納德在樹林裡攻擊湯姆的幾天前，不是已經在他家的酒窖裡以芻像上吊了嗎？

同時湯姆也想通了，他要貝納德的屍體，而且這個想法一直就在他心底。如果他把這具屍體拿來當成德瓦特的，那麼貝納德・塔夫茲的下落就會成問題。但這個麻煩以後再來解決吧，湯姆心想。

電話鈴聲響起，湯姆跳起來接。電話那頭是傑夫。

「我是湯姆。我在薩爾斯堡。你聽得到嗎？」

兩邊都聽得很清楚。

「貝納德——貝納德死了。掉下懸崖，他跳下去的。」

「不會吧。他自殺了？」

「沒錯。我看到他了。倫敦那邊怎麼樣了？」

「他們——警方，在找德瓦特。他們不知道他在倫敦或哪裡。」傑夫說，結巴了起來。

「我們得把德瓦特做個了斷。」湯姆說，「現在這是個好機會。別跟警方說貝納德死了。」

傑夫不明白。

接下來的對話很尷尬，因為湯姆無法告訴傑夫他打算怎麼做。湯姆說他會設法把貝納德的遺骸帶離奧地利，有可能帶到法國。

「你的意思是——他在哪裡？還躺在那裡嗎？」

「沒有人看到他。這事情我得去處理，」湯姆吃力而痛苦地耐著性子說，設法回答傑夫遲鈍而半成形的問題，「就當成是他自焚了，或者是想被火化。沒有其他辦法了，不是嗎？」除非他不想再幫德瓦特有限公司了。

「是呀。」傑夫幫不上什麼忙，一如往常。

「我很快就會通知法國警察，如果韋布斯特還在法國，我也會通知他的。」湯姆說得更堅定了。

「啊，韋布斯特回倫敦了。他們在這裡找德瓦特，昨天還有個便衣警察說，德瓦特有可能是別人假扮的。」

「他們提到過我嗎？」湯姆急著問，不過帶著一股強烈的輕蔑。

「不，沒提到，湯姆。我不認為他們想到了你。但是有個人——我不確定是不是韋布斯特——說他們很好奇你在巴黎的哪裡。」傑夫又補了一句，「我想他們一直在查法國的旅館。」

「眼前呢，」湯姆說，「你不知道我在哪裡，那是當然；而且你一定要說德瓦特似乎很沮喪，說你不知道他可能會去哪裡。」

他們又談了幾秒鐘，然後掛了電話。要是過幾天警方來調查湯姆在薩爾斯堡做什麼，發現帳單上有這通電話，湯姆就說他是為了德瓦特的事情打去的。他得編個故事，說因為某個原因，他跟著德瓦特來到薩爾斯堡。貝納德也得在這個故事裡扮演一個角色。比方說，德瓦特——

德瓦特很沮喪又不安，因為莫奇森失蹤了，而且或許已經死了，於是德瓦特可能打電話到麗影給湯姆·雷普利。德瓦特也可能透過傑夫和艾德，知道貝納德去過麗影。德瓦特想去薩爾斯堡，可能提議他們在那兒碰面。（或者湯姆可以把責任歸給貝納德，說是他建議來薩爾斯堡的。）湯姆會說，他在薩爾斯堡至少見過德瓦特兩、三次，大概跟貝納德在一起。德瓦特很沮喪。到底為什麼？唔，德瓦特也不會事事都告訴湯姆。德瓦特很少提到墨西哥，不過倒是問起過莫奇森，還說他去倫敦是個錯誤。在薩爾斯堡，德瓦特堅持到一些偏僻的地方喝咖啡、吃碗蔬菜牛肉湯，或者來瓶奧地利格林津產的葡萄酒。德瓦特維持既有作風，他從沒告訴湯姆他在薩爾斯堡住哪裡，道別後總是獨自離開。湯姆猜想他是用假名住在某個旅館裡。

湯姆會說，他不想告訴別人他去薩爾斯堡是為了見德瓦特，連赫綠思都不願意說。

到目前為止，這個故事開始逐漸成形了。

湯姆打開他面對席蒙得廣場的窗子，廣場上現在充滿了手推車，上頭堆著大大的白蘿蔔、鮮亮的柳橙和蘋果。很多人站在那裡，手上的長香腸蘸著紙盤上的芥末醬吃。

或許現在他可以面對貝納德的行李袋了。湯姆跪在地板上，拉開拉鍊。最上方是一件沾著泥巴的襯衫。底下有短褲和一件汗衫。湯姆把這些衣服拿出來扔在地板上。然後他鎖上房門——儘管這家飯店的清潔女僕要進來前一定會先敲門，不像其他很多飯店的員工會亂闖。湯姆繼續檢查。一份兩天前的《薩爾斯堡新聞報》，另一份同樣日期的倫敦《泰晤士報》。牙刷，刮鬍刀，一把用得很舊的梳子，一件捲起來的米色卡其長褲，袋子底部是那本很舊的褐色筆記本，貝納德曾在麗影拿出來唸過上頭的內容。筆記本下頭有一本螺旋線圈裝訂的素描本，封面上印著德瓦特的簽名，是那家美術用品公司的商標。湯姆打開素描本。裡頭畫著薩爾斯堡的巴洛克式教堂和尖塔，有些畫得很斜，上面還有額外的花飾。有的建築上方有像蝙蝠般的鳥兒飛過。不時會有溼溼的手指抹過紙面形成陰影。有張速寫被用力塗抹掉。行李袋的一個角落有瓶黑墨水，上頭的軟木塞斷了，但還是可以塞住，另外還有幾枝繪圖墨水筆和兩枝毛刷畫筆，用一根橡皮筋束著。湯姆勇敢打開那本褐色筆記簿，看是否有最近的紀錄。結果從今年十月五日之後就沒了，不過湯姆現在還沒法閱讀。他討厭閱讀別人的信件或私人文件。可是他認得出那兩張在麗影摺起來的筆記紙。這是貝納德剛到湯姆家第一天晚上寫的，湯姆匆匆看了一眼，那是一份貝納德坦白自己六年前開始偽造假畫的聲明。湯姆不想細讀，把那兩張紙撕碎了扔進垃圾桶。最後湯姆把東西又放回行李袋，拉上拉鍊，放進衣櫥裡。

要怎麼買汽油去燒屍體呢？

他可以說他車子的汽油用光了。當然，不可能今天全部完成，因為這裡每天只有一班飛往巴黎的飛機，是在下午兩點四十分。他有一張回程機票，當然，他還是可以搭火車，但行李會不會檢查得更嚴格？湯姆不希望海關檢查員要他打開行李箱，然後發現裡頭有一包骨灰。

在戶外燒屍體，能燒成灰嗎？是不是得用某種爐子？好增高溫度？

快中午時，湯姆離開飯店。他過了河，在史瓦茲路的一家店買了個豬皮行李箱，另外又買了幾份報紙，放在行李箱內。今天天氣很涼，颳著一陣陣的風，不過有陽光。湯姆在舊城那岸搭上一輛朝薩爾斯河上游的巴士，往聖母平原教堂和貝格海姆的方向，途中會經過他去過的兩個小城。湯姆在他認為正確的區域下了車，開始尋找加油站，花了二十分鐘才找到。他把新買的行李箱放在樹林裡，才走向那家加油站。

加油站的員工非常殷勤，還願意載他回到停車的地方，但湯姆說不遠，要求能不能連裝汽油的容器一起買，因為他不想再回來了？湯姆買了十公升汽油。他沿著馬路往前走，沒再回頭。他到樹林裡取了行李箱。至少他路沒走錯，但路程很遠，而且他在森林裡有兩次以為走到了，結果是錯的。

最後他終於找到那個地方，看到前方有灰色的岩石。湯姆放下行李箱，提著汽油桶迂迴繞行往下。貝納德身體下方的血跡狂亂交織，形成許多小片的紋理圖案。湯姆四下看看。他需要一個洞穴，一個凹處，上方有個突出的頂部，好讓溫度增高。他得用上很多柴火。他想起印度人在高高的焚屍台上焚燒屍體的畫面。那顯然要用上很多木頭。湯姆在懸崖下找到一個適合的地點，那是岩石間的一個凹處。最簡單的方式，就是把屍體翻滾下去。

首先湯姆把貝納德戴的那枚戒指摘下來，是枚金戒指，上頭有個像是磨損的紋章。他正要把戒指扔進樹林裡，忽然想到日後總是有可能被撿到，於是就收進口袋，想著找時間從橋上扔進薩爾斯河裡。接下來他搜了貝納德的口袋，雨衣裡只有幾個奧地利硬幣；外套口袋裡有香菸，湯姆又放回去；褲袋裡有個皮夾，湯姆把裡面的錢和紙條掏出來揉皺了，塞進自己口袋，打算用來點火，或稍後扔進火裡一起燒掉。然後他抬起黏黏的屍體往前翻。屍體滾下岩石堆，湯姆爬下去，把屍體拉向他發現的那個凹處。

然後，他很高興可以暫時不必面對屍體，開始精神高昂地收齊柴火。他往返了至少六次，避免去看貝納德的臉和頭——現在只是一片黑糊糊的。最後他聚攏了一把乾葉子和樹枝，把貝納德皮夾裡的錢和紙塞進去。接下來，他拖著屍體放在那堆柴火上，憋著氣搬動那兩條腿，又用腳把貝納德的一隻手臂推到適當的位置。屍體很僵硬，一隻手臂往外伸。湯姆搬來汽油桶，倒了一半在雨衣上，雨衣都浸溼了。他又決定點火之前，再多去收集些柴火堆在上頭。

湯姆劃了根火柴，隔著一段距離丟過去。

火焰立刻往上竄，黃色和白色。湯姆・雷普利半閉著眼睛，找了個地方避開煙霧。火焰冒出好多爆裂聲。他沒看。

放眼望去，四周沒有任何活物，連飛過的鳥都沒有。

湯姆又去撿了更多柴火。應該不會嫌太多，他心想。煙霧是白的，但很大。

馬路上有一輛車經過，從引擎運轉的聲音判斷，應該是卡車。湯姆看不見，因為被樹擋住了。聲音逐漸減弱，湯姆希望那輛車沒停下來察看。過了三、四分鐘，什麼事都沒有，湯姆便假設那個司機應該是開著車繼續往前了。湯姆眼睛沒去看貝納德的屍體，只是用一根長棍子把樹枝撥進火裡。他覺得自己笨手笨腳的，火不夠熱——離焚化屍體所需的高溫還差得太遠。因此他唯一能做的，就是盡量讓火燒得愈久愈好。現在是下午兩點十七分。站在火堆旁相當熱，因為上方有懸垂的岩石鎖住了熱氣，湯姆最後不得不站遠一些，把樹枝扔過去。他持續扔了幾分鐘。等到火減弱了一些，他才能走近火堆，把燒了一半的樹枝拾起來添入火中。他還有半桶汽油。

湯姆心中想好了一套辦法，他又走了更遠，去撿了更多柴火，做最後的努力。等他撿了一小堆，就把裝汽油的鐵桶扔在屍體上——此時屍體還是形狀分明，令人喪氣。貝納德的雨衣和長褲已經燒成灰，但鞋子沒有；至於皮肉部分，就他所能看到的，雖然是黑的，但並沒有燒盡，顯然只是冒煙而已。汽油桶發出打鼓般的轟隆聲，但是沒爆炸。湯姆一直豎著耳朵聽聽看樹林裡有沒有傳來腳步聲，或是樹枝斷裂的聲音。可能會有人因為那些煙而跑來看。最後，湯姆後退幾碼，把自己的雨衣脫掉搭在手臂，然後坐在地上，背對著火堆。等上二十分鐘再說吧，他心想。那些骨頭不可能燒掉，也不可能燒斷，他知道。這表示得掘個墳墓。他得弄把鏟子來。去買嗎？聰明一點的做法是偷一把來。

湯姆再度回頭看時，火堆已經成為黑色，周圍環繞著紅色的餘燼。湯姆把餘燼往裡戳。屍體還是屍體，這次焚化是失敗了，湯姆知道。他盤算著是要今天完成工作，還是明天再來，然後決定只要天色沒暗到無法工作，他就要今天結束掉。他眼前需要的，是一個能挖土的工具。他用原來那根長棍子戳戳屍體，發現很像果凍。湯姆把行李箱拿到幾棵樹下，放平在地上。

然後他爬上坡朝馬路走去，幾乎是用跑的。煙的味道好可怕，事實上他已經好幾分鐘沒敢吸大氣了。他心想，如果必要的話，最多可以花上一個小時，去找把鏟子來。他希望有個計畫，因為他眼前覺得很茫然，很不知所措。他沿著馬路往前走，兩手空空，沒帶行李箱。過了幾分鐘，他來到一片零星散布著幾戶房子的土地，離貝納德喝那杯紅酒的小餐館不遠。還有幾個花園，裡頭有玻璃暖房，但卻沒見著有鏟子剛好倚在磚牆上。

「日安！」一名男子說，他正在花園裡鋤地，用的是一把狹窄而鋒利的鏟子，剛好是湯姆需要的。

湯姆也若無其事地向他打招呼。

然後湯姆看到一個巴士站，是他昨天沒注意到的；有個年輕女孩，或是女人，正從反方向朝站牌走，離湯姆愈來愈近。一定是有巴士快來了。湯姆真想搭上那輛巴士，忘掉那具屍體，忘掉那個行李箱。湯姆走過那個女孩，一眼都沒看她，期望她不會記得自己。然後湯姆看到路邊有一個裝滿樹葉的金屬手推車，推車上橫放著一把鏟子。他簡直不敢相信。這是上帝送給他的小禮物——只不過這把鏟子很鈍。湯姆放慢腳步，朝森林看了一眼，想著這些東西的主人可能暫時不會出現。

巴士來了。那個女孩上了車，然後巴士開走了。

湯姆拿了那把鏟子，盡可能若無其事地往回走，蠻不在乎地像是拿著一把傘，只不過他手上的鏟子是橫著拿的。

回到原處，湯姆放下鏟子，又去多找些柴火來。時間繼續流逝，趁著天色還亮，湯姆冒險深入樹林，去找更多柴火。這時他明白，他得把頭骨毀掉，最重要的是把牙齒拿掉，而且他不想明天再來。湯姆再度戳著火，然後拿了鏟子，找了一塊堆積著潮溼樹葉的土地，開始動手挖掘。用鏟子不像用釘耙那麼好挖。但另一方面，貝納德的遺骸不會引來任何動物，所以墓穴不必挖太深。他挖累了，就回到火堆旁，拿著鏟子敲頭骨。他眼看著，心想是敲不碎了。但又多敲兩下，下頷骨鬆脫了，湯姆用鏟子撥出來後，再把更多柴火撥近頭骨。

然後他走到行李箱旁，把報紙鋪在裡頭。他得帶走一些屍骨。想到要去拿一隻手或一隻腳，他就不禁退卻。或許找一塊屍體上的皮肉吧。湯姆猜想，皮肉就是皮肉，這是人類的皮肉，絕對不可能跟牛的搞混。過了一會兒，他覺得想吐，於是蹲下來靠著一棵樹。然後他拿著鏟子走向火堆，從貝納德的手腕上刮下一些皮肉。那玩意兒黑黑的，還有點潮溼。湯姆用鏟子挖起來，扔進行李箱內。他沒關上箱子。然後他躺在地上，筋疲力盡。

或許一個小時過去了。湯姆沒睡著。他知道周圍暮色漸濃，也想到自己沒帶手電筒。他站起身，用鏟子再去敲那個頭骨，還是沒結果。湯姆知道，就算用腳去踩也沒用。一定得用石頭。湯姆找到一塊，推著朝火堆滾過去。然後他以一股新生出來的、或許不會持續太久的力氣搬起石頭，砸在頭骨上。石頭落在地上不動，頭骨在石頭下壓碎了。湯姆用鏟子推開石頭，又趕緊後退以避開火堆的熱氣。接著湯姆用鏟子戳著那堆砸得亂糟糟的骨頭，找出了一塊應該是上排牙齒。

湯姆鬆了口氣，接下來開始收拾火堆。他樂觀地想，那塊長長的形體根本就不像人類。他回去挖掘。那是一道窄溝，很快就挖了快三呎。然後湯姆回到屍體旁，用鏟子把那個冒著煙的形體推著滾向他挖的洞，不時還用鏟子敲滅地上的小火焰。要鏟入泥土前，他又檢查過一次，確認自己挑出上排牙齒了。他開始把殘餘的屍骨埋掉，用泥土蓋在上頭，燒剩的枝葉間還冒出來一圈圈的煙霧。他把行李箱裡的報紙撕下一些，用來包起有上排牙齒的那些骨頭，也把下頷骨拿起來包了進去。

他把火堆撥到一起，盡力確保餘燼不會噴到樹林裡引發火災。火裡的葉子已經先撥出來了，這樣就不會製造火星。但天色愈來愈暗，他沒辦法再耽擱下去了。湯姆把行李箱的報紙折疊好，包覆住那些小包，然後提著行李箱和鏟子，爬上斜坡。

他來到那個巴士站，原先的那輛手推車不見了。但湯姆還是把鏟子留在路邊。

他走了好一段距離，到了下一個巴士站，停下來等車。等到一半，另一個女人也來等。湯姆一眼都沒看她。

巴士來了，輕輕顛簸著煞住車，呼地一聲打開門，讓乘客上下車。湯姆試圖思考，思緒一如往常又胡亂跳躍。他們三個人——貝納德、德瓦特和他自己——是怎麼會在薩爾斯堡相遇的？還交談了好幾次？德瓦特談到過自殺。他說過希望火化，不要在焚化爐裡，要在戶外的開放空間。而且他曾要求貝納德和湯姆做這件事。湯姆試圖說服他們兩個不要那麼沮喪，但貝納德沮喪是因為辛西雅（傑夫和艾德可以證實這點），而德瓦特——

湯姆下了巴士，不在乎是哪一站，因為他想趁走路時好好思考一番。

到了金鹿飯店，門口的服務生問他：「我來提行李吧，先生？」

「喔，不必了，很輕，」湯姆說。「謝謝你。」他上樓回自己房間。

湯姆洗過手臉後，脫掉衣服泡了個澡。他想著在薩爾斯堡各式各樣的啤酒屋和葡萄酒小店裡，和貝納德與德瓦特交談的內容。那會是自從五、六年前德瓦特去希臘之後，貝納德和他首度重逢，因為德瓦特剛回到倫敦時，貝納德一直躲著沒見他，而德瓦特第二度短暫回到倫敦期間，貝納德又出國了。當時貝納德已經到了薩爾斯堡。貝納德之前在麗影跟湯姆提到過薩爾斯堡（這是事實），等德瓦特打電話到麗影時，赫綠思告訴德瓦特說湯姆去薩爾斯堡見貝納德了，或者是要試著去找他，於是德瓦特也去了。德瓦特去薩爾斯堡時用什麼名字？唔，這就是個謎了。比方說，誰曉得德瓦特在墨西哥是用什麼名字？湯姆還得交代赫綠思，萬一有人問起，要說德瓦特曾打電話到麗影。

或許這套說法還不完美無瑕，但這是個起點。

他第二度面對貝納德的旅行袋，這回他尋找貝納德最近的筆記。十月五日的筆記寫著，「我有時覺得自己已經死了。這真是夠怪了，我領悟到自己的身分和自我都崩潰、不知怎地消失了。我從來就不是德瓦特。但現在我真是貝納德・塔夫茲嗎？」

湯姆不能讓最後這兩句話出現，於是他把整頁都撕掉了。

有些素描上頭記了些字句。有的是關於顏色，薩爾斯堡建築物的各種綠色。「莫札特那個顯眼的公共聖殿——沒有一幅稍微像樣的畫像。」然後是，「我常常凝望著那條河。水流很快，這樣很好。或許最好的辦法就是這樣，夜裡跳下橋去，希望旁邊不會有人在那邊大喊：『救他！』」

這正是湯姆需要的，他趕緊闔上那本素描本，扔回旅行袋中。

貝納德記了任何有關湯姆的話嗎？湯姆又把素描本拿出來翻，尋找自己的名字或縮寫。然後他打開那本褐色記事本。其中大部分都是從德瓦特日記裡抄下來的摘錄字句，最後幾則是貝納德自己寫的，都記了日期，全是貝納德在倫敦的期間。完全沒提到湯姆・雷普利。

湯姆下樓到飯店的餐廳去。時間很晚了，不過還是可以點菜。吃了些東西之後，他感覺好些了。冰涼而清淡的白葡萄酒讓他精神振作起來。他可以搭明天下午的飛機離開。如果有人問起他昨天打給傑夫的電話，湯姆就說是他打給傑夫，要告訴他德瓦特在薩爾斯堡，而且湯姆很擔心他。湯姆也得說他曾要求傑夫別跟任何人說他在哪裡——至少不要對外說。那貝納德呢？湯姆可能跟傑夫提過貝納德也在薩爾斯堡，因為有何不可？警方要找的不是貝納德・塔夫茲。貝納德失蹤了，一定是自殺，大概是跳進了薩爾斯河，而且一定是發生在湯姆和貝納德燒掉德瓦特屍體後的當天夜裡。湯姆覺得最好說貝納德協助他火化屍體。

湯姆可以預料，會有人責怪他協助並煽動自殺。這種事情犯法嗎？湯姆會說，德瓦特堅持要吃一大堆安眠藥。他們三個人當天上午在樹林裡散步。德瓦特來會合前就已經吃了一些藥，同時也不可能阻止他把剩下的安眠藥都吃掉，湯姆會承認，他並沒有強烈的意願要干涉德瓦特，貝納德也是如此。

湯姆回到樓上的房間，打開窗子，然後打開那個豬皮行李箱，裡頭有兩個報紙包起來的包裹，他拿出那個比較小的，又多包了一些報紙，但看起來還是不比葡萄柚大。接著他關上行李箱，免得打掃的清潔女僕進來（儘管他的床已經鋪好了），窗戶還是保持微開，然後帶著那個小包下樓。他走上右邊的橋，橋兩側有扶手欄杆的那座，他昨天就看到貝納德靠在欄杆上頭。湯姆以同樣的姿勢靠在欄杆上。等到四下無人，他鬆開兩手，讓手中之物掉下去。那個小包輕輕落下，很快就在黑暗中消失。湯姆身上也帶著貝納德的戒指，他用同樣的方式扔進河裡。

次日上午，湯姆訂好了機位，然後出門買點東西，主要是買給赫綠思。他買了一件綠色背心，一件當地的傳統男式外套，是澄藍色的，就像高盧牌香菸菸盒上的顏色，還買了一件有縐褶邊的白色對襟襯衫；買給自己的，則是一件墨綠色背心和兩把獵刀。

這回，他搭乘的那架小飛機上漆的名字是「貝多芬」。

晚上八點抵達奧利機場時，湯姆用自己的護照入境，檢查人員看了他和照片一眼，沒在上頭蓋印。他搭計程車到維勒佩斯，一直擔心赫綠思會有訪客，結果沒錯，屋子門口停了一輛暗紅色的雪鐵龍，是葛瑞夫婦的車。

他們剛吃過晚飯，壁爐裡升了一小堆火，非常舒適。

「你怎麼沒先打電話？」赫綠思抱怨，但看到他很高興。

「你們繼續，別讓我打斷了。」湯姆說。

「可是我們晚餐已經結束了！」艾格妮斯・葛瑞說。

這倒是真的，他們坐在客廳裡，正要喝咖啡。

「你吃過晚飯了嗎，湯姆先生？」安奈特太太問。

湯姆說吃過了，不過他想喝點咖啡。湯姆告訴葛瑞夫婦，說他剛去過巴黎，探訪一個有些私人問題的朋友，他覺得自己表現得相當正常。葛瑞夫婦顯然無意刺探。湯姆問安東・葛瑞這個建築師大忙人，星期四晚上怎麼會在維勒佩斯？

「我想放縱自己一下，」安東說。「天氣很好，我告訴自己，我要幫一棟新大樓寫點備忘錄，更重要的是，我要設計我們客房的壁爐。」他大笑。

湯姆心想，只有赫綠思注意到他跟平常不一樣。「諾愛爾星期二的派對怎麼樣了？」湯姆問。

「很好玩！」艾格妮斯說。「我們好想念你啊。」

「那位神祕的莫奇森呢？」安東問。「他怎麼樣了？」

「唔──他們還沒找到他。莫奇森太太來找過我──赫綠思大概跟你們說過了。」

「沒有，她沒說。」

「我也幫不上什麼忙。」湯姆說。「她先生的那幅畫，是一幅德瓦特的作品，也在奧利機場被偷了。」說這些不會有壞處，湯姆心想，因為這是事實，而且報上已經登過了。

喝完咖啡後，湯姆告退，說他想上樓整理行李，稍後再下來。討厭的是，安奈特太太已經把他的行李箱提上樓了，他順利離開客人，沒引起什麼騷動。到了樓上，湯姆鬆了口氣，看到安奈特太太沒打開任何一個行李箱，大概是因為她樓下已經夠忙了。湯姆把那個新的豬皮箱放進一個櫃子裡，打開另一個行李箱，裡頭裝著了他新買的東西。然後他回到樓下。

葛瑞夫婦都習慣早起，所以十一點之前就告辭了。

「韋布斯特打過電話來嗎？」湯姆問赫綠思。

「沒有，」她小聲用英語說。「可以讓安奈特太太知道你去了薩爾斯堡嗎？」

湯姆微笑，是放心的微笑，因為赫綠思很有效率。「可以，事實上，妳現在一定得說我在那兒了。」湯姆想解釋，但今天晚上還不能告訴赫綠思有關貝納德的遺骸，或者任何晚上都不能說起那堆德瓦特－貝納德的骨灰。「我稍後再跟妳解釋吧。現在我得先打電話去倫敦。」湯姆拿起話筒，請接線生幫他接到傑夫的工作室。

「薩爾斯堡那邊發生了什麼事？你見到那個瘋子了嗎？」赫綠思問道，聽起來關心湯姆的成分大於對貝納德的氣惱。

湯姆看了廚房一眼，但是安奈特太太早已經跟他們道過晚安並關上門了。「那個瘋子死了。自殺。」

「真的！你不是開玩笑的吧，湯姆？」

但赫綠思知道他不是在開玩笑。「重要的是，對任何人都要說，我去了薩爾斯堡。」湯姆跪在她椅子旁邊的地板上，頭枕在她腿上一會兒，然後站起來吻了她兩頰。「親愛的，我要對外說德瓦特也死了，也在薩爾斯堡。還有，萬一有人問妳，妳要說德瓦特從倫敦打過電話來麗影，想要見我。於是妳告訴他，『湯姆去薩爾斯堡了。』好嗎？這很容易記，因為這是事實。」

赫綠思斜眼看著他，帶著點淘氣。「什麼是事實，什麼又不是事實？」

她的口吻聽起來有種奇異的哲理。這的確是個哲學家的問題，他和赫綠思又何必去費事搞懂呢？「上樓吧，我會證明我人在薩爾斯堡。」他把赫綠思從椅子上拉起來。

他們上樓到湯姆的臥室，看他行李箱裡的東西。赫綠思試穿了那件綠色背心。她抓起那件藍色外套，也試穿了，很合身。

「你還買了個新的行李箱！」她說，看到他衣櫃裡的那個褐色豬皮箱。

「只是個普通箱子，」湯姆用法語說，此時電話鈴響。他揮揮手要她別碰那個箱子。湯姆接了電話，接線生說傑夫的電話沒人接，於是湯姆要求對方再繼續試。快十二點了。

湯姆沖了個澡，同時赫綠思還一邊跟他講話。「貝納德死了嗎？」她問。

湯姆正在沖掉身上的肥皂，回到家真好，感覺到熟悉的浴缸就在他腳下。他洗完出來穿上絲質睡衣褲。看著赫綠思，他不知道該從何解釋起。電話響了。「妳就仔細聽我講電話吧，」湯姆說，「或許就能了解狀況了。」

「喂？」傑夫的聲音說。

湯姆站直身子，全身緊繃，他的聲音很凝重。「喂。我是湯姆。我打來是要告訴你德瓦特死了……死在薩爾斯堡……」

傑夫結巴起來，好像他的電話被竊聽似的，湯姆繼續像個普通的誠實好公民說：「我還沒告訴任何警察。他的死——那些狀況我不想在電話裡面描述。」

「你——你要來倫敦嗎？」

「不了，我不會去。不過麻煩你告訴韋布斯特督察，說我打電話給你，說我去薩爾斯堡找貝納德……唔，現在先別管貝納德了，只除了有件事很重要。你能不能去他工作室，把所有德瓦特的痕跡都毀掉？」

傑夫明白了。他和艾德認識工作室的大樓管理員。他們可以拿到鑰匙。他們可以說貝納德託他們來拿東西。湯姆希望他們把裡頭的速寫、或許還有未完成的油畫，全都給拿出來毀掉。

「要徹底檢查過，」湯姆說。「接下來，德瓦特前幾天應該打電話給我太太。我太太告訴他說我在薩爾斯堡。」

「是的，但為什麼——」

為什麼德瓦特想去薩爾斯堡，湯姆猜想傑夫打算這麼問。「我想重要的是，我已經在這裡準備好要見韋布斯特了。事實上，我想見他。我有消息要告訴他。」

湯姆掛上電話，轉向赫綠思。他猶豫地露出微笑。但他會成功的，不是嗎？

「你的意思是，」赫綠思用英語問道，「德瓦特死在薩爾斯堡，可是你不是告訴過我，他三年前死在希臘嗎？」

「我們得證明他死了。妳知道，親愛的，我做這一切，是為了保護——菲力普・德瓦特的名譽。」

「一個已經死掉的人，怎麼可能再死一次？」

「這個問題就留給我好嗎？我還有——」他看了一下放在床頭几的手錶。「我今天晚上還有三十分鐘的工作要做，做完我很樂意去找妳——」

「工作？」

「一些小事情。」老天，如果連女人都不能了解小事的重要，那還有誰能了解？「小小的責任。」

「不能等到明天早上嗎？」

「那位韋布斯特督察明天可能會來。說不定上午就會到。妳先換衣服上床吧，我等會兒就來。」湯姆拉著赫綠思起身，她順從地站起來，所以他知道她應該心情不錯。「有爸爸那邊的消息嗎？」

赫綠思吐出一連串法語，說些類似「啊，今天晚上就別管爸爸了吧……兩個人死在薩爾斯堡呢！你的意思應該是一個人，親愛的。或者是沒有人死掉？」

湯姆大笑，很開心赫綠思那種不敬的態度，因為跟他很像。她的謹守禮節只是外表而已，湯姆知道，否則她也不會嫁給他了。

赫綠思一回自己臥室，湯姆就走到自己的行李箱前，拿出貝納德的褐色筆記本和素描本，整齊地放在他的寫字檯。之前貝納德的卡其褲和襯衫已經被他丟在薩爾斯堡街上的一個垃圾桶裡，那個旅行袋則扔進另一個垃圾桶。湯姆想好的說法是，貝納德說要出去另找一家旅館，要湯姆暫時代為保管旅行袋。貝納德始終沒回來，湯姆就只留下有價值的東西。然後湯姆從他的袖釦盒中拿出那枚墨西哥戒指，就是他第一次去倫敦假扮德瓦特時戴過的那枚。湯姆光著腳悄悄下樓，把戒指放在壁爐的餘燼中央。他想這樣可以把戒指燒熔成一團，因為墨西哥銀器的成分很純，很柔軟。他會把燒爛的戒指放進德瓦特的（而非貝納德的）骨灰中。他明天得早起，搶在安奈特太太清理壁爐裡的灰燼之前。

赫綠思上了床，正在抽菸。湯姆不喜歡抽她的吉普賽女郎牌香菸，但他喜歡聞她抽這種菸的氣味。他們關了燈之後，湯姆把赫綠思擁得更緊。可惜他沒把羅柏・馬凱的護照扔進火裡。怎麼就一刻都不得安寧呢？

25

湯姆離開熟睡的赫絲思，一隻手臂從她脖子底下抽出來，大著膽子把她翻過去，下床前吻了她一邊胸脯。她沒怎麼醒，而且大概以為他要去上廁所。湯姆赤腳到自己的臥室裡，從外套口袋裡掏出那本馬凱的護照。

他下樓，電話旁的時鐘顯示差一刻就七點了。壁爐的火看起來已經化成了白色灰燼，但無疑還是溫的。湯姆拿了一根小樹枝，準備把那枚銀戒指勾出來，同時準備好，萬一安奈特太太進來，就要把那本綠色護照藏在手裡——他已經把護照折成兩半。湯姆找到戒指，已經燒黑也變形了，但不是他期望中毀掉的樣子。他把戒指放在壁爐台上冷卻，攪了攪餘燼，撕爛那本護照。他劃了根火柴以加快速度，看著護照完全燒光。然後他拿了戒指上樓，打開薩爾斯堡帶回來的那個豬皮行李箱，放進那堆難以形容的黑色和紅色玩意兒中。

電話鈴響，湯姆立刻接了起來。

「啊，韋布斯特督察，你好！……沒有問題，我已經起床了。」

「我聽康斯坦先生說——德瓦特死了？」

湯姆猶豫了片刻，韋布斯特又補充說，康斯坦先生昨天深夜打電話到他辦公室留話。「他在薩爾斯堡自殺了，」湯姆說。「我剛從薩爾斯堡回來。」

「我想跟你碰面，雷普利先生。我這麼早打電話過去，就是因為我發現可以搭一班九點的飛機。我大概十一點左右會到府上拜訪，方便嗎？」

湯姆立刻答應了。

然後湯姆回到赫綠思的臥室。萬一湯姆睡著了，再過一個小時安奈特太太就會叫醒他們，她會送來給赫綠思的茶和給湯姆的咖啡。安奈特太太已經很習慣看到他們早上都在其中一個人的臥室裡。湯姆沒睡，但躺著休息了一下，而且跟赫綠思在一起，更能讓他恢復活力。

安奈特太太在大約八點半來敲門，湯姆示意說他要咖啡，但赫綠思想再睡一下。湯姆啜著咖啡，想著自己該做的事情，還有該表現出的舉止。最重要的是要表現得很誠實，湯姆想著，把那個說法在心裡溫習了一遍。德瓦特打電話來，因為莫奇森的失蹤令他很不安（很奇怪，過於痛苦這種事情很不合邏輯，但聽起來反倒像是真的，預期之外的反應聽起來都會很真實），問說能不能過來拜訪湯姆？赫綠思告訴他說湯姆已經去了薩爾斯堡，去找貝納德・塔夫茲。沒錯，如果由赫綠思向韋布斯特提到貝納德，那是最好的。對德瓦特來說，貝納德・塔夫茲是個老朋友，一聽這個名字他就有反應。在薩爾斯堡，他和德瓦特關心貝納德的程度勝過莫奇森。

赫綠思一醒來，湯姆就下床到樓下，請安奈特太太泡茶。此時是九點半。

湯姆出去看之前埋葬莫奇森的那個墓地。他上回看過後，這幾天又下了些雨。墓地上他當初蓋住的枝葉還在原處，因為看起來很自然，不像是有人想遮掩那個地方，總之湯姆也沒有理由藏著那個地方，不讓警察挖。

大約十點時，安奈特太太出去買菜。

湯姆告訴赫綠思，說韋布斯特督察約了要來，他希望她出現。「妳可以老實跟他說，我去薩爾斯堡想找貝納德。」

「韋布斯特先生會指控你什麼罪名嗎？」

「他怎麼有辦法？」湯姆微笑著回答。

韋布斯特在十點四十五分抵達。他提著他那個黑色公事包進門，看起來像個醫師一樣有效率。

「這位是我太太，你見過的，」湯姆說。他接過韋布斯特的大衣，請他坐下。

韋布斯特督察坐在沙發上。首先他先把事情的時間順序問一遍，邊問邊做筆記。湯姆什麼時候聽到德瓦特的消息？湯姆說他覺得是十一月三日，星期天。

「他打電話來的時候，是我太太接的，」湯姆說。「當時我在薩爾斯堡。」

「妳跟德瓦特談過？」韋布斯特問赫綠思。

「啊，沒錯。他想找湯姆，但我告訴他湯姆在薩爾斯堡——去找貝納德了。」

「嗯。你住在哪個飯店？」韋布斯特問湯姆，臉上還是慣常的那個微笑，從他快活的表情，完全看不出在查的案子是關於死亡的。

「金鹿飯店，」湯姆說。「我先到巴黎，憑著一個預感去找貝納德・塔夫茲，然後我又去了薩爾斯堡，因為貝納德提到過那裡。他沒說他要去，但他說他想再看看薩爾斯堡。那是個小城，在那邊要找人不會太難。總之，我到的第二天就找到貝納德了。」

「你先見到誰？貝納德還是德瓦特？」

「喔，是貝納德，因為我在找他。我不曉得德瓦特也去了薩爾斯堡。」

「然後——請繼續說。」韋布斯特說。

湯姆在椅子上往前坐。「唔——我想我單獨跟貝納德談了一、兩次。跟德瓦特也一樣。然後有幾次我們三個在一起。他們兩個是好朋友。我想比較沮喪的是貝納德。他在倫敦的朋友辛西雅不想再跟他見面了。德瓦特並不——」湯姆猶豫著。「德瓦特似乎關心貝納德勝過對自己。我剛好有兩本貝納德的筆記本，我想應該拿給你看。」湯姆站起來，但韋布斯特說：「我先把幾件事實記下來吧。貝納德是怎麼自殺的？」

「他失蹤了。就在德瓦特死亡之後。從他在筆記本裡寫的，我想他可能在薩爾斯堡跳河淹死了。但我不確定，所以也沒報警。我想先跟你談過再說。」

韋布斯特看起來有點茫然，或是遲鈍，湯姆也不意外。「我很有興趣看看貝納德的筆記本，但德瓦特——他在那邊出了什麼事？」

湯姆看了赫綠思一眼。「唔，在星期二，我們三個約了上午十點左右碰面。德瓦特來之前吃了一些鎮靜劑，他說的。他之前就談到過自殺，又說他想被火化——由我們做，貝納德和我。至少我是一直沒太當回事，直到他星期二出現時腳步不穩，而且有點——一直在搞笑。我們一路散步時，他又吃了更多藥丸。我們在樹林裡，是德瓦特想去的。」湯姆對赫綠思說，「如果妳不想聽，親愛的，妳就上樓去。我得照實把情況說出來。」

「我要聽。」赫綠思臉埋在雙手裡一會兒，然後放下手站起來。「我去請安奈特太太泡些茶。好嗎，湯姆？」

「很好，」湯姆說。他對韋布斯特繼續說道，「德瓦特跳下一個懸崖，摔在底下一片岩石上。你可以說他是以三種方式自殺，安眠藥、跳崖，還有火化，但我們焚燒他的時候，他確實已經死了。他是跳崖死的。貝納德和我第二天又回去，盡可能把他火化，然後把剩下的埋葬。」

赫綠思回來了。

韋布斯特邊寫邊說，「第二天。十一月六日，星期三。」貝納德住在哪裡？湯姆說是林策街的藍色什麼的。但星期三之後，湯姆就不確定了。他們是什麼時候、在哪裡買汽油的？湯姆把地點講得很模糊，但時間是星期三中午。德瓦特住在哪裡？湯姆說他從來沒想過要去查。

「貝納德和我講好，星期四上午九點半在老市場碰面。星期三晚上，貝納德把他的旅行袋交給我保管，說他要去找另一個旅館住。我要他住在我旅館裡，但他不肯。然後——星期四他沒來赴約。我等了一個小時左右。從此再也沒見到他。他沒在我旅館留話。我感覺貝納德不想赴約，大概已經自行了斷——大概是跳河淹死了。於是我就回家了。」

韋布斯特點了根香菸，動作比平常慢。「你星期三本來就該把那個旅行袋留著過夜嗎？」

「未必。貝納德知道我住哪兒，我比較希望他當天稍晚來拿。我還跟他說，『如果今天晚上見不到你，我們就明天上午碰面了。』」

「你昨天早上去其他旅館打聽過他嗎？」

「沒有。我想我當時失去了所有希望。我很心煩，而且很喪氣。」

安奈特太太送茶過來，跟韋布斯特督察互道「日安」。

湯姆說，「幾天前，貝納德在我們地下室的酒窖吊了一個假人。意思是要吊死自己。是我太太發現的，把她嚇壞了。貝納德把長褲和外套用一條皮帶綁著，從天花板吊下來，上頭還有一張字條。」湯姆看了她一眼。「抱歉，赫絲思。」

赫絲思咬著嘴唇聳聳肩。她的反應無疑很真實。湯姆所說的那個狀況的確發生過，要她回想並不愉快。

「他寫的那張字條還在嗎？」韋布斯特問。

「還在。一定還放在我睡袍的口袋裡。要我去拿嗎？」

「晚一點好了。」韋布斯特似乎又要露出微笑，但沒成形。「我能請教你到底為什麼去薩爾斯堡嗎？」

「我擔心貝納德。他提到過想去薩爾斯堡。我感覺貝納德可能會自殺。而且我不明白——他到底為什麼要來拜訪我？他知道我有兩幅德瓦特的畫作，沒錯，但他原先不認識我。不過他初次來訪時，跟我談話相當坦誠。我以為或許我可以幫忙。但是到頭來，德瓦特和貝納德都自殺了，德瓦特先。總之，碰到像德瓦特這種人，你不知怎地就是不會去任意干涉他。你會覺得自己去干涉是不對的。我的意思不是**那個**，但我是指，當你明明知道一個人已經下定決心要自殺了，你會覺得去勸他不要自殺，他也不會接受的。我的意思是這樣。去勸他是不對的，而且沒有希望，而當一個人覺得說了某些話也沒好處的時候，為什麼要因此責備他呢？」湯姆暫停下來。

韋布斯特專注聽著。

「貝納德在這裡吊死了自己的芻像之後，就離開了——大概是去巴黎。然後他又回來。赫綠思就是在那時見到他的。」

韋布斯特想知道貝納德‧塔夫茲回到麗影的日期。湯姆盡力回想，覺得應該是十月二十五日。

「我想幫貝納德，還跟他說他女朋友辛西雅可能會願意見他。其實就我從貝納德那邊聽來的，我想不是這麼回事。我只是想幫他脫離沮喪狀態。我認為德瓦特還更努力。我很確定他們在薩爾斯堡私下見過幾次。德瓦特很喜歡貝納德。」湯姆對赫綠思說。「這些妳聽得懂嗎，親愛的？」

赫綠思點點頭。

她大概全都聽得懂。

「德瓦特為什麼那麼沮喪？」

湯姆想了一會兒。「他對整個世界、整個人生都感到沮喪。我不知道是不是在墨西哥那邊還有什麼個人因素。他提到過一個墨西哥女孩結婚並離開了。我不曉得這件事有多重要。他似乎因為回到倫敦而心亂。他說那是個錯誤。「我們可以上樓嗎？」

韋布斯特終於停止做筆記。

湯姆帶著督察進自己房間，然後去衣櫃裡拿他的行李箱。

「我不想讓我太太看到這個，」湯姆說，打開了行李箱。他和韋布斯特低頭站在箱子邊。那些小小的遺體包在湯姆買的奧地利和德國報紙裡。湯姆注意到韋布斯特先看過報紙上的日期，才把那個小包裹拿出來放在地毯上。他又拿了些報紙墊在那些小包裹底下，但湯姆知道包裹並不潮溼。然後韋布斯特打開包裹。

「嗯。天可憐見。德瓦特要你拿這些做什麼？」

湯姆猶豫了，皺起眉頭。「沒有。」湯姆走向窗邊，打開一點。「我不知道我為什麼拿這些回來。當時我很心煩，貝納德也是。我不記得貝納德說過我們該帶些遺骨回英格蘭。但我還是拿了這個。我們本來是希望燒成骨灰的，但是沒成功。」

韋布斯特用他的原子筆尾端戳了戳那玩意兒。他戳到那個戒指，用筆鉤了出來。「銀戒指。」

「我刻意把戒指拿了出來。」湯姆知道戒指上的兩條蛇仍可辨識。

「我要把這帶回倫敦，」韋布斯特說，站了起來。「如果你有盒子的話，也許——」

「有，當然有。」湯姆說，正要朝房門走去。

「你剛剛提到過貝納德‧塔夫茲的筆記本。」

「沒錯。」湯姆回頭，指著他寫字檯一角的那本筆記本和素描本。「就在這裡。還有他寫的那張字條——」湯姆走到浴室找他掛在鉤子上的睡袍。字條還在口袋裡。——我在你家吊死了自己的芻像……。湯姆遞給韋布斯特，然後出了房門下樓。

安奈特太太收藏了很多盒子，各種大小都有。「要裝什麼的？」她問，熱心想幫忙。

「這個就很適合。」湯姆說。盒子堆在安奈特太太的衣櫃上，湯姆拿了一個下來。裡頭放了一些零碎的毛線，整齊捲了起來，湯姆面帶微笑把毛線遞給安奈特太太。「謝謝妳，親愛的。」

韋布斯特也下樓來了，正拿著電話講英語。赫綠思大概上樓回房了。湯姆拿著盒子上樓，把那個小包裹裝進去，又塞了些報紙把盒子填滿。他從工作室裡拿了繩子來綁好。那是個鞋盒。然後湯姆拿著盒子下樓。

韋布斯特還在講電話。

湯姆走向吧檯，倒了一杯純威士忌給自己，然後決定等著看韋布斯特要不要一杯杜柏內酒。

「……巴克馬斯特畫廊的人？你能不能等我回去再說？」

湯姆改變心意，到廚房拿冰塊，準備幫韋布斯特調杜柏內酒。他拿了冰塊，然後看到安奈特太太，便要她幫忙調酒，還交代別忘了放檸檬皮。

韋布斯特正在說，「我大概一個小時後會再打過去，所以先別去吃中飯……不，目前還沒有任何消息……我還不知道。」

湯姆覺得不安。他看到赫綠思在後院草坪上，就出去找她，雖然他其實比較想留在客廳裡。「我想我們應該問督察要不要留下來午餐或吃點三明治，諸如此類的。好嗎，親愛的？」

「你把骨灰給他了？」

湯姆眨眨眼。「很小一包，裝在盒子裡。」他笨拙地說。「已經包起來，別多想了。」湯姆牽起她的手回頭朝屋裡走。「貝納德的遺體被當成是德瓦特，這樣很適當。」

或許她能懂。或許她明白發生了什麼事，但湯姆不敢期望她懂得貝納德對德瓦特的崇拜。湯姆問安奈特太太能不能用罐頭龍蝦之類的做些三明治。赫綠思去廚房幫他，湯姆則到客廳和督察會合。

「只是例行公事，雷普利先生，我能不能看一下你的護照？」韋布斯特問。

「沒問題。」湯姆上樓，很快就拿了他的護照下來。

韋布斯特現在喝著他的杜柏內酒。他緩緩檢查著護照，似乎對好幾個月前的日期也同樣感興趣。「奧地利。沒錯，嗯。」

湯姆感覺很放心，他還記得德瓦特第二度在倫敦出現時，他沒有以湯姆・雷普利的身分去倫敦。湯姆疲倦地坐在一張直背椅上。因為昨天的事情，他應該要表現得相當疲倦和沮喪。

「德瓦特的東西怎麼樣了？」

「東西？」

「比方他的行李箱。」

湯姆說，「我始終不知道他住在哪裡。貝納德也不知道，因為我問過他——就在我們——就在德瓦特死掉之後。」

「你認為他就把東西都留在某個旅館裡？」

「不。」湯姆搖搖頭。「這不像德瓦特。貝納德說他認為德瓦特大概把自己的所有痕跡都毀掉之後，才離開旅館，然後——唔，行李箱要怎麼扔掉呢？把裡頭的東西扔在不同的垃圾箱，或者說不定整個箱子扔進河裡。在薩爾斯堡很容易的。尤其如果德瓦特趁著黑夜在前一夜扔掉。」韋布斯特沉思著。「你有沒有想過，貝納德可能回到樹林裡，跳下同一個懸崖？」

「有，我想過。」湯姆說，因為他莫名其妙想到過這點。「但昨天上午我鼓不起勇氣回那裡。或許我該去看看的，或許我該上街找貝納德找更久的。但我覺得他死了——在某個地方，不知道怎麼就是死了，我再也找不到他了。」

「但是據我的了解，貝納德·塔夫茲可能還活著。」

「一點也沒錯。」

「他身上的錢夠嗎？」

「我很懷疑。我主動想借他錢——三天前——但他拒絕了。」

「關於莫奇森的失蹤，德瓦特跟你說了些什麼？」

湯姆想了一下。「他覺得很沮喪。至於他說了什麼——他說了些有關成名的負擔。他不喜歡成名。他覺得自己的成名造成了一個人的死亡——莫奇森。」

「德瓦特對你友善嗎？」

「對。至少我從沒注意到任何不友善。我跟德瓦特私下只談過一、兩次，而且時間很短。」

「他知道你是理查・葛林里的朋友嗎？」
湯姆的身體掠過一片震顫，他希望沒人看到。湯姆聳聳肩。「就算他知道，也從沒提過。」
「貝納德呢？他也沒提過？」
「沒有。」湯姆說。
「你知道，相信你也同意，這很奇怪，你身邊有三個人都死掉或失蹤了——莫奇森、德瓦特和貝納德・塔夫茲。之前理查・葛林里也失蹤了——我記得，他的屍體始終沒找到。還有他那個朋友叫什麼來著？佛瑞迪什麼的？」
「我想是佛雷迪・邁爾斯。」湯姆說。「可是莫奇森跟我並不親近，我根本不太認識他，其實我跟佛雷迪・邁爾斯也不熟。」至少韋布斯特還沒想到他有可能假扮德瓦特，湯姆心想。
赫綠思和安奈特太太進來，安奈特太太推著裝酒的推車，上頭有一盤三明治，冰桶裡放著一瓶葡萄酒。
「啊，吃些點心吧！」湯姆說。「我還沒問你午餐有沒有約呢，督察，不過這點小小的——」
「我已經跟梅朗的警察約好了，」韋布斯特說著迅速一笑。「我得趕緊打個電話給他們。順便說一聲，這些電話費我會補償的。」
湯姆抗拒地搖搖手。「謝謝。」他對安奈特太太說。
赫綠思給了韋布斯特督察一個小碟子和餐巾，然後夾了三明治給他。「有龍蝦和蟹肉口味。這個是龍蝦的。」她指著說。

「我怎麼抗拒得了呢？」督察說，兩個都接受了。不過韋布斯特還繼續原來的話題。「我得通知薩爾斯堡的警方——透過倫敦的同事，因為我不會說德語——去找貝納德・塔夫茲。或許明天我們可以安排在薩爾斯堡碰面。你明天有空嗎，雷普利先生？」

「是的，當然，我可以過去。」

「你得帶我們去樹林那個地方。我們得掘出那個——你知道。德瓦特是英國的國民。不是嗎？」韋布斯特滿嘴食物，露出微笑。「但當然，他一定沒變成墨西哥公民。」

「這點我沒問過他。」湯姆說。

「如果能找到他在墨西哥所住的村子，一定會很有趣。」韋布斯特說，「這個遙遠又無名的小村。是靠哪個城市，你知道嗎？」

湯姆微笑。「德瓦特從沒告訴我任何線索。」

「不曉得他的屋子是不是會被廢棄——或者他有個管理人或律師，一旦知道他的死訊後，有權幫他結束那邊的事情。」韋布斯特停頓了一下。

湯姆沒接話。韋布斯特是在盤算，希望湯姆能洩漏什麼資訊嗎？湯姆在倫敦假扮德瓦特時，曾告訴韋布斯特，說德瓦特有墨西哥護照，而且在當地用的是另外一個名字。

韋布斯特說，「你想德瓦特會用假名進入英格蘭，四處旅行嗎？可能是英國護照，但用的是假名？」

湯姆冷靜地回答，「總是有可能吧。」

「所以他住在墨西哥，大概也是用假名。」

「大概吧。我沒想過。」

「然後用那個假名，從墨西哥托運那些畫到英國去。」

湯姆頓了一下，彷彿他不是很有興趣。「巴克馬斯特畫廊應該會知道吧。」

赫綠思又夾了三明治，但督察不肯再要了。

「我很確定他們不會說的，」韋布斯特說。「或許他們根本不曉得那個假名，比方說，搞不好德瓦特就是用本名托運那些畫的。但他一定是用假名進入英格蘭的，因為我們沒有他出入境的紀錄。我可以去打個電話給梅朗的警察嗎？」

「當然可以。」湯姆說。「要不要到樓上用我房間的分機打？」

韋布斯特說在樓下打就行了。他查了一下筆記本，用他還過得去的法語請接線生替他找局長。

湯姆拿起白葡萄酒倒進托盤上的兩個杯子。赫綠思已經有一杯了。

韋布斯特正在問梅朗的局長，是否有任何湯瑪斯‧莫奇森的消息。湯姆聽著他講電話，猜想是沒有。韋布斯特說，莫奇森太太接下來幾天會住在倫敦的科諾特飯店，她很著急，如果有任何消息的話，希望梅朗警察局能通知韋布斯特的辦公室。韋布斯特也問起有關那幅失蹤的畫《時鐘》。但也沒有消息。

他掛斷電話後，湯姆想問尋找莫奇森的事情進行得怎麼樣了，但又不想表現出他一直在偷聽韋布斯特講電話。

韋布斯特堅持留下一張五十法郎的鈔票付電話費。不用了，他謝謝湯姆，說他不想再喝杜柏內酒，不過可以喝點白葡萄酒。

湯姆看得出韋布斯特站在那裡思索，想著湯姆・雷普利隱瞞了多少，他在何處露出了有罪的破綻、如何有罪，還有湯姆殺人能得到什麼好處？但很明顯，湯姆心想，不會有人謀殺兩個人，甚或三個人（莫奇森、德瓦特、貝納德），只為了要保護湯姆牆上那兩幅德瓦特畫作的價值。如果韋布斯特一路追查到德瓦特美術用品公司，查到他們每個月給湯姆的匯款，反正錢是匯到一個瑞士銀行的不具名數字帳戶。

總之，明天還要去奧地利，湯姆得去陪著警方。

「雷普利先生，可以麻煩你幫我叫輛計程車嗎？號碼你比我熟。」

湯姆走到電話旁，打給一家維勒佩斯的計程車行。他們說馬上就到。

「今天晚上我會再打電話來，」韋布斯特對湯姆說，「跟你談明天去薩爾斯堡的事情。去那邊很麻煩嗎？」

湯姆解釋得在法蘭克福轉機，又說他聽說從慕尼黑到薩爾斯堡有巴士，所以可以飛到慕尼黑再轉巴士，要比在法蘭克福等著飛往奧地利要快。不過這得打電話聯繫才行，韋布斯特說他會打電話去查倫敦飛慕尼黑的班機時間，到時候會帶著一個同事一起過去。

然後韋布斯特督察謝了赫綠思，計程車來的時候，赫綠思和湯姆送他到門口。湯姆正要去拿走廊小几上的那個鞋盒，韋布斯特先看到，自己去拿了。

「貝納德的筆記本和字條，我已經放進公事包了。」韋布斯特對湯姆說。

湯姆和赫綠思站在前廊，目送韋布斯特的計程車離開，韋布斯特隔著車窗露出他那個兔子般的微笑。然後湯姆和赫綠思轉身進屋裡。

接下來兩人一片平靜的沉默。其實並不平靜，湯姆知道，但至少是沉默。「今天晚上，我們什麼事都不要做，只要看電視就好？」下午湯姆想整理一下花園，園藝工作向來能讓他理清思緒。

於是他去整理花園。到了晚上，他們穿著睡衣躺在赫綠思的床上看電視，一邊喝著茶。快十點的時候，電話鈴聲響起，湯姆去自己房間接了。他已經準備好是韋布斯特打來，手裡已經拿著筆，準備記下明天的行程，但結果是克里斯・葛林里從巴黎打來的。他已經從萊因省回來，想問能不能和他的朋友吉拉德過來拜訪。

湯姆跟克里斯談完，回到赫綠思的房間說，「剛剛打來的是狄奇・葛林里的堂弟克里斯。他想星期一帶他的朋友吉拉德・海曼來玩。我答應他了。希望沒問題，親愛的。他們大概只會住一夜。這是個不錯的轉變——陪他們觀光一下，好好吃兩頓午餐。好嗎？很輕鬆的。」

「你什麼時候會從薩爾斯堡回來？」

「啊，應該星期天就回來了。我想那件事不可能要花超過一天——明天下午和星期天早上就很夠了。他們要我做的，不過就是告訴他們樹林的那個位置。還有貝納德的旅館。」

「嗯。好極了，」赫綠思咕噥道，撐靠在枕頭上。「他們星期一會來。」

「他們會先打電話。到時候我叫他們星期一傍晚到。」湯姆回到床上。赫綠思對克里斯很好奇，湯姆知道。像克里斯和他朋友那樣的小夥子，可以逗她開心兩天。湯姆很高興這個安排。他看著眼前電視螢幕上播放的法國老電影。男星路易・茹維（Louis Jouvet）打扮成梵蒂岡的瑞士衛兵，正拿著一把長戟在威脅某個人。湯姆決定明天在薩爾斯堡一定要保持嚴肅和坦然。當然，奧地利警方會開車載他們，趁著天還沒黑，他會帶他們直接到樹林裡的那個地方，然後明天晚上去林策街的那個藍色什麼的旅館。櫃台那個深色頭髮的女人會記得貝納德・塔夫茲，也會記得湯姆曾去問起過他。湯姆覺得放心了。他開始專心看著螢幕上那些催人欲眠的對白，此時電話鈴響了。

「一定是韋布斯特，」湯姆說，又下了床。

湯姆伸手要去拿話筒，忽然停下——只停了一秒鐘，但那一刻他預期到挫敗，似乎感覺到那種痛苦。暴露。羞愧。像以前那樣應付過去吧，他心想。這齣戲還沒演完呢。打起精神來！他接起了電話。

國家圖書館出版品預行編目資料

地下雷普利／派翠西亞・海史密斯（Patricia Highsmith）著；尤傳莉譯. -- 初版. -- 臺北市：遠流，2010.08
面； 公分. --（文學館；E0232）
譯自：Ripley Under Ground
ISBN 978-957-32-4579-7（平裝）

874.57 99011791

文學館 COSMOS E0232
地下雷普利

作者：派翠西亞・海史密斯（Patricia Highsmith）
譯者：尤傳莉
策劃：詹宏志
出版三部總監：吳家恆
執行主編：曾淑正
美術設計：Zero

發行人：王榮文
出版發行：遠流出版事業股份有限公司
地址：台北市南昌路二段81號6樓
電話：（02）23926899 傳真：（02）23926658
郵撥：0189456-1

著作權顧問：蕭雄淋律師
法律顧問：董安丹律師

2010年8月1日 初版一刷
行政院新聞局局版臺業字第1295號
售價：新台幣320元

ISBN 978-957-32-4579-7

YLib 遠流博識網 http://www.ylib.com E-mail: ylib@ylib.com

Ripley Under Ground by Patricia Highsmith
First published in 1970